Sebastiano Vassalli
Marco e Mattio

Einaudi

© 1992 e 1994 Giulio Einaudi editore s. p. a., Torino

Prima edizione «Supercoralli» 1992

ISBN 88-06-13462-0

Marco e Mattio

Ai matti

Premessa

Questo libro racconta la vicenda terrestre di Mattio Lovat, nato a Casal di Zoldo il 12 settembre 1761 e morto a Venezia l'8 aprile 1806: che per alcuni suoi comportamenti – diciamo cosí – inconsueti, e per i fatti strani e gravi che precedettero la sua fine, venne considerato uno dei primi « casi clinici » della psichiatria moderna e trattato come tale da diversi autori, in Italia e all'estero. Grazie alle nuove cognizioni della medicina e con il senno di poi, noi oggi possiamo dire che quel caso clinico, cosí come allora fu posto, era sbagliato, e che Mattio Lovat morí di un male antico e terribile chiamato pellagra: ancora molto diffuso, ai giorni nostri, in Africa e nelle regioni povere del pianeta. Una malattia della fame, anzi: la malattia della fame; che noi vediamo in televisione, o sui giornali, quando ci vengono mostrate quelle immagini di bambini scheletriti, con le pance gonfie e gli occhi lucidi di febbre, cosí pietose e inquietanti ma anche cosí lontane dalle nostre inquietudini abituali, perché nei paesi in cui viviamo, ormai, la pellagra non esiste piú! Ai tempi di Mattio, invece, la pellagra spopolava le campagne dell'Italia settentrionale e le valli alpine; veniva chiamata «pellarina» o «male della miseria», era causata da un'alimentazione insufficiente, a base di polenta di granoturco e aveva tra i suoi molti sintomi questa caratteristica, che distruggeva il sistema nervoso delle persone colpite, facendole diventare «matte». Anche Mattio Lovat, ammalato di pellagra, fu dichiarato pazzo e finí i suoi giorni in manicomio, in quell'isola di San Servolo davanti a Venezia dov'era in funzione fino dai tempi della Serenissima uno dei primi ospedali psichiatrici della storia d'Europa. Detto questo, però, e spiegata la pazzía del mio personaggio con il fatto che lui per molti anni aveva mangiato quasi soltanto polenta, devo aggiungere che la vita di quel matto di due secoli fa è uno straordinario romanzo, per l'ambiente favoloso e tragico in cui si svolse e per l'interrogativo che ha lasciato sospeso, sulla sua stessa epoca e sulle epoche successive. Mattio credeva di dover salvare il mondo e morí per salvarlo: lo salvò? Chissà. Il senso pratico – il «buon senso», a cui la maggior parte delle persone crede di ispirare le proprie azioni – ci induce a sorridere di una simile ipotesi; ma nel mondo governato dal buon senso, per nostra fortuna, di tanto in tanto affiorano degli uomini che ci passano vicino e che poi scompaiono portandosi appresso universi di domande, a cui sarebbe troppo facile, o troppo stupido, rispondere... Uomini che ci salvano: ma sí! Anche se il nostro mondo non meritava il sacrificio di Mattio Lovat, lui non aveva altri mondi per cui sacrificarsi: e ci ha salvati, o, quanto meno, ha creduto di salvarci...

L'altra storia che si racconta in questo libro, parallela e simmetrica rispetto a quella di Mattio, è la storia del misterioso don Marco: un uomo di cui ignoriamo la data di nascita e anche quella di morte (la sua leggenda, addirittura, lo vorrebbe immortale!), ma di cui conosciamo molte avventure passate, e su cui molto è stato scritto nel corso dei secoli. Questo personaggio, noto anche con i nomi di Cartafilo, Assuero, Joseph, Peter ed altri che non sto a elencare, ha fatto parlare a lungo di sé, soprattutto nei paesi di lingua tedesca, e poi è scomparso all'inizio del secolo scorso senza che nessuno piú abbia dato notizia di lui: le sue ultime vicende, infatti, avrebbero potuto essere raccontate soltanto da chi avesse conosciuto e raccontato la storia di Mattio Lovat, che lo liberò dalla condanna a vivere in eterno e gli permise di morire. Don Marco – l'«Ebreo errante» di sette secoli di letteratura europea – negli ultimi anni della sua vita e nelle pagine del mio libro si contrappone al «folle» Mattio come il male si contrappone al bene, e però è anche colui che gli insegna a guardare il cielo stellato: perché sa – meglio di qualunque altro uomo al mondo! – che vivere entro orizzonti esclusivamente umani può venire a nausea, e che il rimedio migliore contro quella nausea è lasciar vagabondare lo sguardo e il pensiero tra i corpi celesti che stanno sospesi lassú sopra le nostre teste, senza un motivo apparente e senz'altra funzione che quella, appunto, di essere guardati e pensati...

La curiosità per la vita al di fuori dell'uomo: nelle erbe, negli insetti, nelle montagne, nei mondi lontani, è il legame che unisce tra loro i protagonisti della mia storia ed è anche ciò che li unisce al loro autore, la ragione che mi ha spinto a cercarli e a farli rivivere. A volte, specialmente d'estate, capita anche a me, come capitava a don Marco e a Mattio Lovat, di alzare gli occhi verso il cielo stellato. E mi piace perdermi col pensiero in quel pulviscolo di sistemi solari che si vedono tra una costellazione e l'altra, e in quel buio che c'è dietro i sistemi solari, dove si muovono inutilmente milioni di mondi. Soffermarmi a riflettere sull'infinità di quello sperpero che chiamiamo universo mi fa bene e mi aiuta a stare bene. Che altro sono le nostre impercettibili vite, e le nostre microscopiche storie, se non sperpero nello sperpero?

Capitolo primo
Marco

Il forestiero arrivò un martedí, venendo a piedi da quella strada del Canal che era ed è tuttora la principale via di comunicazione tra la valle di Zoldo e il resto del mondo. Era il 18 aprile del 1775. Le campane della Pieve avevano da poco battuto i rintocchi dell'Angelus e gli aromi provenienti dalla cucina incominciavano a filtrare sotto l'uscio dello studiolo del pievano, don Giacomo Fulcis; quando un'improvvisa scampanellata alla porta di strada interruppe il corso dei pensieri del prete, e causò scompiglio in tutta la casa. Il cane Fun, richiamato alle sue funzioni di guardiano, manifestò la sua presenza nel cortile sbatacchiando la catena di qua e di là e abbaiando con tutto il fiato che aveva in corpo, fino quasi a strozzarsi. Al piano di sotto, dov'era la cucina, ci fu il rumore di una porta sbattuta; si sentirono un passo frettoloso su per le scale, una voce maschile dalla strada e la voce di Pellegrina che diceva: «Entrate!» «Qualche malato che sta morendo», borbottò l'arciprete: passandosi le dita tra i capelli candidi come per ravviarli, in un gesto che gli era abituale. «Vuoi scommettere? Se non muoiono in una notte tempestosa, muoiono tutti all'ora di pranzo o all'ora di cena». E poi aggiunse ad alta voce: «Avanti!», perché qualcuno aveva bussato alla porta del suo studio. Entrò un uomo che don Giacomo non ricordava di avere mai visto, né a Zoldo né altrove, con indosso un mantello corto da viandante e brache di cuoio come s'usavano nel Tirolo, legate sotto il ginocchio con dei legacci rossi. Quel forestiero – osservò don Giacomo – dimostrava trentacinque anni, o pochi di piú; aveva la barba e i baffi rasati, i capelli un poco brizzolati sulle tempie e occhi grigi mobilissimi che ispezionarono la stanza in un istante, per poi fermarsi sull'interlocutore. «Che sia il nuovo conestabile di polizia?», si chiese il pievano. Nonostante fosse nato nobile, e anche ricco, don Giacomo aveva fama d'essere un uomo sordido e taccagno, che difendeva ogni centesimo come se fosse stato l'ultimo; ed effettivamente il suo pensiero successivo fu: «Mi toccherebbe invitarlo a pranzo!» S'alzò, mosse alcuni passi incontro al forestiero. Questi, per parte sua, s'inchinò profondamente, tenendo in mano il cappello; non vide, o fece finta di non vedere, l'anello arcipretale che il pievano gli porgeva perché lo baciasse; disse piú o meno le cose che avrebbe detto chiunque in quelle circostanze, però con forte accento tedesco: si scusò del disturbo che arrecava, dell'ora in cui si presentava, del non essersi annunciato con una lettera... Posò il bastone e il cappello su un piccolo sofà, proprio di fronte alla scrivania del prete; si tolse di dosso un recipiente di metallo che portava a tracolla, d'una forma che il pievano non aveva mai veduta prima d'allora e che non capiva cosa servisse a trasportare (forse, un'arma?), si slacciò la giubba; e mentre già don Giacomo, spazientito, stava per chiedergli, alla buon'ora!, chi fosse e cosa volesse da lui: gli porse un plico chiuso con un sigillo a ceralacca che il prete andò a guardare presso alla finestra, riconoscendo le insegne di monsignor Giovan Battista Sandi vescovo di Belluno. Dunque, quello strano viandante veniva da Belluno e dalla curia vescovile! Si rivolse alla nipote, che era rimasta sull'uscio per ogni evenienza: «Vai, vai pure!»

«Ma sedetevi!», disse al forestiero. «Cosa fate lí in piedi?» Si sedette lui stesso. Mise gli occhiali sul naso, aprí la lettera e per prima cosa guardò da chi fosse firmata, decifrò: monsignor Francesco Persicini... Tutto in regola! («Chiunque sia questo benedetto forestiero, – pensò il prete, – mi toccherà invitarlo a pranzo, non c'è via di scampo!») La lettera, indirizzata all'eccellentissimo e reverendissimo arciprete di Pieve di Zoldo, cioè a lui, lo informava che lo straniero seduto davanti alla sua scrivania veniva da Ingolstadt in Baviera e si chiamava Joseph Markus Stromer, professore di filosofia e di teologia; che si era

presentato a sua eccellenza il vescovo di Belluno con una lettera
commendatizia di sua eccellenza il vescovo di Bressanone e che
aveva chiesto di essere ospitato per l'estate in una parrocchia
italiana di montagna, adducendo valide ragioni a sostegno di tale richiesta. (Era stato malato, diceva la lettera da Bressanone,
di «male tisico» e i medici gli avevano prescritto, per la convalescenza, il clima alpino temperato delle regioni del Sud; in piú,
avrebbe approfittato di quel soggiorno per perfezionare la conoscenza della lingua italiana, che già parlava correntemente, e
per dedicarsi allo studio delle scienze della natura, di cui era appassionato cultore). Si confidava dunque nella ben nota carità
del pievano di Zoldo – concludeva monsignor Persicini – perché aiutasse il confratello a trovare una sistemazione adeguata
nella sua stessa casa, o, se ciò proprio non fosse stato possibile,
in altra casa di persona a lui nota e timorata di Dio...

Don Giacomo era diventato paonazzo. («La mia ben nota
carità... Che spudorati! Mandarmi un uomo da mantenere, per
dei mesi, e fare appello alla mia carità! Che mascalzoni!») Piegò la lettera. Disse ad alta voce, parlando piú a sé stesso che al
forestiero: « Monsignor Persicini... Io non capisco... non capisco come in curia abbiano potuto pensare di mandarvi proprio
da me... A Pieve di Zoldo! Lo sanno tutti che questa è una parrocchia poverissima, con dieci preti da sfamare e ottanta poveri
a carico... Ma sí! Per loro, a Belluno, sono bagattelle! Per me,
invece...»

«Forse è proprio per questo che mi hanno mandato da voi».
Lo straniero lo guardava e sorrideva, in un certo modo che a
don Giacomo non avrebbe dovuto piacere granché; ma lui era
troppo indignato per la lettera che aveva tra le mani, e non se ne
accorse. Allora il tedesco tirò fuori di tasca una moneta d'oro e
gliela mise davanti. «È una doppia imperiale, – gli disse: – vale
due zecchini. Ve ne darò una in anticipo, ogni mese, per una
stanza e due pasti al giorno. Vi sembra un prezzo ragionevole?»

Don Giacomo spalancò gli occhi: una doppia d'oro! La sollevò, la palpò, la mise in luce per guardarla meglio. Si scusò:
«Voi mi capite, professore...» Indicò la lettera con il sigillo del

vescovo: «Lí si parla di carità, ma un pover'uomo... in una parrocchia di montagna... Insomma c'è stato un equivoco, perdonatemi!»Si alzò, e anche il forestiero si alzò con lui. Gli strinse forte tutt'e due le mani: «Benvenuto! Sono lieto di offrirvi la mia ospitalità, e vi prego di accettarla. Mia nipote Pellegrina vi preparerà la camera degli ospiti, ma intanto scendiamo a rifocillarci, perché voi certamente vi sarete stancato venendo su a piedi per il Canal e avrete anche appetito, è naturale: siete ancora cosí giovane! Dopo pranzo, poi, vi presenterò i miei coadiutori di qui, cioè quelli della Pieve e dell'Ospitale dei Battuti: gli altri sono sparsi per cappellanie e mansionerie di montagna, e li conoscerete in seguito. Dieci preti per una sola parrocchia: una bazzecola! Conoscerete don Bonaventura, don Giovanni, don Bortolo, don Giuseppe, don Fedele». Aprí la porta al forestiero. «Ma voi, – gli chiese, – viaggiate il mondo cosí leggero, senza nessun bagaglio?»

«Ho lasciato i miei due bauli a Longarone, – rispose il tedesco, – a un mulattiere che provvederà a consegnarmeli nei prossimi giorni. Là dentro ho la mia biancheria, i miei libri, le cassettiere per le raccolte di minerali e di insetti, gli erbari... tutto ciò che ho portato con me venendo dalla Germania!»

«Anche gli abiti da prete, spero», osservò don Giacomo. L'altro scosse la testa: «Quelli no...» Un'espressione indefinibile mosse i suoi occhi e le sue labbra a un accenno di sorriso, che subito si perse. «Per tutto il tempo che resterò in Italia, – aggiunse dopo un attimo di silenzio, – ho una speciale dispensa del mio vescovo che mi esonera dall'obbligo di dire messa e di vestire gli abiti ecclesiastici. Quando arriveranno i bauli ve la mostrerò; ma vi avverto fin d'ora, è scritta in tedesco!»

Discesero le scale. Come spesso accade nelle case di montagna, la casa della Pieve di Zoldo s'affacciava verso la valle con tre piani, anzi addirittura con quattro, se si tiene conto del seminterrato adibito a deposito della legna e a pollaio; mentre la parte verso il sagrato, dove c'era l'ingresso, di piani ne aveva solamente due e per andare in sala da pranzo bisognava scendere, dal pianoterra della piazza al primo piano dell'altra parte.

«Mangeremo quello che c'è, bisogna adattarsi! – ripeteva don Giacomo. – Mi dispiace! Per questa volta non si può fare di meglio! Pellegrina! Pasqua!»

(La perpetua Pasqua – tanto vale che lo dica subito, perché poi nessuno pensi ad un errore dell'autore – era sordomuta dalla nascita e chiamarla per nome era perfettamente inutile, come chiamare una sedia o un altro oggetto del mobilio: ma don Giacomo, quando riceveva visite di persone considerate importanti, chiamava ad alta voce tutta la gente di casa, sordomuti inclusi).

Entrarono in sala da pranzo. Contrariamente a quanto aveva temuto l'arciprete, la tavola era apparecchiata anche per l'ospite ed era imbandita con ogni ben di Dio, come nei giorni di festa: sui taglieri di legno facevano bella mostra di sé una sopressa, una mezza forma di pecorino e una ricotta affumicata; mentre il piatto forte del giorno, la polenta col burro, spandeva attorno i suoi vapori e il suo profumo da un recipiente di coccio. Quale forma d'intuizione o di chiaroveggenza – si domandò il pievano – aveva spinto Pellegrina a preparare la tavola in quel modo? Forse aveva ascoltato i suoi discorsi con il forestiero attraverso la porta, o forse invece – Pellegrina, a volte, era cosí strana! – aveva provato un'immediata simpatia per quell'uomo, e aveva deciso di apparecchiare anche per lui, comunque poi fossero andate le cose. Presentò la nipote all'ospite. «Questa, disse, – è la signorina Pellegrina Fulcis, mia nipote. E questo, – disse alla nipote, – è il professor...»

«Stromer, – suggerí il forestiero, inchinandosi verso Pellegrina. – Joseph Markus Stromer».

«... il professor Stromer, sacerdote e teologo. A proposito, – chiese l'arciprete all'ospite, e si chiese: – se vi fermerete qualche mese qui con noi, come dobbiamo chiamarvi? Di don Giuseppe, alla Pieve, ne abbiamo già uno. Qual è l'altro vostro nome?»

«Marco, – disse il forestiero. – Chiamatemi don Marco».

Don Marco, a Zoldo, diventò subito molto noto tra la gente del popolo. Il «prete tedesco» – come lo soprannominarono gli abitanti della valle – faceva lunghe passeggiate per i sentieri del

Prampèr e del Mareson, su per il Ru Torto e per la Cervegana, tra i *tabià* del Pradamonte e del Col di Salera o addirittura sopra Fusine, alla ricerca di quelle mitiche miniere per cui un tempo – si raccontava nei *filò* – la valle era stata ricca, anzi ricchissima...
Salutava i montanari da lontano, agitando la mano: «Sani! Sani!» (Cosí la gente si salutava e si saluta tuttora, in quest'angolo di mondo: augurando a sé stessa di rimanere sana, ed includendo pro-forma, nell'augurio, anche la persona incontrata per strada). Quand'erano piú vicini, li interrogava sui nomi dei *tabià* e delle montagne: gli chiedeva come si chiamassero loro stessi, dove stessero andando e cosa facessero... Gli mostrava ciò che aveva raccolto. Erbe e fiori li riponeva dentro a quel contenitore di latta verniciata che portava a tracolla il giorno in cui era arrivato e che era sembrato, al povero don Giacomo, la custodia di un'arma; i sassi, invece, li metteva in un sacchetto che teneva appeso alla cintura e ne parlava sottovoce, come se fossero stati dei diamanti o delle pietre preziose. Indicava al montanaro certi segni, certe forme appena accennate sulla superficie del sasso. Gli diceva: «È una conchiglia! È un granchio fossile!»

«Lo sapevi, – chiedeva all'interlocutore, – che qui una volta c'era il mare? Molte di queste pietre che tu calpesti senza nemmeno farci caso, erano il fango del fondo marino, che poi s'è pietrificato! Qui è la prova!»

Il montanaro sgranava gli occhi: «Il mare! Il fango!» Se ne andava come camminando sulle uova, nel centro del sentiero: badando a dove metteva i piedi, per non calpestare quei sassi prodigiosi. Qualcuno scuoteva la testa, mormorava: «No s'ha mai 'mparà bastanza!» Qualcun altro, invece, la testa se la batteva col dito, sentenziava: «Dai ati, se conosse i mati!»

(«I matti, si riconoscono da ciò che fanno!»).

Nelle giornate di sole pieno e senza nuvole, il forestiero si dedicava ai piccoli animali: alle farfalle, che catturava con una reticella posta in cima a un bastone, ma anche ai ragni, agli scarabei, a tutti gli insetti, insomma, che si muovono in mezzo all'erba dei prati e tra le pietraie. Portava in spalla uno zainetto di

tela, sorretto da due robuste cinghie di cuoio; lí dentro teneva
un gran numero di scatoline e di vasetti dove chiudeva le sue
vittime dopo averle stordite con un liquido incolore, dall'odore
acre, di cui versava una gocciolina sopra una pezzuola. Ciò che
piú impressionava i montanari, però, era il modo con cui don
Marco maneggiava le vipere per togliergli il veleno, senza pro-
varne repulsione: le fermava a terra immobilizzandogli la testa
con un bastoncello biforcuto, le sollevava per la coda, le co-
stringeva con due dita ad aprire la bocca e poi, letteralmente, le
mungeva: raccogliendo il veleno dei denti superiori dentro un
flacone di vetro. In questi casi la gente scappava terrorizzata oppure rimaneva a guardare i movimenti del forestiero tenendosi
a distanza; qualcuno, anche, si faceva il segno della croce e reci-
tava una preghiera. Per secoli, per millenni, a Zoldo come in
tutte le valli alpine, la vipera era stata l'incarnazione del male e
della morte, una forza oscura da cui il mondo doveva essere liberato; e quell'uomo che con le vipere ci giocava, alzandole per
la coda e facendo anche il gesto di buttarle addosso ai montanari, preoccupava e impauriva un po' tutti. «Sarà anche un prete,
– dicevano in molti, – ma si comporta come se fosse un Diavolo!» Alcuni attribuivano le stranezze di don Marco al suo essere
tedesco, sentenziavano: «Todesco italianizà, xe un Diavolo in-
carnà!»; i piú, invece, preferivano soffermarsi sul suo aspetto,
sui suoi abiti, e specialmente su quel suo modo di guardare gli
interlocutori, come se avesse voluto farsi beffe di tutto e di tutti.
Ripetevano, ogni volta che se ne parlava: «Macché prete! Quello o è un Diavolo in carne e ossa, o è un framassone, che ha con-
sacrato la sua vita al servizio del Diavolo!»

Insistevano: «È stato mai visto a mettere piede in una chiesa? A farsi il segno della croce, come un buon cristiano? A celebrare la santa messa e a leggere il breviario, come i veri preti?
S'è mai sentito raccontare, da che mondo è mondo, di un prete
cosí fatto, che va in giro dall'alba a notte per i monti senza occuparsi di nient'altro che di erbe, sassi e animali schifosi?»

Quando era seduto alla tavola del pievano don Marco badava soltanto a mangiare, senza fare conversazione; se lo interpel-

lavano, rispondeva con poche parole o addirittura con un mo-
nosillabo: sí, no. Una sera, però, a cena dal parroco, c'era un
prete tarchiato e riccioluto, con due mani enormi da boscaiolo:
era don Giuseppe, direttore dell'Ospitale dei Battuti e medico
della valle. Forse per effetto di quella presenza, o forse per caso,
lo straniero quella sera si dimostrò piú loquace del solito; tanto
loquace, che raccontò la storia della sua vita. Era nato in Oriente, disse, anzi proprio in Palestina, nei luoghi della predicazione
e della passione di Nostro Signore; ma la sua formazione cultu-
rale ed i suoi studi s'erano compiuti in Germania. Aveva studiato teologia in varie Università, e non soltanto teologia: anche
scienze naturali, medicina, diritto. Un desiderio continuo di ap-
profondire, di indagare, di conoscere il mondo lo aveva spinto a
vedere in ogni scienza le connessioni con altre scienze, a non
fermarsi ai postulati, ad andare oltre: cercando Dio nella natura, la natura in Dio e l'uomo in entrambi. (Don Giuseppe, al
suono di quelle parole, trasalí, e anche il pievano allontanò la
bocca dalla coscia del cappone che teneva tra le dita, guardò in
viso don Marco: stava parlando sul serio? Lo scrutò e vide che
lui sorrideva al modo solito, come se volesse dirgli: non è vero
niente! Vi sto solo prendendo in giro! Scosse il capo; tornò a
occuparsi del cappone). Quell'inquietudine, quella perpetua
insoddisfazione, proseguí don Marco, lo avevano indotto a in-
traprendere lunghi viaggi, anche fuori del suo paese: era stato in
Inghilterra, in Francia e una prima volta in Italia; quasi senza
accorgersene, era diventato un medico famoso, richiesto da ar-
ciduchi, vescovi e principi elettori, continuamente in viaggio da
una città all'altra, da una corte all'altra; finché le fatiche e i disagi lo avevano fatto diventare tisico. S'era curato da solo, con
quel Balsamo di Baviera di cui – disse – a buon diritto poteva
considerarsi l'inventore; era ritornato sano, ma un medico suo
amico lo aveva persuaso a venire in convalescenza in Italia, per
scongiurare il pericolo di una ricaduta e anche per distrarsi da
una misteriosa malattia dello spirito: da un'*insania* – don Marco, a questo punto del racconto, abbassò la voce – che di tanto

in tanto tornava ad assillarlo e che nessun medico, ancora, era riuscito a guarirgli...

Don Giuseppe aveva ascoltato le parole dello straniero con molta attenzione, e quando lui arrivò a parlare d'*insania* lo interruppe. «Anch'io, – disse, – ho curato dei casi d'insania! Persone di questa valle che per molti mesi dell'anno conducevano una vita normale e però poi, quando la melanconia le assaliva, dovevano essere ricoverate nel nostro Ospitale perché non erano piú in grado di connettere, non riconoscevano i congiunti e potevano compiere ogni sorta di stranezze». Dopo un attimo di pausa, aggiunse alla descrizione della malattia anche la cura prescritta. «Questi casi, – ci tenne a specificare, – noi li trattiamo con i salassi, con le purghe e con l'immersione del paziente in acqua gelata...»

Don Marco inorridí: «Salassi? Purghe?» Guardò il collega, tra divertito e sbalordito. «Davvero, – disse, – non vorrei finire come paziente nelle vostre mani!»

Le mani di don Giuseppe erano grandi come badili e l'interessato le alzò, le guardò con affetto. «Queste mani, – rispose, – hanno sempre fatto del bene, e continueranno a farne finché io avrò vita!» Tornò ad appoggiarle sul tavolo. «Anche noi medici di montagna, – aggiunse dopo un attimo di silenzio, – di tanto in tanto sentiamo parlare dei nuovi farmaci, e dei nuovi modi che ci sono ora per curare gli ammalati; ma continuiamo a curarli alla maniera antica, perché crediamo che le vecchie cure, se funzionavano in passato, funzioneranno anche in futuro: e i fatti, grazie a Dio, ci danno ragione».

Le «vecchie cure», come le chiamava don Giuseppe, avevano effettivamente due grandi vantaggi sulla medicina moderna e sulle nuove terapie ispirate dal progresso scientifico: erano semplici e curavano tutto. Qualunque fosse la malattia che doveva affrontare, don Giuseppe cercava di eliminarla sottoponendo l'ammalato ad una serie di salassi, via via sempre piú energici; se quello non guariva, lo purgava con la salappa oppure gli prescriveva un vigoroso clistere «rinfrescante», per togliergli dal corpo ogni presenza maligna; se anche cosí la malat-

tia non si decideva ad andarsene, lui allora confessava il poveretto – che a questo punto era ormai prossimo a tirare le cuoia –
gli somministrava l'olio santo e lo accompagnava all'ultima dimora, pregando Dio per la sua anima immortale. Perciò – diceva don Giuseppe – le sue cure erano anche complete, piú complete di quelle di qualsiasi altro dottore : perché trattavano sia il
corpo che lo spirito e non abbandonavano l'ammalato nel momento del trapasso, ma lo accompagnavano fin oltre la morte.
Don Giuseppe, il prete-medico di Zoldo, non aveva il minimo
dubbio sull'eccellenza dei suoi metodi terapeutici: nessun altro
medico, per quanto studiasse e s'aggiornasse, poteva dare al-
l'ammalato piú di quanto gli dava lui!

La nipote del pievano, Pellegrina Fulcis, davanti a don Marco era come incantata: lo guardava in un certo modo, e con certi
occhi, che lui avrebbe dovuto avere il cuore duro come la pietra
per resistere al richiamo di quegli sguardi! A tavola, gli serviva
le parti piú succulente della selvaggina, le porzioni piú grosse di
polenta e *lugànega*. Lo toccava facendo finta di urtarlo; e il vecchio pievano, quando finalmente si accorse delle manovre della
nipote intorno al forestiero, ne fu preoccupato e turbato. «Ci
mancava solo piú questa!, – borbottava. – Mia nipote che fa gli
occhi dolci... a un prete! In casa mia!»

L'unico pensiero che dava conforto al povero don Giacomo
era che di lí a poche settimane Pellegrina sarebbe tornata a Belluno da suo padre, e che a tenere compagnia allo zio arciprete
sarebbe venuta una sua sorella minore, la signorina Rosa. Il pievano sperava che quelle settimane passassero in fretta e si limitava a sbuffare, e a fare gli occhiacci, quando vedeva la nipote in
estasi davanti a don Marco. A volte, anche, mormorava a mezza
voce, come se stesse parlando da solo. «Quella sventata, – le diceva perché lei lo sentisse, – quell'ingenua! Si decidesse a prendere marito, una buona volta, e a mettere giudizio!»

Pellegrina Fulcis, nel 1775, era una *zitella* d'una trentina
d'anni, o pochi di piú, che aveva dato e dava molti dispiaceri ai
suoi familiari, per via appunto che non si sposa. A vederla
sembrava fatta con l'accetta, con gambe e fianchi troppo grossi

rispetto alla parte superiore del corpo, capelli lisci del colore della stoppa e una macchia di colore rosso vinoso sulla guancia sinistra: non era una bellezza, anzi a voler dire le cose come stavano era piuttosto brutta, ma i suoi genitori un marito glielo avrebbero trovato – un marito nobile, s'intende! – se lei si fosse accontentata di un marito di seconda scelta: un vecchio, un invalido, un alcolizzato. Pellegrina, invece, non sentiva ragioni. Lei, sugli uomini, aveva idee molto chiare: le piacevano belli; e, se poi non erano iscritti nel *Libro d'Oro* della nobiltà, o non promettevano di dedicarle la vita, poco male! Mezz'ora, tanto per cominciare, poteva bastarle. Circolavano certe chiacchiere sul suo conto, d'un maestro di musica e d'un lacchè mandati via da casa Fulcis con in tasca una bella sommetta, perché tenessero la bocca chiusa; e si raccontavano sottovoce anche delle altre storie, complete di nomi e cognomi, di avventure con uomini sposati. Scandali grossi, però, fino a quel momento non ne aveva fatti; e i genitori ancora speravano di trovarle un marito, nonostante l'età: magari proprio a Zoldo, in modo da levarsela dai piedi una volta per tutte! Si raccomandavano a don Giacomo, gli dicevano: «Ci fosse un giovane ammodo, un montanaro, che si prendesse Pellegrina! Le daremmo una buona dote!»

Una mattina di domenica, mentre il pievano Fulcis stava celebrando la prima messa, Pellegrina entrò nella stanza di don Marco con indosso soltanto una vestaglia e reggendo il vassoio della prima colazione: che di solito veniva portata al forestiero dalla perpetua sordomuta. Spalancò la finestra, appoggiò il vassoio sul letto; e mentre don Marco tagliava un pezzettino di burro per spalmarlo sul pane, incominciò a dirgli arrossendo che lei... lei... era venuta a chiedergli un consiglio come medico. Aveva bisogno di essere aiutata: sissignore! Non che stesse male proprio in quel momento: ma di tanto in tanto si sentiva in corpo qualcosa, una specie di fastidio, di urgenza, che soprattutto in certi giorni e in certi momenti della giornata diventava insostenibile. Le salivano su per il corpo e fino al viso, delle vampate di caldo... Si sedette sul letto, slegò il nastro della vestaglia. «Per favore, don Marco, visitatemi!»

Lui sorrideva al modo di sempre, un po' sornione, e la guardava dondolando la testa, come se veramente avesse dovuto fare la diagnosi di una malattia. «Metti il paletto alla porta, – disse infine. – È un caso grave, e bisogna intervenire d'urgenza. Vieni qua!»

(«Li hai sempre avuti, questi pelacci scuri? E questo neo?»).

Proprio in quei giorni erano finite le scuole. All'epoca della nostra storia, nessuno ancora obbligava i ragazzi ad istruirsi e non c'erano scuole di Stato in nessuna parte d'Italia, ma a Zoldo c'era la scuola della Pieve e vi si faceva lezione tutte le mattine dell'anno: con la sola eccezione delle domeniche e delle altre feste comandate dalla Chiesa, e con la sola pausa dei due mesi d'estate, luglio e agosto. La scuola della Pieve era sistemata in due stanzoni al pianoterra dell'Ospitale dei Battuti, proprio di fronte alla chiesa di San Floriano e all'abitazione del parroco. Quando don Bonaventura, il vicario di don Giacomo che era anche il maestro dei ragazzi piú grandi, interruppe le sue lezioni alla fine di giugno, alcuni allievi della scuola incominciarono a seguire il forestiero nelle sue passeggiate tra le montagne, e a fargli da guida nella ricerca di quelle vecchie miniere, che lui, da solo, non riusciva a trovare. Le escursioni di don Marco, rese rumorose dalla presenza e dall'entusiasmo di quei suoi nuovi accompagnatori, diventarono assidue soprattutto in Val Inferna e lungo il Ru Torto, e non solo lí; per la prima volta il forestiero si fece vedere anche a Goima, su per la valle delle Roe e verso la Moiazza; e a Zoldo Alto, nella Val Grande e sul Pian del Bus. Ma gli entusiasmi dei ragazzi, si sa, durano poco; e cosí anche accadde agli scolari di Zoldo che dopo qualche settimana si stancarono delle ricerche e delle lezioni di don Marco, e ritornarono ai passatempi abituali: con gran sollievo dei genitori, a cui proprio non era piaciuta quella novità, che i loro figli si fossero messi a frequentare uno sconosciuto, sospettato d'essere il Diavolo! A guidare il forestiero su per le montagne e ad infervorarsi alle sue lezioni di botanica, di zoologia e di mineralogia, rimasero soltanto due ragazzi di quattordici anni, piú curiosi e attivi degli al-

tri: Pietro Pra da Forno e Mattio Lovat da Casal. Pietro Pra, figlio d'un oste e destinato a diventare oste lui stesso, era un ragazzo piuttosto basso di statura, con i capelli scuri, gli occhi
scuri e due guance bianche e rosse di salute, che mettevano allegria soltanto a guardarle: dove c'era Pietro – dicevano quelli
che lo conoscevano – non c'erano musi lunghi, perché lui
avrebbe saputo animare anche una veglia funebre! Mattio Lovat, invece, era alto e snello; aveva i capelli rossi, la faccia piena
di lentiggini ed era portato ai sogni e alle fantasticherie piú di
qualsiasi altro ragazzo della valle di Zoldo. Suo padre, Marco
Lovat, era lo *scarpèr* cioè il calzolaio di Casal, e il destino del figlio primogenito era quello di fare lo *scarpèr*, anche se avrebbe
preferito continuare a studiare – dicevano di lui i suoi compaesani – per diventare dottore: la vita, a Zoldo, non permetteva
quel genere di cambiamenti e chi nasceva oste doveva fare l'o-
ste, chi nasceva *scarpèr* doveva fare lo *scarpèr*; altre alternative
non c'erano!

L'entusiasmo di Pietro e Mattio era inesauribile come la loro
capacità di imparare: i nomi delle erbe e degli animali, le meta-
morfosi degli insetti e delle rocce, le proprietà curative delle ra-
dici e delle piante selvatiche, tutto veniva appreso dai due ragazzi nel momento stesso in cui don Marco gliene parlava! Ritornavano a casa alle ventitre o addirittura alle ventiquattro – le
otto e mezza di sera, secondo il calcolo delle ore in uso a quell'e-
poca – e i genitori che avrebbero voluto sgridarli restavano senza parole di fronte alla loro felicità, alle loro tasche piene di sassi, ai loro racconti di avventure vissute in quegli stessi luoghi,
dove tutti gli abitanti della valle erano passati infinite volte, e
non avevano mai visto niente di straordinario... Chiunque fosse
quel forestiero – dicevano i genitori e i parenti di Pietro Pra e di
Mattio Lovat, facendosi il segno della croce – certamente era un
mago, un grande mago: che conosceva i segreti piú profondi
della natura, e anche quelli dell'animo umano! Stanchi e felici, i
ragazzi andavano a dormire e la mattina del giorno successivo,
senza bisogno che nessuno li svegliasse, si alzavano all'alba e
correvano alla Pieve, ad aspettare che don Marco uscisse di ca-

sa. A volte, in quei loro vagabondaggi tra le montagne, li segui-
va il cane di don Giacomo, Fun (fumo): cui non doveva sembrare vero che qualcuno lo sciogliesse dalla sua catena e lo portasse
a correre tra quei prati di cui aveva finito per dimenticarsi, stando sempre chiuso in un cortile ad abbaiare ai visitatori del parroco!

Le lezioni d'astronomia incominciarono alla fine di luglio.
Dopo cena, quando ormai era buio, don Marco e i suoi allievi
salivano a Col d'Astragal, o a Casal di Sopra, in certi luoghi particolarmente adatti all'osservazione del cielo, e guardavano
dentro un piccolo cannocchiale che il forestiero s'era portato
appeso al collo, chiuso in una custodia di cuoio. Parlavano tenendo la testa voltata in su; s'indicavano col dito certe cose, che
soltanto loro tre sapevano cosa fossero! Alla mattina del giorno
successivo, però, l'entusiasmo dei due ragazzi era cosí grande
che dovevano per forza comunicarlo ai loro coetanei. Don Marco – raccontavano agli amici – gli insegnava a distinguere i pianeti del sistema solare dalle stelle vere e proprie, e a riconoscere
gli animali e i personaggi delle antiche favole pagane che dànno
il nome alle costellazioni maggiori; gli spiegava la storia di quei
nomi, e di quelle costellazioni. Cassiopea e Andromeda, Pegaso
e Orione, Berenice e i Gemelli non avevano piú segreti per loro;
ma soprattutto – dicevano: e gli occhi, mentre parlavano, gli
brillavano per l'eccitazione – don Marco aveva incominciato a
spiegargli com'è fatto l'universo: quel buio che gli ignoranti vedono sospeso di notte sopra le loro zucche vuote, e non sanno
cosa sia, e come sia fatto! L'universo – dicevano Pietro e Mattio
ai loro compagni – è lo spazio infinito delle stelle, che sono astri
come il nostro sole ma molto piú lontani: centinaia di migliaia
di stelle, e ogni stella ha uno o piú pianeti che gli ruotano attorno, popolati di piante, di animali e – perché no? – anche di esseri intelligenti... Ci sono centinaia di migliaia di mondi, s'infer-
voravano i nostri giovani montanari, forse addirittura milioni,
sparpagliati nell'universo: città, Stati, popoli, razze, intere civil-
tà che noi possiamo soltanto sforzarci di immaginare, ma di cui
non sapremo mai niente!

Non sempre, però, le reazioni degli ascoltatori erano quelle che Mattio e Pietro si aspettavano da loro quando gli raccontavano le meraviglie del cielo stellato. A volte gli altri ragazzi li prendevano in giro o addirittura si mostravano ostili, gli dicevano: «I milioni di mondi, senti un po'! Bisogna proprio essere dei babbei, come siete voi due, per credere alle storie di quel finto prete! Fareste meglio a stargli alla larga, come facciamo noialtri! Quello è uno che va in giro per il mondo a acchiappare i gonzi!»

A metà agosto, proprio nel giorno dell'Assunta, la signorina Pellegrina Fulcis partí da Zoldo per ritornare a Belluno, con grandissimo sollievo dello zio pievano e con molte lacrime sue; il forestiero, che non ritenne di dover assistere a quella partenza, si ritrovò dentro ai libri e nei vestiti un gran numero di bigliettini, tanto appassionati nella sostanza quanto sgrammaticati nella forma, che gli ricordavano l'amore della povera Pellegrina e lo esortavano a tornare a cercarla in autunno, quando anche lui sarebbe disceso in città: venisse a tirarle i sassolini alla finestra, come s'era detto, e lei avrebbe pensato al modo di farlo entrare in casa! Restò a Zoldo ad accudire allo zio prete la signorina Rosa Fulcis, sorella minore di Pellegrina, che era arrivata con due muli e tre bauli e che sarebbe rimasta lassú nella canonica della Pieve fino al mese di maggio dell'anno successivo: cioè – dicevano in città i bene informati – fino proprio alla vigilia delle sue nozze. In quell'agosto del 1775 Rosellina Fulcis aveva diciassette anni e la risata piú squillante che mai si fosse sentita risuonare tra le ragazze dell'aristocrazia bellunese; ogni minimo evento, ogni parola che un'amica le sussurrava all'orecchio la facevano ridere cosí, a piena gola e d'improvviso: come un canarino che trilla. Diversamente da Pellegrina, grande e brutta, lei era piccola e graziosa, rotondetta in ogni parte del corpo e paffuta in viso: con le labbra rosse a forma di cuore, gli occhi verdi e i lunghi capelli biondi raccolti – secondo la moda dell'epoca – in un altissimo *topé*, che tutte le amiche e tutte le coetanee le invidiavano. Di Rosa Fulcis, a Belluno, si sussurrava già da qualche mese che era stata promessa dai suoi genitori a un conte Agosti, piú anziano di lei d'una ventina d'anni, e che sua eccellenza il conte l'avrebbe condotta all'altare nel giugno del 1776; ma né il padre marchese, né la madre, né le altre persone di casa avevano ritenuto di dover fare parola di ciò con l'interessata. Al contrario, i genitori di Rosellina avevano preso ogni possibile precauzione – compresa quella di mandarla a Zoldo dallo zio pievano! – perché lei non ne sapesse niente fino all'ultimo momento. I nobili bellunesi, a quell'epoca, usavano cosí e le ragazze come Rosa, prima di sposarsi, trascorrevano molto tempo a fare oroscopi spiando le chiacchiere della servitú, interpretando le parole dei congiunti e cercando di leggere nella natura – per esempio nel volo degli uccelli, o nella forma delle nuvole – i segni premonitori di un destino che era il loro, e che loro sole non potevano conoscere...

Rosellina Fulcis prese dunque il posto della sorella e la casa del pievano risuonò subito delle sue risate, ad ogni ora del giorno e per ogni futile motivo: lei rideva, rideva sempre e se anche per un momento piangeva e si disperava, un attimo dopo era di nuovo allegra! Era un cervellino cosí fatto, che tutto la faceva ridere: il cane Fun che aveva un occhio azzurro e un occhio rosa, l'andatura traballante della vecchia Pasqua, le facce dei montanari, il forestiero... Soprattutto il forestiero. Di fronte a don Marco, Rosa proprio non riusciva a trattenersi. La facevano ridere il suo modo di vestire, la sua stanza piena di sassi, le vipere che teneva sotto spirito come sottaceti, le parole che pronunciava un po' storpiate, il suo accento tedesco... A volte, mentre Rosa serviva a tavola, i lineamenti del suo viso si alteravano, la sua mano, con o senza tovagliolo, andava a comprimere la bocca ed era una fortuna per lei e per le stoviglie del pievano se, avendo in mano un vassoio, riusciva a posarlo prima di ritirarsi precipitosamente in cucina. Don Giacomo, che per quella nipote stravedeva, la scusava con l'ospite: «È l'età!»

«Per favore, vi prego, compatitela! Quando si sarà sposata, metterà giudizio!»

Ancora non erano cessate, a Zoldo, le chiacchiere delle comari su quello strano prete, che non si faceva vedere mai in chiesa e maneggiava le vipere come se fossero state animali domestici: quando incominciò a circolare sul suo conto una nuova storia, da far accapponare la pelle di chi l'ascoltava. Un certo Antonio Casal da Bragarezza – dicevano le comari – s'era presentato a Forno alla Casa del Capitaniato, che era la residenza dei governatori della valle, per accusare il forestiero di praticare le arti magiche, e d'avergli fatto morire una vacca con i suoi sortilegi. In presenza del *capitanio* e del conestabile di polizia il contadino aveva raccontato, sotto giuramento, di essere salito una sera tardi ad un suo *tabià* per portarci la vacca in questione. Era una notte molto buia – aveva detto Casal – e nel bosco a un tratto s'era sentita risuonare una musica, che non si capiva da dove venisse e che però certamente in quel luogo e a quell'ora non avrebbe dovuto esserci! Uscendo dal bosco, l'uomo aveva visto le finestre del suo *tabià* tutte illuminate, e si era reso conto che là dentro c'era quella *pazza brigata* di cui parlano le antiche leggende della valle: perché la musica veniva proprio da lí e perché si vedevano, attraverso le finestre, ombre di uomini e di donne che stavano ballando. Di fronte ad un tale prodigio – aveva ammesso il contadino – la saggezza avrebbe dovuto indurlo a fermarsi e a tornare indietro; lui invece si era sentito invadere da una frenesia strana e improvvisa, come quando da giovane andava alle feste per cercare la morosa. Aveva legato la vacca ad un albero ed era entrato nel *tabià*. La *pazza brigata* era composta di cinque persone, due uomini e tre donne, che gli avevano fatto una buonissima accoglienza e lo avevano invitato a bere e a ballare insieme a loro; le donne erano molto belle e vestivano come nel Cadore, con i fazzoletti bianchi intorno al collo e le calze bianche; gli uomini erano in farsetto e brache di lana e uno dei due era proprio quel forestiero di cui si diceva, nella valle, che era un Diavolo. Per farla breve: il contadino aveva bevuto e ballato, e poi anche si era appartato, come in sogno, con una delle tre donne. Quando infine era ritornato insieme con gli altri, qualcuno gli aveva sussurrato che non c'era niente da mangiare; lui allora era uscito, aveva ammazzato la vacca, l'aveva squartata, l'aveva fatta in pezzi e l'aveva arrostita in mezzo al prato con un gran fuoco di fascine mentre quelli della *pazza brigata*, nel *tabià*, preparavano la tavola per il banchetto, con bicchieri di cristallo e posate d'argento. Si era seduto a tavola: a quel punto, però, si era accorto di essere stanco e un po' ubriaco; aveva mangiato un pezzettino di coscia della vacca e si era addormentato con la testa su un gomito. Si era risvegliato all'alba, tutto infreddolito. La *pazza brigata* era scomparsa, la casa era buia, il focolare era spento. La vacca, legata all'albero, muggiva e sanguinava da una ferita nella coscia, dove avrebbe dovuto esserci quel pezzettino di carne che Casal ricordava di avere mangiato durante la notte. Lui l'aveva slegata ed era anche riuscito a riportarla in paese, ma tutto era stato inutile: la ferita era andata in cancrena, la vacca era morta e quel Diavolo forestiero che gli aveva tirato in casa la *pazza brigata* – questa, in sintesi, era poi stata la richiesta che Casal aveva rivolto alle autorità della valle – ora avrebbe dovuto risarcirlo del danno subíto, altrimenti a Zoldo nessuno piú avrebbe avuto fiducia nella giustizia, e le persone per bene si sarebbero sentite abbandonate in balia dei maghi!

La storia della vacca morta e della *pazza brigata* appassionò tutta la valle e serví a rafforzare la certezza, tra i montanari, che lo straniero fosse il Diavolo; non ebbe però alcuna conseguenza per l'accusato perché né il conestabile di polizia né il *capitanio* la credettero vera, e nessuna causa fu aperta contro don Marco per costringerlo a risarcire Antonio Casal pagandogli la vacca. Anzi, ad essere trattato dalla giustizia come un imbroglione fu proprio il denunciante. («Non fate tanto la vittima, Casal, – gli aveva detto il conestabile di polizia quando lui aveva finito di raccontare tutta la sua storia. – La festa nel tabià ve la siete goduta, e la donna anche! In quanto poi alla vacca che dite di avere perso, ciò che mi è sembrato di capire è che prima l'avete ammazzata in sogno e poi vi è morta davvero, ma queste sono sciocchezze che con la giustizia non hanno niente a che fare. Andatevene, e tenete a freno in futuro i vostri sogni, perché se tornerete a raccontarcene qualcun altro, vi metterete nei guai: siete stato avvisato! »)

Come accadeva quasi tutti gli anni, all'inizio dell'autunno il tempo diventò piovoso e il pievano Fulcis incominciò a sperare che quel suo strano ospite, sul cui conto si sentivano raccontare tante storie, se ne sarebbe andato di lí a pochi giorni, non potendo piú fare le sue abituali passeggiate tra i monti a causa del fango. Ma don Marco non scriveva lettere, non ne riceveva, non preparava i bagagli e insomma non dava alcun segno di voler partire. Don Giacomo s'informò: cosa faceva durante il giorno, per passare il tempo? Venne cosí a sapere che da quando era iniziata la stagione delle piogge il forestiero aveva smesso di vagabondare tra le montagne e scendeva a valle, laggiú dove le acque vorticose del torrente Maè e dei suoi affluenti: il Duràm, la Malisia, il Prampèr, muovevano le ruote dei mulini e delle seghe ad acqua, ma soprattutto muovevano i mantici e i magli di quelle *fusine*, ormai in declino, che in passato avevano fornito a Venezia le sue armi, i suoi ferri da gondola, le parti in ferro dei suoi palazzi e delle sue navi e di tutto ciò, insomma, che l'aveva resa grande nel mondo. Era lí tra le *fusine*, dissero gli informatori del pievano, che lo straniero aveva incominciato ad aggirarsi, spinto forse da quella stessa curiosità che lo portava a maneggiare rettili ed altri animali ripugnanti, e a raccogliere e collezionare oggetti vili, come i ciottoli delle strade e le erbe dei prati; non esistevano infatti altre ragioni – sostenevano – tali da indurre uno straniero come lui ad interessarsi di quegli antri oscuri e malsani, popolati da uomini abbrutiti dalle fatiche e che avevano anche fama d'essere malvagi...

Le *fusine*, a Zoldo, erano effettivamente un mondo a sé, rispetto al resto della valle: un mondo notturno, che per secoli era stato collegato con un altro mondo notturno, quello delle miniere, ormai scomparso all'epoca della nostra storia. Erano luoghi di tenebra perpetua in cui s'accendevano luci improvvise, cosí intense che l'occhio non poteva sostenerne la vista, e di rumori assordanti, cosí cadenzati e continui da alterare l'udito e la ragione dei disgraziati che dovevano lavorarci per moltissime ore ogni giorno. In quelle tenebre – circondate dai prati in fiore, dai cieli azzurri e dalle nevi immacolate delle Alpi – si ag-

giravano i *forgnàcoi*, il popolo dell'abisso: gli uomini dalla pelle
cosí bianca che se non fossero stati sempre neri di fuliggine sarebbero sembrati anime di defunti; i fabbricanti di chiodi (*cio-
darot*) e i fabbri ferrai, che per strada camminavano dondolan-
dosi sulle ginocchia e avevano braccia sproporzionate, troppo
lunghe rispetto al resto del corpo... I *forgnàcoi*, a Zoldo, erano
una comunità separata, un popolo di immigrati reso ormai poco
numeroso dalla decadenza dell'industria del ferro e dal declino
della Repubblica; ma tra gli abitanti della valle c'erano dei vecchi che ancora si ricordavano, o credevano di ricordarsi, d'un'e-
poca in cui *forgnàcoi* e minatori erano stati migliaia, e non c'era
freno per le loro dissolutezze. Erano violenti e prepotenti – raccontavano i vecchi – e si ammazzavano tra loro per ogni nonnulla; spendevano fino all'ultimo centesimo in vino e giochi d'azzardo e non andavano in chiesa nemmeno a Pasqua, ma celebravano le loro feste in un certo *tabià* con le tendine rosse su
tutte le finestre, nella valle bassa del Prampèr, dove c'erano certe donne (i vecchi, a questo punto del racconto, si facevano il
segno della croce) che i montanari chiamavano le *dame di Castelaz*...

Per il pievano Fulcis, come già per i suoi predecessori, le *fusine* e tutto ciò che gli stava attorno costituivano un avamposto
dell'Inferno collocato nel bel mezzo della sua parrocchia, e la
notizia che don Marco s'interessava ai *forgnàcoi* lo sorprese e lo
offese; di piú, gli sembrò un fatto contronatura, un'autentica
mostruosità. «E pensare, – diceva ad alta voce, camminando in
su e in giú nel suo piccolo studio, – che per un convalescente di
male tisico, come lui dice di essere, le fusine non sono certo
l'ambiente piú adatto!» Ma il forestiero non sembrava preoc-
cuparsi del «male tisico» e nemmeno della neve che di lí a qualche settimana avrebbe reso difficili le comunicazioni con la valle del Piave e con la città di Belluno. Entrava nelle officine, cu-
riosava, cercava d'attaccare discorso con i proprietari, nonostante il frastuono del maglio rendesse difficile anche una conversazione a monosillabi e nonostante la vicinanza dei fabbri
che battevano a turno sul ferro incandescente, dandosi il ritmo

con certe filastrocche («Debitòn, debitòn, pagaròn, pagaròn»:
debiti grossi, debiti grossi, pagheremo, pagheremo) che im-
provvisavano al momento. Stava lí a vedere i chiodi che si stac-
cavano dallo stampo e gli operai che modellavano sull'incudine
quelle masse di materia luminosa che poi pian piano e quasi per
miracolo prendevano forme di badili, di padelle, di ferri da
gondola. A volte anche tirava fuori dalla giubba un piccolo al-
bum e un carboncino di fusaggine e tracciava lo schizzo d'un
ambiente, il ritratto d'una persona o anche soltanto un particola-
lare di quel ritratto: un viso, un braccio, una mano che stringeva
l'impugnatura d'un martello, un orecchio, un occhio...

La sera del 4 ottobre, giorno di San Francesco, il cielo s'era
schiarito e faceva freddo. Dalla parte della Moiazza e del monte
Civetta soffiava un vento gelato che trapassava i vestiti e faceva
rimpiangere, a chi per avventura ne fosse appena venuto fuori,
il caldo torrido delle *fusine*: un vento da neve, che preannunciava l'inverno. Don Marco, avvolto alla bell'e meglio in quello
stesso mantello con cui era arrivato ad aprile, saliva verso la Pieve a passi lesti, per la strada della Madonna Addolorata e dei *capitelli* (edicole) della Via Crucis. Don Giacomo era uscito di
chiesa proprio in quel momento; lo vide mentre arrivava e lo
chiamò da lontano: «Ho qualcosa da dirvi!»

Dietro gli Spiz di Mezzodí il cielo era tutto rosso e il Bosconero e le Rocchette della Serra s'alzavano sopra le ombre della
valle come la scena illuminata d'un teatro sul buio della platea.
Alcuni uccelli neri, che venivano da chissà dove, attraversarono
quel golfo luminoso e pian piano s'impicciolirono e sparirono,
allontanandosi verso il Castelin e verso la valle del Piave. Il pievano Fulcis li indicò col dito: «Ecco, vedete? Tutti gli uccelli
tornano verso le loro regioni e anche voi dovreste seguirne l'e-
sempio, perché qui tra poco scenderà la neve e andarsene di-
venterà difficile. Non sono molti i carrettieri e i mulattieri che
s'avventurano per la strada del Canal, d'inverno quando c'è il
ghiaccio! Date retta a me: la vostra vacanza è finita!»

Don Marco guardava il pievano e sorrideva con condiscendenza, come un adulto che stia ascoltando le argomentazioni di

un bambino. Quando poi l'altro ebbe finito di parlare, tirò fuori di tasca il portamonete e ne estrasse una doppia d'oro. «Vi ringrazio dei buoni consigli, – gli rispose, – e vi assicuro che non intendo abusare della vostra ospitalità. Se mi permettete di pagarvi ancora l'affitto di ottobre, vi do la mia parola d'onore che lascerò la vostra casa entro la fine del mese!»

La proposta sembrava ragionevole e don Giacomo accettò; ma dopo due soli giorni, il forestiero incominciò a non rincasare per cena e a trascorrere le notti fuori di casa, senza lasciar detto dove andasse a dormire. L'anziana perpetua, che ogni mattina gli portava la prima colazione, tornava giú con il vassoio ancora coperto dal tovagliolo e con un'espressione da punto interrogativo stampata in viso, da far risuonare le risate della signorina Rosa fin sul sagrato della Pieve. Diceva a gesti, la Pasqua: il letto è intatto! Non c'è nessuno, di sopra! Don Marco, poi, si faceva rivedere all'ora di pranzo, venendo su dalla stradina con i *capitelli* della Via Crucis. Era sempre allegro. Salutava con la mano tutte le persone che incontrava per strada e che, salvo pochissime eccezioni, voltavano la testa dall'altra parte; gli gridava, da lontano: «Sani, sani!» Prima di entrare in casa, si fermava a giocare con il cane Fun che era corso ad aspettarlo in fondo al cortile, dimenando la coda; mangiava in fretta e poi subito si chiudeva in camera sua, perché – diceva – doveva imballare e riporre nei bauli le raccolte di minerali e le altre collezioni. Tornava a uscire prima di buio, fischiettando, e imboccava la strada in discesa. Andava – raccontavano gli informatori del pievano – in certe osterie di fondovalle, frequentate esclusivamente dai *forgnàcoi*: l'Osteria delle Tre Croci, l'Osteria del Pez, l'Osteria delle Zílighe. Giocava a dadi con i fabbri e partecipava alle loro scommesse senza mostrare alcuna vergogna, anzi con un entusiasmo per quel genere di passatempi, che in un uomo di cultura e di chiesa avrebbe dovuto essere indirizzato verso tutt'altre faccende! L'Osteria delle Zílighe (cioè: delle rondini) era cosí chiamata perché vi risiedevano certe lavoratrici stagionali che si davano il cambio due volte l'anno, in primavera e in autunno, e che venivano tra i monti di Zoldo dalle città di pianura o addirittura dalla lontana Venezia, per alleviare le tribolazioni dei fabbri e per aiutarli a spendere i loro magri guadagni... Proprietaria delle *zílighe*, e dell'osteria, e di tutti i traffici che vi si svolgevano, era l'Andreanna Fain: una donna, anzi una gigantessa di cui anche i fabbri avevano paura, alta poco meno di sei piedi – che in misure d'oggi corrispondono a due metri – e d'oltre trecento libbre di peso; vedova d'un Osvaldo Fain, non propriamente «buonanima», ch'era stato il piú gran farabutto della valle ed era morto cadendo in un forno, senza che mai si fosse arrivati a stabilire la causa di quello scivolone. Tutti dicevano che c'era stato buttato: ma anziché dare ordine di ricercare l'assassino, il *capitanio* dell'epoca aveva detto che si sarebbe dovuto ringraziarlo, e la faccenda era finita cosí. Stando dunque agli informatori del pievano, don Marco aveva affittato una stanza all'Osteria delle Zílighe, e ci dormiva ogni notte; ma di sera frequentava anche gli altri due locali, cioè il Pez e le Tre Croci. Si faceva vedere, soprattutto, in compagnia di tali Todaro e Taddeo di professione fabbri, soprannominati «i Mori di Zoldo» per analogia con quei Mori di bronzo che a Venezia battono le ore in piazza San Marco. Taddeo e Todaro erano due maestri del martello, forse gli unici rimasti nella valle che potessero essere paragonati ai maestri d'un tempo; si diceva che lavorando in coppia su una sola incudine fossero insuperabili per forza, ritmo e velocità della martellata, essendo Taddeo mancino e Todaro ambidestro. Erano bassi e tarchiati, senza collo, con un braccio piú robusto e lungo dell'altro e un'andatura dondolante per cui, visti da dietro mentre camminavano, sembravano proprio due strani animali: forse due granchi giganteschi, o due scimmioni, con le gambe piú corte delle braccia e il corpo sviluppato soprattutto dalla vita in su. Nonostante i loro capelli fossero già grigi, Taddeo e Todaro avevano fama d'essere ancora molto forti, piú forti di chiunque altro, fabbro o pastore, nella valle di Zoldo; ed effettivamente nessuno si azzardava a sfidarli, in quelle gare che si facevano alla sera sui tavoli delle osterie, braccio contro braccio, e che attiravano le scommesse dei *forgnàcoi*. Con don Marco i Mori bevevano il vino e l'acquavite che lui gli pagava, s'intascavano i soldi che gli vincevano giocando a dadi e lo scrutavano con i loro occhi resi piccoli e rossi dall'aria delle fucine, aspettando che gli rivclasse la ragione di quella strana generosità. Chi veniva a Zoldo a farsela con i fabbri – pensavano i Mori – non era certo attirato dal piacere della loro compagnia, doveva avere uno scopo. Si chiedevano: che scopo aveva quel forestiero? Che voleva da loro?

Una sera don Marco aveva offerto da bere a tutti gli avventori dell'Osteria del Pez, fumosa e calda quasi quanto una *fusina*, e Taddeo, senza una ragione apparente, appoggiò una delle sue mani enormi e nere sulla testa dello straniero: tastò sotto i capelli le ossa del cranio, stringendolo qua e là come si fa con la frutta per capire se è matura. Don Marco non si mosse e Taddeo ritirò la mano. «Con questa sola, – disse mostrandola ai presenti, – posso spezzare il cranio di un uomo come se fosse un guscio di noce». Si rivolse a don Marco: «Non mi credi?»

«Di' che gli credi, – consigliò un fabbro lí vicino. – L'ha già fatto in passato e può farlo ancora. Meglio non metterlo alla prova!»

Arrivarono gli ultimi giorni d'ottobre. Una mattina, la pioggia faceva luccicare tutti i sassi dei sentieri di Zoldo e don Marco ritornò alla Pieve molto prima dell'ora di pranzo, riparandosi con un cappello a tesa larga che gli era stato dato in prestito dall'ostessa delle Zílighe. Entrò in canonica, si tolse il cappello e il mantello, domandò: «C'è qualcuno in casa?» Al piano di sotto, dalla parte della cucina, si sentivano le risate della signorina Rosa e si sentivano anche i rumori che faceva Pasqua preparando la lisciva per il bucato; ma nessuno rispose. Il forestiero, allora, proseguí verso lo studiolo del parroco. Alzò la mano per bussare; si accorse che l'uscio era socchiuso e guardò dentro. L'arciprete, girato di spalle, stava trafficando con tutt'e due le mani dentro una cassa di legno rinforzata in ferro che il forestiero non aveva mai visto e di cui tutti, ad eccezione di don Giacomo, ignoravano l'esistenza: perché di solito se ne stava nascosta in una nicchia, chiusa da una porticina dello stesso colore del muro, e perché un quadro ad olio su tela, rappresentante la Madonna del Carmelo, nascondeva la porticina agli occhi di chi entrava. Ora però il quadro era staccato e appoggiato a terra, la porticina era spalancata, la cassa era stata messa su una sedia e la prima cosa che attirò lo sguardo di don Marco fu quel gran buco vuoto in mezzo alla parete. Poi i suoi occhi s'abbassarono e lui vide alcune altre cose, ancora piú interessanti. Sulla scrivania del prete, in luogo dei soliti registri e dei soliti libracci scritti in latino c'erano pile di monete d'oro e d'argento: doppie imperiali, zecchini, mezzi ducati, tàlleri... C'erano moltissimi oggetti di valore, collane, anelli con rubini, coralli, catenine e braccialetti d'oro, *gusele* (spille) e *guseloni* con la testa di brillanti, *piroi* (orecchini) d'oro, fili di perle, tabacchiere d'argento, croci d'oro ed altre cose preziose che erano finite in quella cassa forse per via di testamenti o di prestiti, e che il pievano tirava fuori ad una ad una, accarezzandole, mettendole in luce per vederle meglio, beandosene con la voluttà degli avari; cosí assorto in quel suo piacere, da non accorgersi del forestiero che lo stava spiando. Qualcosa passò negli occhi di don Marco per una frazione di secondo: un lampo di soddisfazione, un sorriso ironico... Poi lui si voltò, e badando a non far rumore ripercorse la strada per cui era venuto, fino alla porta d'ingresso. Riascoltò le risate della signorina Rosa («Ma quanto ride... quanto ride, quella scema!»), che aiutava la vecchia perpetua nelle faccende domestiche; si rimise il mantello e il cappello; uscí di casa e imboccò la strada in discesa, con le edicole della Via Crucis; scomparve in fondo, dietro la chiesetta dell'Addolorata. In canonica ci tornò che ormai era buio, quando la porta d'ingresso era già stata chiusa con il catenaccio come si faceva ogni sera, e dovette suonare il campanello perché qualcuno venisse ad aprirgli. Il pievano Fulcis lo ricevette nel suo studio, seduto sul seggiolone dove aveva fatto incidere lo stemma del suo casato; davanti a lui c'erano un breviario e due registri, quello delle messe nella chiesa madre della Pieve e quello dei battesimi; dietro le sue spalle, la Madonna del Carmelo era tornata ad accarezzare il Bambino sotto lo sguardo attento e devoto dei due Angeli, e nessuno avrebbe potuto immaginare cosa nascondevano i loro sorrisi.

«Sono venuto a ringraziarvi della vostra ospitalità, – disse don Marco, – e a prendere congedo. Partirò domani mattina con la prima luce».

Quelle parole, cosí chiare e cosí attese, arrivarono alle orecchie del pievano Fulcis come un suono di campane a festa. «Deo gratias!, – pensò il prete. – Siano rese grazie a Dio, e al nostro santo patrono San Floriano, che hanno deciso di liberarcene!» Piú per cortesia che per curiosità chiese al forestiero: «Tornerete subito in Germania?»

Don Marco fece un gesto che significava: non c'è fretta, per questo! Disse: «Mi tratterrò qualche giorno a Belluno. Se sua eccellenza il vescovo Sandi mi vorrà ricevere, gli parlerò della vostra bontà. Poi, andrò a Sud: a Padova, forse, o addirittura a Bologna... Ho bisogno di un altro poco di clima italiano. Non me la sento ancora di affrontare un inverno tedesco e vorrei conoscere i professori delle vostre Università, assistere alle loro lezioni, perché no? Finché si è vivi, c'è sempre qualcosa da imparare!»

«Vi vedremo ancora, nella valle di Zoldo?»

«Non credo, – rispose don Marco: – ma chissà!» Allora il pievano gli porse l'anello perché lo baciasse, e lui invece si limitò a fare un inchino, lasciando l'interlocutore con la mano a mezz'aria.

«Che Dio vi benedica e vi rimeriti, – disse il forestiero, – e che benedica la vostra famiglia e tutti gli abitanti di questa valle. Addio!»

«Addio», rispose don Giacomo. Ritirò la mano, l'alzò in un gesto che avrebbe dovuto essere di benedizione e invece era proprio di stizza. «Addio! Fate buon viaggio!»

La vita, a Zoldo, continuò come sempre. Arrivò l'inverno e con l'inverno la neve; vennero le feste di San Nicola – che porta i doni ai bambini buoni – e di Santa Lucia. Venne il Natale, la piú gran festa dell'anno: che già allora si celebrava, come ai tempi nostri, mangiando a crepapelle. *Polli d'India*, capponi, anatre, maialini, formaggi, salsicce, torte, trote: tutti gli abitanti della valle, anche i piú poveri, avevano provveduto ad allevare e

ad accumulare cibo per quel giorno, che doveva dargli un'illusione di benessere ed anzi proprio di abbondanza, di calore, di appagamento e di pace; il Paradiso in terra, una volta all'anno! Finí il 1775. Domenica 31 dicembre, dopo cena, il pievano Fulcis stava seduto accanto al camino, nel soggiorno illuminato da una mezza dozzina di candele, e cercava di trascorrere il tempo con un po' di lettura, come faceva sempre nelle sere d'inverno. Si era messo gli occhiali sul naso e teneva tra le mani un opuscolo a stampa del canonico Lucio Doglioni, dottore *utriusque iuris*, teologo, socio dell'Accademia bellunese degli Anistamici e dell'Accademia degli Aspiranti di Conegliano. («Una gran testa!, – mormorava don Giacomo tra sé, muovendo l'opuscolo per cercare l'illuminazione piú favorevole. – Una testa fina come un brillante! Un ingegno raro! E in un uomo ancora cosí giovane... Una mente eletta!») A portata della sua mano, sopra il tavolo, c'era una caraffa di vino di Cipro e don Giacomo ne riempí un bicchiere, lo bevve centellinandolo per assaporarlo meglio, esprimendo con gli occhi e con il viso il piacere straordinario che gli dava quel liquido. Come tutti i nobili e le persone per bene di quell'epoca, anche il pievano Fulcis non avrebbe mai bevuto fuori dei pasti una sola goccia di vino veneto, perché ciò avrebbe significato abbassarsi al livello dei contadini e dei facchini e delle loro abitudini; ma i vini *navigati*, la malvasia, l'eliatico, lo scopulo, il Samos, i vini di Cipro e gli altri che sarebbe troppo lungo elencare, quelli li bevevano anche le signore e ne bevevano quanti bicchierini volevano, a ogni ora del giorno e fuori pasto, in casa e anche nei locali pubblici! La sera, poi, nessun galantuomo poteva fare a meno d'un bicchiere di Cipro, o di malvasia: soprattutto – diceva don Giacomo – se si trovava tra montagne cosí impervie come quelle di Zoldo, dove c'erano ancora gli orsi e le bestie feroci e la gente era cosí rozza che il piacere d'una buona conversazione, piú che raro, era inesistente...
Da quando era venuto a fare il pievano tra quelle montagne, l'arciprete Fulcis aveva preso l'abitudine di trascorrere le sue serate – soprattutto le serate invernali – sorseggiando vini *navigati* come rimedio contro la malinconia, e leggendo qualche pa-

gina d'un libro, che lo aiutasse a pacificare i pensieri diurni: non
sarebbe piú riuscito a prendere sonno – si scusava con gli ospiti,
se ne aveva – senza l'aiuto di quei due ipnotici! Perciò anche
sceglieva letture grevi ed edificanti, da addormentarcisi dopo
poche righe. Quella sera, ad esempio, l'opuscolo che don Giacomo teneva tra le dita si intitolava *Elogio storico di Mons.*
Giannagostino Gradenigo Vescovo di Ceneda; ma, purtroppo
per il nostro arciprete e nonostante il titolo, la scelta non s'era
rivelata felice. Il libro in questione era un repertorio di virtú, un
elenco di fatti e di detti cosí esemplari e memorabili, che, anziché produrre sonnolenza, dopo un po' irritava chi lo stava leggendo. È mai possibile – si chiedeva uno spiritello maligno in
fondo alla mente del pievano Fulcis – che un uomo nato da donna, come me, sia stato un tale modello di perfezioni e di pensieri
sublimi, come costui vorrebbe farmi credere? Inutilmente il povero arciprete si agitava sulla sua sedia, quasi a cercare una posizione piú comoda per sopportare il peso e il cumulo di tante
probità ed illibatezze; inutilmente borbottava: «Che sant'uomo! Che polso fermo, che petto forte, che modestia, che zelo!»; inutilmente si riempiva il bicchiere di vino di Cipro, che
poi beveva centellinando. Infine, e con un gran sospiro, rinunciò a quella lettura troppo impegnativa. Posò il libro sul tavolo,
commentò: «Che penna, il canonico Doglioni!» Restò un poco
soprappensiero. «Davvero non mi stupirei, – disse ancora ad
alta voce, – se di qui a qualche settimana, o a qualche mese, s'av-
viasse a Roma la procedura per la beatificazione del vescovo
Gradenigo. Con un simile paladino... Una bazzecola!»

Si tolse gli occhiali. Guardò verso quella parte del tavolo, un
po' in ombra, dov'era la nipote; sorpreso da un silenzio troppo
prolungato a cui, fino a quel momento, non aveva fatto caso.
Rosa Fulcis, già lo si è detto, rideva quasi in continuazione, a
piena gola e per ogni nonnulla; era l'essere piú gaio e frivolo che
ci fosse al mondo, una testolina bionda con dentro niente e ora
invece se ne stava seduta in un angolo del grande tavolo, con le
labbra che le tremavano e certi lacrimoni grossi come nocciuole
che le cadevano dagli occhi, ininterrottamente, sopra le carte da

gioco disposte davanti a lei come per un innocente «solitario».
Don Giacomo si alzò in piedi: «Che è successo? Rosa!»
     «Ti senti male? In nome di Dio... Parla, rispondimi!»
     La ragazza scosse la testa: «Non ho niente!» S'asciugò gli
occhi. Spiegò – e la voce tornò a rompersi nei singhiozzi, le labbra ripresero a tremare – che aveva disposto le carte in un certo
modo, perché le rivelassero il futuro: per sapere se quell'anno
che stava per nascere, il 1776, le avrebbe portato davvero un
marito, secondo ciò che aveva inteso dire – arrossí – da piú persone, o se quelle erano soltanto chiacchiere e lei avrebbe dovuto
pazientare ancora, finché fosse piaciuto a Dio e ai suoi genitori.
Aveva disposto le carte – confessò – come le era stato insegnato
da un'anziana nobildonna bellunese, la signora Anna Manzoni
(don Giacomo trasalí: «Quella vecchia pazza!»), e non una sola volta, ma tre volte, casomai ci fosse stato un errore; e per tre
volte, in modo chiaro e senza alternative, anziché preannuncia-
re il matrimonio le carte avevano preannunciato sangue e lacrime, dolore e morte imminente. Un presagio orribile! I singhiozzi, ora, la scuotevano dalla testa ai piedi. «Perché sono cosí di-
sgraziata?, – si chiedeva. – Perché queste tragedie e questi lutti
devono abbattersi proprio su di me? Cos'ho fatto di male?»
     Il pievano cercò di calmarla accarezzandola, la chiamò
«scioccherella» e «stupidina»; infine, si arrabbiò. «Sono proprio contento, – le disse, – che le carte ti abbiano dato la risposta che ti hanno dato: cosí imparerai, una volta per tutte, a non
prestar fede a questo genere di superstizioni!» La costrinse ad
alzarsi, le parlò gravemente. «Credi davvero, – le chiese, – che
Dio nostro signore ci permetterebbe di conoscere il futuro e
quindi il senso stesso delle sue azioni, manipolando dei semplici
pezzi di cartone?» Alzò una mano, un dito ammonitore: «Hai
commesso un grave peccato, Rosellina: un peccato di superbia!
Chiedi subito perdono a Dio, e torna ad essere la ragazza felice
che sei sempre stata, perché niente ti minaccia: te lo dico io, che
sono tuo zio e che sono prete!»
     Raccolse le carte sul tavolo, le riuní e andò a buttarle nel fuo-
co del caminetto. Rosellina, volubile come sempre, aveva già ri-

preso a sorridere. Disse: «Zio. Voglio chiedervi un favore ma vi prego, non ditemi di no dopo quello che mi è successo stasera! Se mi direte di no, mi rimetterò a piangere!»

«Cos'altro ancora devo ascoltare?» Don Giacomo guardò la nipote con severità: «Qualche altra sciocchezza?»

«Voglio mettere alla finestra il nastro bianco!» Batté le mani: «Vi prego, vi prego, non me lo proibite!»

Le ragazze da marito, a capodanno, usavano mettere un nastro bianco fuori della finestra della loro stanza e la faccenda non aveva in sé particolari significati; era soltanto – come dire? – un buon augurio. Don Giacomo scosse la testa: «Anche questa è una superstizione, ma pazienza! Piuttosto che vederti piangere di nuovo... Metti pure il tuo nastro alla finestra, tanto non lo vedrà nessuno!»

La risata della signorina Rosa tornò ad echeggiare in tutta la casa. «Grazie, zio! Felice notte e buon anno! Grazie, grazie!»

Rimasto solo, il pievano Fulcis passeggiò avanti e indietro per la stanza, scuotendo il capo: quella sciocchina della Rosa! Già tutto era combinato: il marito, le nozze, la chiesa dove si sarebbero celebrate e il prete che le avrebbe benedette, la casa dove i due colombi sarebbero andati a vivere... Era già stato stabilito dalle due famiglie che il matrimonio si sarebbe fatto la prima domenica di giugno di quell'anno 1776 e lei ancora s'intestardiva a leggere le carte, ad appendere il nastro alla finestra, a fare cabale... Sorrise. S'avvicinò al camino; ravvivò con l'attizzatoio la fiamma che stava languendo e vi mise sopra due grossi pezzi di legna di larice, mentre già i suoi pensieri vagavano altrove. Ormai – si disse – anche il 1775 era finito in cenere come gli anni che l'avevano preceduto, e tra poche ore sarebbe arrivato l'anno nuovo, con il suo carico ancora intatto di nuove gioie e di nuovi dolori che avrebbe sparso a piene mani, soprattutto i dolori, nella valle di Zoldo e nel mondo intero. Dolori, gioie e ancora dolori: di che altro è fatta la vita degli uomini? Sospirò. Sentí venire dal fondovalle degli spari, dei colpi secchi e ripetuti di fuochi d'artificio. «Ecco – pensò – hanno incominciato a fare festa, come fanno sempre, per l'anno che è trascorso, e che non ritornerà mai piú. Poveri pazzi!»

Era tempo di andare a dormire. Don Giacomo si versò l'ultimo bicchiere di vino di Cipro (il «bicchiere della staffa», che lui però chiamava «bicchiere della buona notte») e si avvicinò alla finestra, la aprí per chiudere le imposte. Indugiò qualche istante con le braccia aperte a guardare la valle: la «sua» valle, dove Dio aveva disposto che si compisse la sua missione di prete, e che insieme alla missione si compisse anche la parabola della sua vita. Quell'anno che stava per incominciare, il 1776, sarebbe stato il sessantasettesimo del pievano Fulcis, e nessuno ormai – pensava l'arciprete con un po' di tristezza – l'avrebbe mosso da lí: lui non aveva mica le virtú e le perfezioni di monsignor Giannagostino Gradenigo, perché a qualcuno venisse in mente di farlo vescovo! Se i suoi superiori, a Belluno, si ricordavano di lui, era solo per affidargli qualche incombenza sgradevole, o per mandargli un ospite non desiderato, come avevano fatto quell'anno... Guardò i monti. In quella notte serena, e senza luna, si stagliavano massicci contro il cielo pieno zeppo di stelle: le stelle di Zoldo! Nessun luogo al mondo – pensò don Giacomo – aveva stelle cosí numerose e cosí grandi come quelle che brillavano, d'inverno, sulle Rocchette della Serra e sulle Cime di San Sebastiano... Rabbrividí, si riscosse: a fondovalle, il popolo dell'abisso aveva ricominciato a festeggiare la fine di quell'anno, e la sua fine («Quando si chiuderanno quelle maledette fusine, – borbottò don Giacomo, – sarà sempre tardi!»), con spari e grida d'avvinazzati. Guardò giú: vide i puntini luminosi dei *ferali* che si muovevano attorno alle osterie di Forno, e i lampi delle schioppettate... Sentí freddo e fece l'atto di chiudere la finestra; ma, proprio mentre tirava le imposte verso di sé, ebbe l'impressione di vedere tre uomini, anzi: tre ombre, che attraversavano di corsa il buio del cortile, pochi metri sotto di lui, e che si rifugiavano nella legnaia. Riaprí le imposte. Domandò ad alta voce: «Chi va là?» stupito e anche un po' disorientato perché Fun non abbaiava. (Oltretutto, gli uomini che lui credeva d'avere visto, venivano proprio dalla parte dov'era il canile!) Si chiese: «Chi può essere entrato, senza far abbaiare il cane? Non me le sono mica sognate, quelle ombre! C'erano davvero!»

Nessuno gli rispose e don Giacomo tornò a sporgersi verso la legnaia, gridò ancora: «C'è qualcuno, là sotto?»

Capitolo secondo
Mattio

Il primo giorno di gennaio del 1776 era un lunedí, e chi si alzò dal letto mentre ancora era buio per accudire agli animali o per attizzare il fuoco nella stufa, si accorse che le stelle erano scomparse e che il cielo rannuvolato prometteva neve. A Casal, che era ed è tuttora un piccolo villaggio della valle di Zoldo arroccato alto sopra la Pieve, tre ragazzetti si misero in strada da soli, nonostante il buio, per andare alla prima messa: erano i figli d'una donna molto pia, la signora Vittoria Lovat, che aveva altri due bambini ancora piú piccoli e doveva restare a casa per badare a quelli. Il maggiore dei tre si chiamava Mattio ed era lo stesso ragazzo coi capelli rossi che l'estate precedente aveva accompagnato il prete tedesco nelle sue passeggiate tra le montagne, per imparare da lui le proprietà delle erbe, i nomi degli insetti e i segreti e le leggende del cielo stellato. Mattio Lovat procedeva al buio reggendo il *feral*, cioè la lanterna; dietro a lui, tenendosi per mano, venivano i suoi fratelli minori, Ferdinando di dieci anni e Floriano di sette, che si guardavano attorno con gli occhi dilatati perché avevano paura di essere portati via dalle Anguane (le streghe di Zoldo). Trasalendo ad ogni rumore, i ragazzi arrivarono al bivio per Dozza e per la Pieve senza incontrare anima viva; svoltarono, e si videro venire incontro tre *ferali* portati da altrettanti uomini mascherati con *larve* di panno bianco, che in quel buio e su quel sentiero tra gli abeti li facevano sembrare tre Diavoli! I fratelli restarono impietriti: si fermarono, si addossarono ai tronchi degli alberi. Mattio notò che i primi due Diavoli avevano spalle e toraci enormi, e che camminavano in modo strano; uno di loro, e precisamente il secondo,

portava sotto il braccio sinistro una grossa cassa di legno rinforzata in ferro, una *cassa-forte*, come se fosse stata una scatola di
cartone! Ma la cosa piú impressionante di quell'uomo era la
lunghezza del braccio, che circondava tutta la cassa. Il terzo
Diavolo, invece, aveva una corporatura normale; era avviluppa-
to in un mantello di lana nera, da pastore, e aveva nell'aspetto e
nell'andatura qualcosa che Mattio ricordava di avere già visto in
una persona nota, anche se al momento non avrebbe saputo dire di che persona si trattasse. Gli passò davanti, e il caso volle
che proprio in quell'istante un ramoscello d'abete gli sfiorasse il
viso, spostandogli la *larva*: era don Marco! I ragazzi rimasero
fermi dov'erano, senza avere il coraggio di muoversi e senza respirare, finché i *ferali* dei tre Diavoli furono scomparsi. Allora
soltanto si presero per mano e corsero verso la Pieve, sperando
d'incontrare gente davanti alla chiesa: ma non c'era nessuno. Le
campane che avrebbero dovuto annunciare la prima messa erano silenziose, la grande porta di San Floriano era ancora chiusa
mentre quella della canonica era aperta, anzi addirittura spalancata, contro ogni regola di prudenza ed ogni uso; e c'era perfino
un nastro bianco, piuttosto vistoso, che pendeva da una finestra
sulla piazza... Cosa stava succedendo? Forse – pensò Mattio –
don Giacomo era uscito di casa per dire la messa, ma trovando
il portone della chiesa ancora sprangato, e la chiesa buia, era
sceso a svegliare il Chiech... «Correte a casa del Chiech!, – disse
ai fratelli. – Svegliatelo e fatelo alzare, se ancora non ci ha pensato l'arciprete!» Il Chiech – in realtà, si chiamava Bortolo Fontanel-
nella – era il sacrestano della Pieve, e abitava in una casetta sotto
la canonica dove bisognava andarlo a cercare, alla mattina, ogni
volta che lui la sera precedente s'era preso una sbornia, cioè
molto spesso. Ferdinando e Floriano, senza dire niente, imboccarono la stradetta che conduceva all'abitazione del Chiech; e,
forse, non gli parve vero d'allontanarsi da quella piazza davanti
alla chiesa, che in quella luce livida d'un'alba d'inverno aveva
assunto un aspetto cosí sinistro! Mattio invece s'avvicinò alla
porta della canonica, spalancata sulla piazza come un antro
oscuro, tenendo alto il *feral*; cercò di guardare all'interno ma il

buio, dentro, era impenetrabile, e non si sentiva in tutta la casa il minimo rumore. Allora prese il coraggio a quattro mani, gridò: «Don Giacomo, siete in casa? C'è qualcuno?»

«Sono il figlio dello scarpèr di Casal! Mattio Lovat!»

La sua voce non ebbe altro effetto che quello di risvegliare Fun dall'altra parte della casa: si sentí il cane che abbaiava inferocito e che sbatacchiava la sua catena, correndo attorno per il cortile. Dunque – pensò Mattio con un certo sollievo – il cane era vivo e si comportava normalmente! Entrò, facendosi luce con la lanterna e avanzando a piccoli passi; trattenendo il fiato, si diresse verso lo studio di don Giacomo. Trovò per terra cocci di vetro e di maiolica, libri strappati e squinternati, oggetti rotti: ma quello spettacolo di devastazione nel corridoio e nell'anticamera era ancora niente, paragonato a ciò che si vedeva affacciandosi alla stanza del prete! Lí, sembrava fossero passati i lanzichenecchi, o i barbari di Attila: tutto era fracassato, bruciacchiato, distrutto, e c'era anche nell'aria un odore inconfondibile, una puzza di escrementi umani che autorizzava a pensare ad una permanenza dei barbari, ben oltre il tempo necessario per un semplice furto. Sulla sinistra di chi entrava e proprio al centro della parete, ad un'altezza di quattro piedi o poco piú, una gran nicchia vuota che Mattio non aveva mai vista prima d'allora gli fece tornare a mente quella *cassa-forte* che l'uomo mascherato incontrato poc'anzi si portava per strada sottobraccio, come se fosse stata priva di peso. Col cuore che aveva ripreso a battergli all'impazzata e badando a dove metteva i piedi, il ragazzetto attraversò lo studio del pievano, entrò nel soggiorno: ch'era poi quella stessa stanza dove don Giacomo aveva trascorso la sera precedente, ultima dell'anno 1775, in compagnia di sua nipote Rosellina Fulcis. Il fuoco doveva essere stato spento con una secchiata d'acqua, perché le braci ancora fumavano ed erano bagnate quando la luce della lanterna illuminò la cavità del camino; la finestra sulla valle era spalancata e la tavola, imbandita con tutto ciò che era stato trovato saccheggiando la dispensa, era ancora carica dei resti d'un banchetto che – con ogni probabilità – doveva essere durato tutta la notte, e che s'e-

ra interrotto soltanto poco prima dell'alba. Sopresse e forme di
pecorino ancora intatte, o tagliate a metà, pagnotte a pezzi, frit-
tate ed altri cibi erano disseminati sul tavolo e per terra, tra le sedie rotte e rovesciate; e cosí anche erano sparsi per tutta la stanza i cocci di molte bottiglie, il cui contenuto, però, non era ba-
stato a spegnere la sete degli ignoti bevitori, perché qualcuno
s'era preso la briga di portare su dalla cantina la botticella di vino di Cipro di don Giacomo – un recipiente, a dir poco, da sei
quarte! – lasciandola poi rovesciata con il tappo aperto: sicché il
vino rimasto s'era raccolto in una grande pozza nel centro del
pavimento ed emanava un odore dolce e pungente, che pizzica-
va nelle narici e faceva venir voglia di starnutire.

Dove poteva essere il pievano? Mattio era certo che don
Giacomo fosse in casa, legato e imbavagliato da qualche parte, e
continuò a cercarlo. Al piano di sopra, nelle camere da letto, il
disordine era spaventoso: tutti i mobili erano stati rovesciati e
sfondati, tutti i cassetti erano stati rotti per scoprire le interca-
pedini... Il ragazzo, tenendo alto il *feral*, mise la testa in una
stanza, e poi in un'altra, dove c'erano soltanto letti devastati e
pagliericci squarciati; ma davanti alla terza stanza si fermò, perché la porta era chiusa e perché quella era la prima porta chiusa
che trovava da quando era entrato. Cosa poteva esserci, là dentro? Una voce gli disse: torna indietro! Un'altra voce suggerí: lí
c'è don Giacomo! Sei arrivato fino alla stanza dove l'hanno tenuto prigioniero e non entri a liberarlo? Spinse la porta pian
piano. L'aria, dentro, era calda – doveva esserci, da qualche
parte, un braciere acceso – e si sentiva anche un odore forte, indefinibile: un odore di sangue e di stalla e di chissà che altro... Il
ragazzo alzò la lanterna e restò senza fiato. Vide un letto, e legato al letto per le caviglie e per i polsi un corpo ignudo di donna,
con le gambe aperte; il viso, terribilmente scomposto e con gli
occhi sbarrati, era quello della signorina Rosa Fulcis, la nipote
del pievano, ma la testa era fracassata: una cosa orribile! I capelli biondi raccolti a crocchia e tutta la parte superiore del capo erano stati staccati e gettati per terra. Dappertutto nella
stanza c'erano sangue e frammenti di materia cerebrale, sui mu-

ri, sulle lenzuola, perfino tra le travi del soffitto; sembrava d'essere nella bottega d'un *bechèr* trasandato e sporco e Mattio improvvisamente sentí una nausea, un'oppressione che dal centro dello stomaco gli saliva in gola... Si ritrovò fuori dalla canonica, seduto sul gradino dell'ingresso nella prima incerta luce del giorno, coi fratelli che lo chiamavano: «Mattio! Per l'amor del cielo, rispondici! Che è successo?» Guardò attorno: una donna vestita di nero stava correndo verso l'Ospitale dei Battuti, ma vicino a loro non c'era nessuno. Domandò, con un filo di voce: «Dov'è il Chiech?»

«È lui che ti ha portato fuori, – disse Ferdinando. – Ci hai fatto prendere uno spavento! Eri come morto...» Si fece il segno di croce. Domandò: «Cosa c'è là dentro? È vero che hanno ammazzato il pievano?»

«È corso a suonare le campane», disse Floriano del Chiech. In quello stesso istante, quasi per dare un'immediata conferma alle sue parole, proruppero sopra le loro teste i primi rintocchi della campana grande, la Floriana: che era stata fusa nella valle quando ancora dalle pendici del Col Dur e del monte Punta si estraevano molti metalli, non solamente il ferro ma anche il rame e lo stagno con cui si fa il bronzo, anche l'argento che ne ingentilisce il suono e lo rende armonioso... Cosí, a Zoldo, incominciò il nuovo anno 1776, col frastuono della campana a martello che chiamava a raccolta gli uomini dei villaggi; nella luce grigia e ovattata d'un mattino d'inverno in cui le nuvole ricoprivano le montagne e la neve restava lassú, come sospesa: perché – dicevano i vecchi – faceva ancora troppo freddo per poter nevicare!

Mattio venne riportato a Casal a dorso di mulo e bisognò metterlo a letto: era sconvolto, e aveva brividi di febbre. Continuava a ripetere: «Io li ho visti, gli assassini di don Giacomo e della signorina Fulcis! Li ho incontrati mentre scappavano, e uno di loro aveva anche una cassa sottobraccio, una di quelle casse rinforzate in ferro dove si tengono i soldi!» S'era convinto, chissà poi perché, che anche il pievano Fulcis fosse stato ammazzato e fatto a pezzi come la nipote. Invece il pievano Fulcis era ancora vivo, e i soccorritori lo avevano trovato in quella stessa legnaia dov'era sceso la notte precedente per vedere a chi appartenessero le ombre che aveva visto muoversi in cortile. Era rigido come una tavola di legno, assiderato in ogni parte del corpo e aveva ripreso un po' di colore e un po' di fiato soltanto grazie alle frizioni d'acquavite e ai panni caldi in cui le donne della Pieve l'avevano avvolto, ma le sue condizioni – nonostante don Giuseppe gli praticasse i suoi famosi salassi – rimanevano gravi: non parlava, non dava segno di riconoscere quelli che si avvicinavano e aveva anche una ferita sulla nuca, dove una delle ombre lo aveva colpito. Piú fortunata di tutti era stata Pasqua, la perpetua sordomuta che i banditi avevano immobilizzata nel suo letto mentre ancora dormiva, e che ora si affannava per far capire a gesti di non aver visto nessuno: stando al buio s'era sentita afferrare e legare e aveva morsicato piú forte che poteva una mano di qualcuno che la teneva ferma, finché s'era ricordata di essere senza denti e aveva lasciato perdere! Tutta Zoldo era in piazza. Donne e uomini riuniti in piccoli gruppi si scambiavano le notizie e le commentavano, le arricchivano di nuovi particolari e poi anche si chiedevano cosa avrebbero fatto le autorità della valle che erano lí in casa del pievano, riunite per prendere chissà quali decisioni: sarebbero state capaci di fare fronte ad un avvenimento del genere? Correva voce che il nuovo *capitanio*, il «contino» Giovanni Miari, alla vista della ragazza assassinata fosse svenuto, e che i primi ordini fossero stati dati dal cancelliere Vittoria: era lui – dicevano gli zoldani – che aveva mandato un messaggero a Belluno per informare il conestabile di polizia e l'avvocato fiscale della Serenissima, e che aveva anche incaricato il tamburino di suonare l'adunata delle *cernide*, cioè della milizia territoriale per la difesa della valle! Mentre gli adulti tenevano questo genere di discorsi, i ragazzi non stavano nella pelle per l'eccitazione di quella gran novità: e si chiamavano da un gruppo all'altro, o si riunivano in conciliaboli segretissimi per stabilire chi fosse l'assassino, e come si potesse arrivare a scoprirlo e ad arrestarlo, per merito e con il concorso di loro ragazzi! Alcuni, addirittura, s'erano messi a fare chiasso proprio davanti alla casa della Pieve: finché era uscito il vicario del pievano, don Bonaventura, a sgridarli e a ricordargli che lí dentro, a pochi passi di distanza da loro che si davano buon tempo, c'erano una defunta e un ammalato grave. Se gli schiamazzi non fossero finiti – minacciò il vicario – il *capitanio* avrebbe ordinato al *fante* di arrestare i colpevoli!

Arrivarono le prime *cernide*, da Astragal, da Dozza, dai paesi tutt'attorno alla Pieve, e furono subito mandate a controllare le uscite della valle, senza perdere tempo: a presidiare il Canal, che è la via maestra tra Zoldo e il resto del mondo, e la valle alta oltre Fusine. La gente scuoteva la testa, mormorava che era inutile chiudere la stalla dopo che i buoi erano scappati, ed altri proverbi; ma qualcuno ebbe il buon senso di osservare che era comunque meglio fare qualcosa, che restare senza fare nulla! Venne fuori il *capitanio*, conte Miari, vestito d'un tabarro blu notte e con certi scarpini da città, con i tacchi rossi, che non erano certamente stati fatti per durare a lungo tra i sassi di Zoldo; chi aveva avuto modo di incontrarlo prima di quel giorno, disse che era visibilmente turbato e piú pallido del solito. Il «contino» aveva poco piú di vent'anni e una faccia compunta, da ragazzo per bene; era accompagnato dal *fante* con la berretta rossa e dal cancelliere, e ordinò ai montanari di liberare una parte della piazza per consentire il passaggio delle *cernide*. Fece schierare quelle truppe improvvisate – forse un centinaio di uomini armati con armi di ogni genere: pistole, schioppi ma anche forconi, scuri, vecchie alabarde – per un breve discorso. La valle – disse – doveva essere setacciata e perlustrata fino negli angoli piú remoti; entro la mattina del giorno successivo non dovevano rimanere, in tutta Zoldo, una sola baita, una sola casa di civile abitazione o una sola *fusina* che non fossero state attentamente ispezionate; tutte le persone dovevano essere controllate; i passi, anche i piú alti, vigilati giorno e notte con grandi fuochi accesi e turni di guardia ridottissimi, di non piú di un'ora, a causa del freddo. Responsabili di tutto erano i *marici*, cioè i sindaci dei villaggi, che avrebbero dovuto rendere conto di ogni novità a lui personalmente, o, in sua assenza, al cancelliere Vit-

toria: la Casa del Capitaniato a Forno sarebbe stata il punto di
riferimento e di raccolta delle indagini, da quel momento e fino
alla conclusione delle stesse. Il pubblico degli spettatori, soddisfatto, approvò il discorso; anche il portamento marziale del
« contino » e il suo modo di arringare la truppa e di dare gli ordini furono giudicati con favore. « Però!, – dissero in molti. – È
giovane, ma sa il fatto suo! » Soltanto pochi brontoloni, tra la
folla, continuarono a sentenziare e a criticare: « Tanta gente sui
monti, a prendere freddo, e gli assassini a quest'ora sono già sul
Piave, sulla zattera che li sta portando verso Venezia! »

Nel pomeriggio il freddo diminuí e incominciò a nevicare:
neve fitta, che diradò la folla sul sagrato della Pieve e la ridusse a
poche decine di persone, stipate sotto il portale della chiesa di
San Floriano e lungo il muro di cinta del cimitero. Anche le
operazioni di controllo delle case e delle persone furono, se non
proprio impedite, quantomeno rallentate e circoscritte all'interno dei villaggi: dove già tutti conoscevano e sorvegliavano
tutti, e nulla sarebbe passato inosservato, tanto meno dopo un
omicidio! La vigilanza ai passi alpini, con i fuochi accesi e i turni
di guardia anche di notte, fu rinviata a tempi piú favorevoli; del
resto, finché fosse durata quella bufera in alta quota, non ci sarebbe stato proprio niente da sorvegliare, perché lassú non sarebbe passato nessuno. La mattina del giorno successivo, due
gennaio, la neve era già alta un piede e mezzo – piú di mezzo
metro – e continuava a scendere a grandi fiocchi, con una tale
intensità e determinazione da rendere impossibile l'arrivo dei
giudici e dei poliziotti da Belluno, e da seppellire le indagini del
« contino », prima ancora che fossero iniziate, sotto una gran
coltre bianca e gelata. Una vera beffa: ma non si poteva fare
niente per evitare di subirla, perché la natura, allora, era ancora
piú forte degli uomini e di tutte le loro ragioni, nessuna esclusa!
Quando incominciava a nevicare in quel modo, nella valle di
Zoldo, il Canal diventava impraticabile e la gente doveva rassegnarsi a restare isolata dal mondo per molti giorni, a volte anche
per settimane; in quanto poi ai valichi alpini, se ne sarebbe ri-
parlato a primavera, all'epoca del disgelo e delle prime gemme

sugli alberi. Quella giornata cosí negativa, tuttavia, portò due novità di un certo rilievo. La prima novità, fu che il pievano riprese conoscenza. Continuava a stare male – dissero le pie donne che l'avevano in cura – e la cancrena di lí a poco avrebbe incominciato a mangiargli mani e piedi, ma capiva ciò che gli dicevano e balbettava qualche risposta. Dei banditi non ricordava niente, e non perché avesse perduto la memoria, ma perché proprio non li aveva visti né sentiti: gli avevano dato una botta in testa standogli alle spalle, e poi lo avevano chiuso dentro la legnaia, legato alla bell'e meglio con un po' di spago! La seconda novità fu l'*on selvarech* (uomo selvatico), che ravvivò l'entusiasmo dei monelli di tutta la valle, spingendoli a frotte sugli slittini verso Forno: dove si diceva che l'*on selvarech*, incatenato come una bestia ferocissima, fosse stato portato nelle prime ore del pomeriggio dalle *cernide* di Foppa che l'avevano sorpreso poco lontano dalle loro case, mentre raspava nella neve cercando di recuperare qualcosa tra i loro rifiuti. Dell'*on selvarech* – lo Yeti delle Dolomiti! – si favoleggiava da secoli e forse addirittura da millenni, in Cadore, in val Pusteria, nella valle di Zoldo e di tanto in tanto c'era anche qualcuno che diceva di averlo visto o di averne trovate le impronte in alta montagna, stampate nella neve; non era mai successo, però, come in questo caso, che venisse sospettato di un delitto, e che addirittura lo si catturasse. Molti corsero a vederlo, anche tra gli adulti, e tornarono delusi. L'*on selvarech*, infatti, era un ometto irsuto e scheletrito, con il corpo pieno di piaghe causate dal gelo e talmente affamato che non si reggeva in piedi: davvero si stentava a credere – esclamavano tutti – che un uomo cosí male in arnese avesse potuto devastare la canonica, e stordire il pievano, e massacrare la ragazza! In attesa di comparire in giudizio, il mostro delle nevi venne rinchiuso nella prigione sotto la Casa del Capitaniato, ma dopo una sola notte bisognò trasferirlo in una stalla perché – dissero gli scrivani che lavoravano al pianoterra di quello stesso edificio – puzzava in modo tale che il suo odore attraversava i pavimenti e impregnava i muri, e sarebbe arrivato anche ai piani superiori, dove c'erano l'ufficio del *capitanio* e la sua dimora. Era molto vecchio, e non capí niente di ciò che gli venne chiesto durante il processo; balbettava poche parole incomprensibili e si sospettò che fosse un *sícero* (tirolese). Non essendoci né testimoni né prove della sua colpevolezza, l'*on selvarech* fu assolto e dichiarato libero; i reggitori di Zoldo, però, non se la sentirono di rimandarlo tra le montagne a morire di stenti e lo affidarono alle cure di don Giuseppe: che con tre soli salassi, ed un clistere, lo fece morire da persona civile e da buon cristiano in un bel letto d'Ospitale, con le lenzuola pulite. (Tanto poteva a quell'epoca, e può ancora, la carità umana!)

Dice un proverbio di queste valli – uno tra i piú futili – che *né caldo né gelo, no resta mai in celo*; e cosí anche accadde quella volta, che alla fine il tempo cambiò. Martedí 16 gennaio 1776, giorno di San Tiziano vescovo di Oderzo, il piú bel sole del mondo e il cielo piú azzurro risplendevano sopra i monti di Zoldo carichi di neve come non s'erano mai visti prima d'allora: il Castelin, il Bosconero, le Rocchette della Serra, gli Spiz di Mezzodí, le Cime di San Sebastiano e la Moiazza erano un anfiteatro di ghiaccio cosí abbagliante e cosí immenso che gli occhi non ne reggevano la vista; bisognava tenerli bassi e quasi chiusi, e ripararli con la mano, per non restare accecati! L'orologio del campanile della Pieve aveva da poco battuto le ore – diciassette colpi, corrispondenti alle nostre dieci di mattina – e due uomini, anzi: un uomo e un ragazzo, venivano giú di buon passo per la vecchia strada che da Casal scendeva a Forno, e che passava proprio davanti alla chiesa di San Floriano. Il ragazzo, alto e smilzo e infagottato in un giaccone di làna che lo faceva sembrare piú adulto di quanto fosse realmente, era il maggiore dei figli del calzolaio di Casal, Mattio Lovat; l'uomo al suo fianco, che camminava impettito anche in discesa e che portava in testa una berretta rossa, segno esteriore della sua autorità su tutta la valle, era un tale Antonio Gavaz, *fante* del Capitaniato di Zoldo. La carica di *fante*, di cui Gavaz andava orgogliosissimo, gli conferiva piú o meno le stesse mansioni che hanno oggi i vigili urbani; ed era appunto in forza di tali mansioni che una volta al giorno tutti i giorni, da una settimana, il pover'uomo s'era dovuto sobbarcare quel po' po' di salita a piedi fino a Casal, e nemmeno a Casal di Sotto, a Casal di Sopra!: dove c'era quel ragazzo, che, piú i giorni passavano, piú sembrava essere l'unico testimone di qualche importanza nel delitto di capodanno. («Chissà mai cosa si inventa, quel mariuolo, per rendersi cosí interessante! – borbottava tra sé e sé il povero Gavaz: che sotto la berretta rossa aveva i capelli già tutti grigi, e avrebbe dato l'anima al Diavolo, in quei giorni, per un testimone piú a portata di mano. – Secondo me non c'è niente di vero! Sono tutte frottole!») Il cancelliere, il *capitanio*, il conestabile di polizia che era appena arrivato da Belluno non si stancavano di ascoltare le chiacchiere del Lovat; e ogni volta che volevano risentirle mandavano lui, Gavaz, a prelevare il ragazzo a domicilio, lassú in cima alla montagna. «Vammi a chiamare quel tale, – gli dicevano; e cercavano il nome tra le carte, perché non se lo ricordavano mai. – Il ragazzo... come si chiama? Ah, sí: Lovat!»

Avvicinandosi a Forno ed alla valle si sentivano gli stridori lancinanti delle seghe ad acqua, e i tonfi sordi dei magli – bum, bum, bum – che battevano tutti lo stesso ritmo ma lo battevano in tempi e luoghi diversi, alcuni vicini ed altri piú lontani, nelle cento *fusine* della valle: come un cuore gigantesco ma ormai stanco, che avesse già incominciato a zoppicare e a perdere colpi. I fumi neri ristagnavano nell'aria, al di sopra degli abeti e delle case, offuscavano il blu del cielo e rendevano meno luminoso il bianco della neve, laggiú presso quei torrenti che muovevano tutto con la forza delle loro acque. Scendendo ancora, ci si addentrava tra le case di Forno e si arrivava davanti a una grande casa di pietra, detta *palàz*, che era la Casa del Capitaniato. Prima del delitto, Mattio non aveva mai messo piede nella residenza dei governatori di Zoldo e dapprincipio quella novità gli era piaciuta, l'aveva fatto sentire importante; lui, il figlio d'un ciabattino, era stato ammesso nell'ufficio del *capitanio*: aveva visto i ritratti dei dogi, il mappamondo e il grande tavolo ovale coperto dal tappeto rosso, con il Leone d'oro ricamato nel centro; il conte Miari gli aveva rivolto la parola, e lui gli aveva risposto! Il «contino» era davvero molto giovane e l'aveva trattato con umanità e anche con cortesia, dandogli del «voi»; ma poi era arrivato quell'altro signore da Belluno, il conestabile o come si chiamava, e la musica era cambiata. Gli interrogatori s'erano fatti stringenti: tutti i giorni bisognava scendere a Forno alla Casa del Capitaniato per ripetere la stessa solfa dall'inizio, davanti a quell'uomo con la parrucca e l'occhialino che lo guardava dondolando la testa, e sorrideva in un certo modo, come se si trattenesse a fatica dal dirgli: «Su, smettiamola, e confessa che l'hai ammazzata tu, la signorina Fulcis!» Già al secondo interrogatorio, Mattio s'era persuaso che il conestabile ce l'avesse con lui, e che addirittura cercasse il modo di coinvolgerlo – chissà poi per quale motivo – in quel delitto. S'inventava continuamente dei trabocchetti per farlo cadere in contraddizione; gli poneva domande assurde, su cose che né lui né altri potevano sapere, o su dettagli minimi, che nessuno al mondo – e lui, poi, meno di tutti! – avrebbe potuto conoscere, e non ascoltava ragioni: strepitava, minacciava di mandarlo in carcere, faceva la voce grossa. Mattio, ormai, era stanco di tornare tutti i giorni a Forno, ma soprattutto cominciava ad avere paura di quell'uomo, e di quella situazione in cui era andato a cacciarsi. (Cosa mai mi è venuto in mente – si diceva – di collaborare con la giustizia? Se tacevo, mi risparmiavo un mucchio di guai... Sono nei guai perché ho fatto il mio dovere, di riferire alle autorità ciò che avevo visto!)

Quel giorno a Forno, al primo piano del *palàz*, c'era un nuovo personaggio: un grand'uomo che tutti chiamavano «vostra grazia» e che era, addirittura, un inquisitore di Stato! (La notizia, sussurrata da uno scrivano, arrivò all'orecchio di Mattio mentre lui aspettava d'essere introdotto nell'ufficio del *capitanio*). Il grand'uomo, profumatissimo, riempiva l'aria con la sua fragranza; indossava una giacca iperbolica di velluto blu coi bottoni d'oro, aveva i calzoni dello stesso velluto della giacca, un panciotto rosso ricamato in oro, colletto e polsi di pizzo e calze verdine. Ma le due cose che piú impressionarono Mattio nell'abbigliamento del nuovo arrivato furono la parrucca con la coda – fino a quel momento lui aveva visto ben poche parrucche, e tutte scodate – e le scarpe con i tacchi alti tre once (circa nove centimetri) per aumentare l'altezza di chi le calzava: l'inquisitore, infatti, aveva una statura corporea molto esigua, e assolutamente inadeguata rispetto alla sua statura morale, che era invece altissima. Il «contino», il cancelliere, soprattutto il conestabile di polizia gli stavano attorno e lo ossequiavano, nel piú reverente e stucchevole dei modi; e lui, in cambio, li trattava con quella ruvida familiarità e con quell'indulgenza, di chi è tanto al di sopra dei suoi simili che può anche stare ad ascoltarli, se ne ha voglia e se ha tempo da perdere, ma non può assolutamente prenderli sul serio! A Mattio, per dimostrargli che provava simpatia per lui, strinse una guancia con due dita e gliela tirò avanti e indietro per un buon minuto. Esclamò, divertito: «Eccolo qua, il nostro giovane testimone!» Gli chiese, sorridendo: «Sei contento?»

«Di cosa mai dovrei essere contento?», pensò il ragazzo. Ma il grand'uomo continuava a sorridere e a muovergli la guancia avanti e indietro, sicché bisognò rispondere. Mattio disse, o per essere piú esatti bofonchiò, dato l'impedimento che aveva in bocca: «Sí... sissignore!»

Il conestabile, severo, lo corresse: «Si dice: sissignore, vostra grazia!»

«Sissignore, vostra grazia!», bofonchiò Mattio.

«Quel don Marco, – disse il grand'uomo, – quel don Marco...» Lasciò la guancia del ragazzo. «Perché non racconti anche a me, – lo incoraggiò, – la storia del prete forestiero che hai già raccontato a questi miei amici?» Mattio, allora, ripeté tutto: l'incontro notturno con i tre uomini alla luce dei *ferali*; il loro aspetto, la fretta che dimostravano, la *cassa-forte* sotto il braccio del secondo uomo, la *larva* che si era mossa sul viso del terzo, lo stupore che lui aveva provato, riconoscendo don Marco... Il grand'uomo, annoiato, alzò una mano. «Sí sí, va bene. Ho capito. Può bastare». Guardò Mattio, come per dirgli: e adesso, voglio la verità! Gli domandò: «Perché continui ad accusare quel tedesco, prete o laico che sia? Hai forse qualche ragione per odiarlo, e per volerti vendicare di ciò che ti ha fatto?»

Strizzò l'occhio al conestabile. «Lo sa tutta la valle, – disse ancora al ragazzo, – di che genere fosse il tuo rapporto con quell'uomo, e che vi vedevate di notte in mezzo ai boschi! Chi vuoi prendere in giro? Perché continui a mentirci?»

Mattio, ora, aveva gli occhi spalancati e la bocca aperta. Disse, e quasi gridò: «Non è vero niente!»

Era diventato rosso in viso e stringeva i pugni, ma il grand'uomo aveva smesso di occuparsi di lui e s'era rivolto al conestabile e al «contino». «Sono state fatte indagini su quell'individuo, – disse in tono pacato. – È stato visto partire da Belluno, in zattera, a metà novembre dell'anno scorso. Era diretto a Padova dove ancora la sua presenza ci è stata segnalata nei primi giorni di quest'anno, dai nostri informatori presso quella Università. Data la lunghezza del viaggio e le condizioni delle strade in quel periodo, è assai poco probabile che sia davvero implicato in questo omicidio». Tirò fuori di tasca una tabacchiera d'argento, ne prese un pizzico di tabacco e se lo mise nelle narici. Offrí poi la tabacchiera al *capitanio*: «È tabacco di Spagna. Volete favorire?»

Gli parlava e gli sorrideva in un certo modo che a Mattio parve strano: un modo obliquo, come se nello stesso tempo avesse voluto ammiccare agli altri due, cioè al conestabile e al cancelliere, per dirgli: state attenti a cosa succede ora...

«Obbligatissimo, vostra eccellenza! Grazie, grazie!»

Commosso per il grande onore che l'inquisitore gli stava facendo, il «contino» prese la tabacchiera. Sulla parte interna del coperchio, lavorata a smalto, erano effigiati un cavaliere e una damina che ballavano il minuetto: ma quando il giovane funzionario si passò la tabacchiera nella mano sinistra, inavvertitamente toccò un pulsante che faceva scattare il meccanismo segreto e in un batter d'occhi la scena cambiò. Le braccia della damina si alzarono, le mani sollevarono la ricca gonna, la aprirono, scoprendo il ventre e le cosce e il nero del pube attraversato al centro da una bocca verticale, rossa come una ferita. Nello stesso tempo, anche le braccia del cavaliere s'erano abbassate, abbassando i calzoni; ne era sortito un bastone di carne, una proboscide saettante verso il pube della dama: le cui labbra, azionate dal congegno a molla, s'erano aperte per ingoiarne l'estremità rigonfia e paonazza. Il *capitanio* restò senza fiato. Gli tremavano le mani e avrebbe lasciato cadere la tabacchiera, se il grand'uomo non fosse stato lesto a riprenderla e a rimettersela in tasca, facendo finta d'arrabbiarsi: «Si può sapere cosa mi combinate? Date qua!»

«Che figure mi fate fare! – Brontolò: – Non sa riconoscere una tabacchiera animata, e lo mandano a governare una valle... Poveretti noi!»

Il conestabile soffocava dalle risa, tenendosi un fazzoletto premuto sulla bocca e facendo dei gesti con l'altra mano che volevano significare: questo è il massimo! Non ho mai visto niente di piú divertente! Il «contino», invece, preso alla sprovvista, balbettava, cercava di giustificarsi. «Perdonatemi, vostra grazia! – continuava a ripetere. – È stato un momento di distrazione! Mi dispiace moltissimo!»

Gli assassini della signorina Rosa Fulcis non furono mai trovati; ma la vita di Mattio – dopo l'interrogatorio dell'inquisitore, che fu l'ultimo – tornò ad essere quella di un ragazzo normale, perché nessuno piú lo convocò al *palàz* del Capitaniato e nessuno piú volle sentire la sua testimonianza sul delitto di capodanno. Il 3 febbraio, giorno di San Biagio, Mattio stava lavorando nella bottega del padre a sgrossare e a modellare con una piccola scure quelle assicelle di legno di larice con cui si facevano le suole delle *dàlmede* e delle *zopèle*, cioè in pratica dell'unico tipo di scarpa – i due nomi si riferivano, rispettivamente, al modello per uomo e al modello per signora – che uscisse dalla bottega dello *scarpèr* Marco Lovat, e che si calzasse nella valle di Zoldo. Si sentiva strano: era indolenzito in tutto il corpo, aveva i brividi e tutto ciò che faceva gli riusciva mal fatto. Quando infine gli piombò addosso la febbre, violentissima, credette che fosse arrivata la sua ultima ora. Implorò il padre: «Aiutatemi! Sto male!»

Si ritrovò nel suo letto, senza sapere come ci fosse arrivato. Momenti di torpore incominciarono ad alternarsi con momenti di lucidità; apriva gli occhi e c'era la luce, tornava ad aprirli ed era notte ma in quella stanza dove fino a pochi giorni prima dormivano in quattro, lui ora era rimasto solo. (Si chiedeva: «Dove sono i miei fratelli? Cosa mi è successo?») Sua madre Vittoria, per evitargli lo spavento di svegliarsi al buio, aveva messo sopra al cassettone un lumino ad olio; e quella luce impercettibile era però sufficiente a fargli intravvedere i contorni degli oggetti, e a fargli riconoscere la stanza. Nel delirio, a volte, smaniava: s'immaginava di dover affrontare chissà quali nemici, di dover rispondere alle domande di chissà quali inquisitori. Gridava: «Io non ho fatto niente! Non so niente!» Sognava d'essere in riva ad un ruscello, o ad un torrente, e di bere fino a prosciugarlo. Poi, quand'era sveglio, con un filo di voce chiedeva dell'acqua che naturalmente gli veniva negata; per secoli, nelle campagne e anche nelle città, anche negli ospedali, gli ammalati italiani furono torturati con la sete: guai a chi gli avesse dato un poco d'acqua, una goccia soltanto! Perché ciò avrebbe alleviato i loro tormenti e loro invece dovevano soffrire, i loro corpi riarsi dalla febbre dovevano prosciugarsi fino all'ultima fibra, per meritare la guarigione in questo mondo o la salvezza nell'altro. Ogni tanto, Mattio riapriva gli occhi e c'erano dei visi chini sopra il suo; il viso che lui vedeva piú spesso era quello di sua madre Vittoria, ma a volte con lei c'era anche don Giuseppe, il prete-medico dell'Ospitale dei Battuti, con i suoi capelli riccioluti e unti e con quelle sue guance paffute, dai pomelli rossi, che lo facevano sembrare un boscaiolo, anziché un prete! Suo padre, invece, lo *scarpèr* Marco Lovat, si teneva in disparte; parlottava con la moglie e con il medico stando fuori della stanza e la parola piú ricorrente, in quei discorsi, era la parola *varole*, cioè vaiuolo. («Io non le ho mai avute in vita mia queste famose varole, – borbottava il padre, – e devo stare attento a non prenderle ora!») Mattio, dunque, era ammalato di *varole*, su questo non c'erano dubbi: c'erano invece forti contrasti sulla maniera di curarle, perché don Giuseppe s'era presentato in casa Lovat con in mano la valigetta da chirurgo per aggredire le *varole* con i suoi salassi, ma la signora Vittoria non aveva voluto sentire ragioni e addirittura s'era messa tra il dottore e il figlio, aveva fatto scudo a Mattio con il proprio corpo. «Lo volete ammazzare?, – aveva detto. – Cavargli sangue mentre ha la febbre! No e poi no!»

«S'è mai vista una cosa simile? – strillava don Giuseppe. – Impedire ad un medico esperto, come me, di esercitare la sua arte secondo scienza e coscienza!» Fiutava un poco di tabacco. Starnutiva. Minacciava: «Io me ne lavo le mani, mi intendete? Se non mi lasciate curare il ragazzo a modo mio, posso anche andarmene!»

Privato dei salassi di don Giuseppe, Mattio si riempí in viso e su tutto il corpo di pustole fastidiosissime che poi crebbero, s'indurirono, diventarono croste, e bisognò legargli le mani alle assi del letto per impedirgli di strapparle via; respirava ansimando, era quasi cieco perché le palpebre gli si erano gonfiate ricoprendo gli occhi; sentiva in petto l'oppressione della febbre, e la vita che a poco a poco se ne andava da lui... Ogni tanto, nella stanza accanto alla sua, si recitavano ad alta voce delle preghiere, piú o meno le stesse che si recitano nelle veglie dei defunti. «Mi considerano già morto», pensava il ragazzo nei momenti di lucidità. Anche don Giuseppe, ogni volta che lo vedeva, scuoteva la testa. «Se mi aveste lasciato cavargli il sangue all'inizio della malattia, – disse un giorno alla signora Vittoria, – vostro figlio ora non si troverebbe in queste condizioni! Se morirà, sarà colpa vostra: non vi dico altro!»

Una notte, Mattio uscí dal torpore in cui trascorreva la maggior parte del suo tempo e fu immediatamente lucido, cosciente di ciò che stava accadendo attorno a lui. Aveva udito uno scricchiolío. Nella stanza debolmente rischiarata dal lumino ad olio c'erano due grandi ombre, di due uomini con il viso ricoperto da una *larva* bianca e Mattio avrebbe voluto gridare, invocare aiuto; ma gli accadde come accade nei sogni, che dalle sue labbra non uscisse alcun suono. (Si domandò: «Sto dormendo? È solo un sogno?») Gli uomini si avvicinarono al letto: slegarono il ragazzo, lo avvolsero nella sua stessa coperta e uno dei due se lo mise sotto il braccio, maneggiandolo come se fosse stato privo di peso: un fagottino di piume! Attraversarono la camera da letto dei coniugi Lovat, senza svegliare nessuno; uscirono all'aperto, in una notte di plenilunio cosí chiara che Mattio non ricordava d'averne mai vista una simile; s'incamminarono verso Forno. Il silenzio era assoluto, il mondo intero sembrava morto: soltanto lo strepito delle *dàlmede* dei due uomini mascherati riecheggiava tra le montagne, con una sonorità strana e eccessiva. Mattio si chiese, ancora una volta: dove sono? Sto sognando, oppure sono già morto e questo luogo dove mi trovo, cosí simile al nostro mondo, è invece il mondo dei defunti? Ma un pizzicotto che si diede in una coscia lo convinse d'essere vivo. Sulle rocce, sugli alberi, sulle case, dappertutto c'erano stalattiti e ricami di ghiaccio che conferivano a quel paesaggio un aspetto fiabesco, reso ancora piú straordinario dall'enormità della luna e dal suo splendore. Attraversarono il villaggio addormentato di Forno e nemmeno un cane abbaiò, nemmeno una luce si vide trapelare dalle imposte delle case, nemmeno un uccello notturno si alzò in volo, disturbato dal loro passaggio. Proseguirono oltre il ponte sul Prampèr. Entrarono in una *fusina* silenziosa: le grandi ruote erano disattivate, il maglio non batteva, la forgia era spenta. Soltanto un mucchio di brace viva, ammassata in un angolo, rischiarava gli oggetti tutt'attorno con una luce rossastra. Seduto davanti alla brace c'era un uomo che allungava le mani verso quel fuoco ed era rosso dalla testa ai piedi per via del riflesso; Mattio, guardandolo, pensò che doveva essere il Diavolo, e che quella *fusina* tenebrosa era forse l'anticamera dell'Inferno. Poi l'uomo si voltò verso di loro e Mattio vide che era don Marco. «Ecco, – pensò: – gli assassini della nipote del pievano sono tornati a Zoldo per dividersi il contenuto della cassa-forte, e per vendicarsi di me che li ho denunciati». Si chiese: «E adesso, cosa mi faranno?»

«Mettete il ragazzo su questa panca accanto al fuoco», disse don Marco agli uomini mascherati. Vicino alla brace c'era un gradevole tepore e Mattio si sentí pervadere in tutto il corpo da un leggero formicolío, molto piú leggero del prurito delle *varole* ed anche molto piú piacevole. Don Marco allora si alzò, si avvicinò; toccò con la punta delle dita il viso del ragazzo, tumefatto e interamente ricoperto di croste, indugiando in una sorta di carezza che però non aveva in sé niente di affettuoso: era piuttosto un'esplorazione, una ricerca di qualcosa che non avrebbe potuto essere trovata perché ancora non c'era... «Tra qualche giorno, – disse lo straniero, parlando a se stesso, – questa maschera ripugnante cadrà, e apparirà un volto nuovo: un volto ignoto, che io non sarò piú in grado di riconoscere se il destino me lo farà incontrare ancora per le strade del mondo. Una nuova identità, un'altra persona!»

Si rivolse a Mattio. «Tu ora sei morto, – gli disse, – e stai per ritornare in vita: sono cose che succedono. Non è vero che la morte è senza ritorno; il modo di uscirne esiste e chi lo conosce è condannato a vivere in eterno, perché vivendo si ha sempre qualcosa da portare a termine, qualche progetto da realizzare, qualche sogno da sognare...» Stava ancora parlando e Mattio si mosse. La luce gli esplose negli occhi, gli irruppero nelle orecchie molte voci di donne che gridavano: «È vivo! È vivo!» Con uno sforzo, il ragazzo si sollevò su un gomito. Don Marco, gli uomini mascherati, la *fusina*: tutto era scomparso. Stava sdraiato sul suo letto, a casa sua, vestito con gli abiti della festa e con un paio di scarpe nuove infilate nei piedi; aveva una corona del rosario intrecciata alle dita della mano destra e attorno a lui ardevano quattro ceri. Sua madre Vittoria era crollata a terra svenuta. Le altre donne gridavano come ossesse: «La Madonna ha fatto la grazia! Mattio è vivo!»

Il miracolo di morire e di ritornare in vita, naturalmente non sarebbe stato completo se Mattio non fosse anche guarito dalla malattia; e lui, infatti, guarí. Dopo pochi giorni, secondo la previsione di don Marco, si tolse dal viso la maschera del vaiolo come se fosse stata una maschera di cartone, e incontrò nello specchio uno sconosciuto che lo guardava stupito: «Sono io!» Dapprincipio, gli sembrò di essere un mostro: tutti i suoi lineamenti si erano ingrossati e imbruttiti e anche l'insieme era cambiato; ma il vaiolo, per sua fortuna, non aveva lasciato cicatrici e Mattio presto si dimenticò della vecchia faccia, e si abituò a portare la nuova. Essendo morto e risorto, come Nostro Signore, dovette anche rassegnarsi alla curiosità dei compaesani che volevano vedere con i loro occhi il miracolato e che, trovandosi di fronte un altro ragazzo, con un'altra faccia, si mostravano disorientati. («Sarà proprio lui?») Soprattutto nei primi giorni dopo il miracolo, nella casa dello *scarpèr* Marco Lovat ci fu un gran viavai di parenti, di conoscenti e di semplici curiosi; poi, pian piano, l'interesse della gente diminuí, e fu attratto da altre vicende. Il 26 aprile di quell'anno 1776, mentre gli alberi di ciliegio e i prati di Zoldo erano fioriti, morí il pievano Fulcis e la sua morte commosse tutti gli abitanti della valle: anche quelli che piú l'avevano criticato mentre lui era vivo, e avevano messo in circolazione voci e aneddoti velenosi sulla sua avarizia, sulla sua ghiottoneria, sulla sua pigrizia, ora andavano in giro con le mani alzate, e annunciavano a quanti incontravano che «era morto un Santo»! I funerali furono adeguati al rango della persona scomparsa, il cui nome – come già s'è detto – era scritto nel *Libro d'Oro* della nobiltà bellunese, e attirarono moltissima gente. Si videro venire a dorso di mulo su per il Canal certe anziane nobildonne cariche di pizzi e certi giovani gaudenti, con le giubbe di velluto nero e gli scarpini dalle fibbie d'argento, a cui l'idea di inerpicarsi tra quelle montagne doveva aver ispirato, se non proprio orrore, certamente un profondo disgusto; ma bisognava rendere omaggio ad un sant'uomo, e ad un aristocratico, che era andato a predicare la parola di Dio alla gente rozza di lassú, e ne era stato ripagato con il martirio! La salma di don Giacomo fu portata attorno al sagrato mentre le campane di San Floriano e delle altre chiese della Pieve facevano *campanò*, che è il piú gran baccano che si può fare con quel genere di strumenti; fu accompagnata in processione da otto torce e da un centinaio di candele, con molta solennità ed anche – secondo ciò che poi ne fu riferito – con molta edificazione di quanti la videro da vicino. Don Giacomo infatti aveva il viso sorridente, quasi ilare, come se avesse voluto dire: il mio corpo è ancora qui, ma la mia anima è in cielo! In chiesa, fu collocata davanti all'altare, su un trofeo di fiori. Le lodi del defunto furono dette – o, meglio: furono gridate – da un predicatore d'eccezione che era anche uno zoldano illustre, fra Giuseppe: con tanta forza d'argomenti, e con tanta voce, da sbalordire e da far restare annichiliti quanti le ascoltarono. Davvero – convennero i montanari – era stata la volontà di Dio che aveva fatto ritornare a Zoldo fra Giuseppe proprio in quei giorni, perché soltanto un grande predicatore come lui avrebbe potuto tessere un tale panegirico dell'estinto! Perfino i nobili venuti da Belluno furono colpiti dall'irruenza di quel frate, e si domandarono, e domandarono ai vicini: chi è?

Per soddisfare alla loro curiosità, e perché fra Giuseppe occupa un posto di rilievo nella nostra storia, converrà dunque approfittare delle esequie del pievano Fulcis per dire che quel predicatore d'eccezione si chiamava Pietro Antonio Vittoria, aveva trentanove anni ed era un fratello della madre di Mattio Lovat, la signora Vittoria Vittoria; e converrà anche aggiungere di lui – cioè del predicatore – che era un grand'uomo, come l'inquisitore di Stato in cui già abbiamo avuto occasione di imbatterci, e come molte altre persone di quell'epoca, e delle epoche precedenti e successive. (Naturalmente, essendo di professione religioso, fra Giuseppe non possedeva tabacchiere animate con automatismi osceni e faceva professione di modestia in ogni parola che diceva: ma era grand'uomo lo stesso). I suoi confratelli del convento dei Riformati francescani, a Venezia, lo chiamavano fra Giuseppe da Zoldo perché era sempre circondato da montanari emigrati che gli chiedevano di trovargli un lavoro, un prestito, una casa, una sistemazione temporanea o stabile, una moglie; tutto ciò che si muoveva tra Zoldo e la laguna – persone, affari, matrimoni ed altro ancora – doveva passare, prima o poi, per le sue mani! Era un uomo di cui a Zoldo si diceva che «conosceva metà del mondo», e che «trafficava con l'altra metà». Di tanto in tanto ritornava a Bragarezza, dov'era nato e dove risiedevano molti Vittoria, per trascorrere qualche giorno con i familiari e per riposarsi delle sue grandi fatiche, nel silenzio e nella pace d'un villaggio alpino; e cosí aveva detto anche quella volta, d'aver voluto rivedere la sua valle all'inizio della primavera, quando la natura rinasce dopo il gelo invernale, e d'essersi voluto concedere una breve vacanza. Il suo vero sco-

po, invece, era quello di convincere i Lovat a cedergli Mattio e a
farlo entrare in convento: perché, con tutti gli affari che trattava, aveva bisogno di una persona fidata e possibilmente proprio
di un parente, che lo aiutasse e gli facesse da segretario; ma di
ciò ancora non aveva tenuto discorso con nessuno, nemmeno
con la sorella. Chi lo vide per la prima volta ai funerali del pievano Fulcis vide un bel frate corpulento, dalla pelle rosea, senza
barba e con una gran chierica nel centro della testa; e poté
ascoltare dalla sua viva voce quell'appassionata rievocazione
dell'estinto che lasciò tutti a bocca aperta – come già s'è detto –
e che fece anche piangere molta gente, sia donne che uomini.
(«E pensare, – commentò qualcuno, – che s'erano visti soltanto
due o tre volte, con don Giacomo, e che si conoscevano appena!») Il pievano Fulcis del panegirico di fra Giuseppe aveva
ben pochi tratti in comune con il pievano vero, ma nessuno ci
fece caso; era invece straordinariamente somigliante a quel
Giannagostino Gradenigo vescovo di Ceneda che aveva trovato
un adeguato cantore nel canonico bellunese Lucio Doglioni.
Grazie alle parole rombanti di fra Giuseppe l'immagine di don
Giacomo – che in vita era sempre stata piuttosto sbiadita, e comunque priva di forti connotati – incominciò subito a lievitare,
come il pane nel forno; diventò fragrante per le sue virtú, sublime per il suo altruismo, eccelsa per la sua pietà e per la sua de-
vozione. Il fatto che nessuno di quanti conoscevano il pievano
avesse mai sospettato d'avere a che fare con un Santo – disse il
frate – dipendeva soltanto dalla sua profonda umanità, che lo
induceva ad essere umile con gli umili: ma il don Giacomo segreto, quello vero, era stato un titano della fede, perennemente
in lotta contro un mondo spregevole e avido solo di appaga-
menti materiali; era stato un eroe della società e della famiglia,
che aveva difeso la nipote contro gli assassini facendole scudo
con il suo petto. Era stato un Santo: che certamente nei mesi a
venire avrebbe messo a rumore la valle di Zoldo con i suoi miracoli, e che già ne aveva operato uno. «Un mio nipote, – gridò il
frate ai montanari attoniti, – un ragazzetto che tutti conoscete,
Mattio Lovat da Casal, nel mese di marzo testé trascorso morí,

ucciso da una malattia che non perdona, invocando il nome di don Giacomo; e don Giacomo, ancora vivo e presente tra voi nella sua spoglia mortale, ma ormai piú vicino ai cori angelici che alle cose vili del mondo, s'impietosí per quella giovane vita che la morte aveva reciso: si rivolse a Dio chiedendogli di resuscitare il ragazzo; e Dio, nella sua infinita misericordia, volle accontentarlo! »

(Il miracolo della resurrezione di Mattio fino a quel momento non era stato attribuito ad alcun Santo in particolare, e poteva essere rivendicato per il pievano Fulcis come per chiunque. L'unica difficoltà dell'operazione era rappresentata dal fatto che nessuno dei parrocchiani di don Giacomo, mentre lui era vivo, lo avrebbe creduto capace di compiere miracoli: ma le opinioni della gente, si sa, cambiano in fretta...)

Alle esequie solenni del pievano Fulcis partecipò anche il prete cantore don Tomaso, un anziano *sopranista* che viveva da qualche anno nella parrocchia di Goima e che non celebrò la messa insieme agli altri preti, ma restò vicino al clavicembalo: suonato, in quella circostanza, dal notaio Lazzaro Lazzaris di Forno. Don Tomaso era un uomo piccolo di statura, piuttosto grasso, con i capelli già tutti grigi; si diceva di lui che fosse matto, e che perciò il cardinale arcivescovo di Venezia – appassionato, come tutti sapevano, del bel canto! – aveva dovuto privarsi dell'armonia della sua voce per mandarlo a fare il coadiutore in una parrocchia di montagna. Quando cantava, sembrava crescere o impicciolirsi seguendo l'andamento della melodia, come l'usignolo sul ramo: ti rapiva in estasi nei cieli luminosi dell'arte, o ti faceva correre i brividi nella schiena e accapponare la pelle se aveva sul leggío – come quel giorno – gli spartiti dello *Stabat mater* e del *Dies irae*. Mattio, che non aveva mai sentito cantare un *sopranista*, cioè un castrato, fu turbato da quella voce cosí profonda e ricca di tonalità, e cosí diversa da tutte le altre voci, sia maschili che femminili, che lui aveva ascoltato fino a quel giorno. Guardava il prete e si chiedeva: «Come fa? Com'è possibile che una semplice operazione, un'operazione che si pratica anche agli animali, possa dare ad un uomo un simile talento? Quali trasformazioni si compiono in quell'uomo, che lo rendono capace di tanta armonia?»

(Ne parlò anche di lí a qualche giorno con suo padre, mentre lavoravano in bottega a riparare *dàlmede*; ma riuscí soltanto a fargli spalancare gli occhi per l'orrore, e a fargli ripetere due o tre volte: «Meglio morto!»)

Seppellito il pievano, fra Giuseppe tornò ad occuparsi di Mattio, senza dar troppo nell'occhio e con la determinazione che metteva in tutto ciò che faceva. Era venuto a Zoldo sapendo soltanto due cose del nipote: che aveva quindici anni – l'età migliore per entrare in convento – e che era un ragazzo docile e riflessivo; molto adatto, insomma, per ciò che si riprometteva di fare di lui. Non avendo ricevuto lettere recenti dalla sorella, il grand'uomo non sapeva delle *varole* e del miracolo della resurrezione: ma quando gli fu raccontata anche quella novità, pensò di essere arrivato al momento giusto, e che il destino, o, meglio: la Provvidenza, lo stessero aiutando. Era proprio su quel miracolo – si disse – che bisognava battere, e far breccia, per convincere Mattio a entrare in convento! Gli parlò con molta gravità e con molto sussiego, come faceva con tutti. Lo esortò a riflettere su quanto gli era accaduto; un miracolo non è una cosa da niente, da potersi dire al Padreterno: «Tante grazie, e chi s'è visto s'è visto!» Un miracolo è una cosa seria. Dio aveva voluto mandargli un segno clamoroso della sua volontà, gli aveva detto in quel modo: «Tu sei mio. Ti ho fatto morire al mondo, perché già in questa vita devi appartenermi». Non sentiva, Mattio, la voce di Dio che lo chiamava? E, se la sentiva, cosa aspettava a seguirla? Altre volte, invece, parlando con il nipote, fra Giuseppe lo compiangeva per quel mestiere di *scarpèr*, veramente infimo, a cui la nascita e le circostanze sembravano averlo destinato. «È davvero un peccato, – gli diceva, – che un ragazzo come te non vada a scuola, e non continui a studiare!» Tanto piú che la possibilità di non fare lo *scarpèr*, e di diventare prete, Mattio l'aveva a portata di mano, e sarebbe stato uno sciocco a non approfittarne. Bastava che entrasse come novizio nel convento dei Riformati a Sant'Alvise per aiutare suo zio a curare gli interessi degli zoldani che venivano in città, e lui in cambio l'avrebbe fatto studiare: sissignore! Senza chiedere nemmeno un soldo a suo padre; l'avrebbe fatto diventare un uomo importante, conosciuto e riverito da tutti! Tutta la valle sarebbe stata fiera di Mattio, com'era fiera di fra Giuseppe; e che dire, poi – si chiedeva il grand'uomo, infervorandosi – della gioia che avrebbero provato i suoi genitori, quando gli avesse dato la lieta notizia? Sua madre certamente ne avrebbe tratto una consolazione immensa, e anche suo padre, lo *scarpèr*, avrebbe avuto di che inorgoglirsi: un pover'uomo come lui, con un figlio prete!

Mattio dunque annunciò ai suoi genitori di aver sentito la voce di Dio che lo chiamava, e di voler andare a Venezia per entrare come novizio in quello stesso convento dei Riformati, a Sant'Alvise, dove stava suo zio; ma le cose non andarono secondo le previsioni di fra Giuseppe, perché il pover'uomo e *scarpèr* Marco Lovat, che di solito era persona mite e taciturna, in quella circostanza diede in escandescenze: schiaffeggiò Mattio, minacciò la signora Vittoria di rimandarla a Bragarezza dai suoi genitori e promise anche che avrebbe riempito di legnate – se lo avesse sorpreso a gironzolare attorno alla sua casa – quel suo cognato Pietro Antonio Vittoria, in arte fra Giuseppe, che aveva cercato di portargli via il figlio piú grande, l'unico in grado di lavorare e di contribuire al sostentamento della famiglia! Gridava con quanto fiato aveva in corpo, perché tutti lo sentissero: «Mio padre era scarpèr, mio nonno era scarpèr e il mio figlio maggiore farà lo scarpèr, dovesse cascare il mondo!» Si rivolgeva all'interessato: «Chi ama Dio, – gli ricordava, – ama anzitutto i suoi genitori e i suoi fratelli piú piccoli, e lavora per mantenerli!» Difendeva la legittimità del suo comportamento, anche dal punto di vista cristiano. «Io ho cinque figli, – diceva, – e chi mai me li ha mandati, se non Dio? Ma li ha mandati qui da me, da uno scarpèr, perché voleva che lavorassero. Se voleva farne dei preti, li faceva nascere ricchi!» Borbottava sottovoce: «Roba de stola, la va che la svola!»

In quell'anno 1776 che portò a Zoldo tante novità e tanti prodigi, accadde anche un altro fatto memorabile in casa Lovat, e questo fu che s'indemoniò il piccolo Floriano e che lo si dovette accompagnare a *cividal* – cioè a Belluno – per essere sdemoniato: come si racconterà nelle pagine che seguono. La causa dell'indemoniamento non fu mai accertata, per quante supposizioni si facessero: ci fu chi disse che il ragazzo aveva bevuto l'acqua di una certa sorgente, a cui nessuno piú osava avvicinarsi da molto tempo, perché in quei pressi era accaduto un delitto; che aveva fatto arrabbiare una certa vecchia, nota a tutto il vicinato per essere una strega, e che la vecchia l'aveva «segnato»; che s'era trovata dentro al suo letto una *pavea* (farfalla) d'un genere particolare, di quelle blu con i puntini gialli che in realtà sono anime del Purgatorio, condannate a vagare negli stessi luoghi, dove hanno commesso le loro colpe. Il primo indizio che nel piccolo Floriano era venuto ad abitare un Diavolo lo si ebbe da un fatto curioso. Mattio e Ferdinando, i due fratelli piú grandi che dormivano con lui, di tanto in tanto trovavano alla mattina, presso il letto, le scarpe bagnate e la faccenda era inspiegabile: nessuno, mentre loro dormivano, sarebbe potuto entrare nella loro stanza, senza svegliare i genitori nella stanza accanto! Si pensò dunque alla presenza di una *smara*, e si cercò di cacciarla come si cacciano le *smare*: appendendo due teste d'aglio su ogni porta di casa e tenendo in camera da letto una bottiglia vuota, chiusa e sigillata con la ceralacca. La *smara*, per chi non lo sapesse, è un folletto di sesso femminile molto comune nel Veneto settentrionale e tra le Dolomiti, che va attorno col buio a fare dispetti; ma né l'aglio, né la bottiglia chiusa, né le immagini e le medagliette della Madonna che la signora Vittoria aveva nascoste nella stanza dei figli, produssero l'effetto voluto. I due ragazzi continuarono a trovare le scarpe bagnate, non proprio tutte le mattine ma abbastanza spesso, e nessuno sarebbe riuscito a svelare quel piccolo mistero se il ciabattino Marco Lovat non si fosse appostato una notte nella stanza dei figli dopo che loro si erano addormentati, e se non avesse visto – alla luce fioca del lumino sul cassettone – il piccolo Floriano che si alzava, andava a bagnare le scarpe dei fratelli piú grandi nel modo che tutti possono immaginare, e se ne tornava a dormire come niente fosse. Il ragazzo – raccontò lo *scarpèr* alla signora Vittoria – aveva gli occhi aperti ma non si era accorto della presenza del padre, e non si era svegliato nemmeno quando lui gli aveva detto sottovoce, per non farsi sentire dagli altri suoi figli: «Floriano! Cosa stai facendo?»

Questi fatti erano accaduti all'inizio dell'estate e i Lovat allora si erano rivolti a don Giuseppe, che aveva prescritto per il giovane sonnambulo una cura a base di clisteri e di preghiere a San Vito, protettore del sonno. Quella cura, almeno in un primo momento, aveva dato buoni risultati, perché Floriano non si era piú alzato di notte e le scarpe dei suoi fratelli erano rimaste asciutte; ma quando a settembre si era riaperta la scuola della Pieve il Diavolo era tornato ad impadronirsi di lui, trasformandolo in un monellaccio prepotente e ribelle che mordeva i compagni, bestemmiava e combinava ogni genere di guai, di cui poi diceva di non ricordarsi. (Ogni volta che lo mettevano in castigo, piangeva e si disperava. «Non ho fatto niente!, – sosteneva. – È un'ingiustizia! Perché tutti, sempre, se la prendono con me?») Il nuovo pievano, don Bonaventura Pellegrini, aveva mandato a dire alla signora Vittoria che Floriano era indemoniato, e indemoniato grave; che bisognava portarlo a *cividal*, dai francescani del convento di San Pietro, perché soltanto loro sapevano trattare casi del genere! Fu cosí che, dopo essersi consigliata con il marito e con le comari di Casal, la signora Vittoria si decise, visto che proprio non c'era nient'altro da fare: sarebbe andata a Belluno con il figlio primogenito, Mattio, e insieme avrebbero accompagnato Floriano da quei frati, che da tempo immemorabile erano lo spauracchio dei piccoli bellunesi. (Quando le mamme non ce la facevano piú a tenere a freno un bambino, lo minacciavano: «Ti porto dai frati di San Pietro! Mando a chiamare i frati di San Pietro, e ci penseranno loro a farti rigare diritto!»)

Lunedí 14 ottobre, di buon'ora, il gruppetto composto dalla signora Vittoria, da Mattio e dal piccolo Floriano discese a piedi il Canal fino a Longarone e attraversò il Piave a Lavazzo, dove c'era il ponte, per andare al porto di Codissago. Mattio non era mai uscito dalla sua valle prima di quel giorno e si guardava attorno con gli occhi dilatati dallo stupore, cercando di imprimersi nella memoria tutto quello che vedeva. Il porto sul Piave era pieno di gente che aspettava la zattera dal Cadore come oggi si aspettano i treni o gli autobus alle fermate; ma al nostro giovane calzolaio, quando s'imbarcò, sembrò d'essere uno di quegli esploratori di cui aveva sentito parlare dai suoi maestri di scuola, che salpavano per andare a scoprire le terre di là dall'oceano: anche lui si stava lasciando alle spalle le montagne e i luoghi dov'era vissuto, anche lui andava incontro all'ignoto e ad un mondo che non aveva mai visto... Il viaggio in zattera, che in realtà durò due ore, gli sembrò brevissimo: tante erano le cose nuove e straordinarie che si specchiavano nel fiume, su una riva e sull'altra! In un batter d'occhi, la zattera arrivò al porto di Belluno e lí si fermò, tra le urla e le bestemmie degli zattieri; e i viaggiatori, dopo essere sbarcati, s'incamminarono verso quelle chiese e quei palazzi, alti sopra le loro teste, che avevano visto venirgli incontro già da lontano, mentre scendevano la corrente. Belluno, nel 1776, era una graziosa piccola città che alzava lo stendardo rosso e giallo della Serenissima dagli spalti del Castello sulla valle del Piave, e che accampava i Leoni di pietra di San Marco sulle porte d'ingresso e su molti edifici pubblici. Era una città tutta di pietra, una città di signori: e Mattio e Floriano, che ci camminavano per la prima volta, non sapevano piú da che parte voltarsi vedendo tante carrozze, tanta merce esposta per strada, tanta gente ben vestita che entrava e usciva dalle botteghe e dalle chiese e dalle dimore dei nobili: gentiluomini imparruccati, dame eleganti, monsignori con il cappello rotondo e i contrassegni di porpora sull'abito talare, bambine e bambini vestiti di velluto, con le calze bianche e i collettoni di seta... E i cani, poi! Si vedevano per strada certi cani, tenuti al guinzaglio o in braccio alle loro padrone, che sembravano pecorelle bianche o nere ed erano anche tosati come si tosano le pecore, ma non in modo uniforme: alcuni di quei cani, addirittura, erano vestiti con una specie di giustacuore chiuso sotto con tanti bottoncini, perché non prendessero freddo sulla pelle nuda! I nostri montanari venivano su per una strada lastricata in pietra, guardandosi attorno con la bocca aperta, frastornati da tutta quella gente e da tutto ciò che vedevano; e non si sarebbero certamente accorti del baccano che stavano facendo con le suole di legno delle loro *dàlmede*, se un'anziana nobildonna non si fosse presa il disturbo di sgridare la signora Vittoria proprio per quel motivo e proprio lí in mezzo alla via, apostrofandola davanti ai suoi figli e davanti a tutti: sicché ci si può facilmente immaginare come dovesse sentirsi la poveretta, dopo essere stata umiliata in quel modo! «Ehi, tu, carina, – la interpellò la nobildonna: parlando a voce cosí alta da far voltare tutti quelli che c'erano in strada, e da far affacciare la gente sulla porta delle botteghe. – Tu che vieni dalle montagne, dico a te! Dove credi di essere? Fai subito togliere quelle zoccolacce ai tuoi ragazzi e anche tu stai piú attenta a dove metti i piedi: fate piú fracasso voi tre, che un intero reggimento di schiavoni!»

Come Dio volle, i nostri montanari arrivarono al convento dei frati. Floriano piagnucolava: «Io non ci entro! Ho paura! Voglio ritornare a casa!»; ma Mattio e la signora Vittoria lo tenevano per mano e lo trascinavano quando lui s'impuntava. Bussarono col batacchio. Venne ad aprirgli un frate alto sei piedi e robusto in proporzione, con le maniche del saio arrotolate fin sopra i gomiti, i capelli ricciuti, gli occhi neri e una barba nera cosí folta che il povero Floriano, guardandolo, si sentí perduto, e anche Mattio provò una certa inquietudine. Il frate-orco aveva in mano una ramazza con cui stava facendo le pulizie del cortile e domandò alla signora Vittoria: «Da dove venite? Chi vi manda?» E poi, indicando i ragazzi: «Ce n'è uno solo indemoniato, o sono indemoniati tutt'e due?» Avuta risposta che venivano da Zoldo per suggerimento del pievano, e che era indemoniato soltanto il ragazzo piú piccolo, il fratone sbottò: «Sí sí, ho capito: ma vi sembra questo il modo di presentarvi a un convento, senza nemmeno un'offerta per i frati? Venite a farvi sdemoniare un figliuolo... a mani vuote?»

La signora Vittoria arrossí violentemente, per la seconda volta in pochi minuti: davvero – pensò – doveva essere scritto da qualche parte nel libro del destino, che quel giorno tutti la sgridassero! O forse invece era soltanto un'abitudine della gente di città, questa di umiliare i poveretti che venivano dalla campagna... S'infilò una mano nella scollatura del corpetto e ne tirò fuori un borsellino di stoffa: lí dentro c'era il tesoro dei Lovat, che lo *scarpèr* aveva affidato alla moglie per il viaggio, raccomandandole però fino sull'uscio di casa di non spendere nemmeno un *bezzo*, per l'amor di Dio! Nemmeno un *bagatin*, se non in caso di estrema necessità o di estremo pericolo! «Forse, – disse la signora Vittoria esitando un po', – potrei fare un'offerta in denaro. Una lira, due lire... dite voi!»

«Date qua», disse il frate. Rovesciò il contenuto del sacchetto sul palmo della mano. C'erano tre monete d'argento da una lira in mezzo a molti spiccioli e lui allora si prese due delle tre monete d'argento, se le mise in tasca. «Di regola, – spiegò, – noi frati non potremmo accettare denaro per nessun motivo: ma se un pollo d'India costa due lire e se voi ora mi date due lire perché io mandi qualcuno a comprarlo, non è come se mi aveste dato un pollo d'India?» Restituí il borsellino con gli spiccioli. Disse: «Seguitemi!», e accompagnò i visitatori su per una scala e poi per un corridoio, fino a una sala in penombra dove c'era un leggío con un libro aperto, sotto un enorme Crocifisso. «Aspettate qui!» I tre rimasero in silenzio, senza muoversi e senza nemmeno osare tossire, per un buon quarto d'ora. Finalmente, il frate-orco ritornò e con lui c'era un altro frate in cotta e stola, con in mano un secchiello d'acqua benedetta, che era il frate esorcista. Floriano venne fatto inginocchiare presso il leggío, mentre Mattio e la signora Vittoria dovettero arretrare fino alla parete; se si fossero mossi o avessero parlato – gli fu detto – avrebbero impedito la buona riuscita dell'esorcismo e avrebbero anche messo a repentaglio la vita del loro congiunto! Quando tutti furono al loro posto, il frate con la stola incominciò a leggere ad alta voce sul libro che aveva davanti, certe parole e certe frasi che nessuno capiva; di tanto in tanto si voltava verso il frate-orco, prendeva il secchiello e l'aspersorio che quello gli porgeva e innaffiava il ragazzo con l'acqua benedetta, guardan-

dolo in un certo modo, come se avesse voluto dire al Diavolo
che era in lui: vediamo un po' se riesci a resistermi! La faccenda
andò avanti cosí per un buon quarto d'ora; infine, dopo aver
cantilenata un'ultima litania e dopo aver gridato un ultimo ana-
tema in latino, l'esorcista chiuse il libro e s'avvicinò ai familiari
del piccolo Floriano, li rincuorò: « Siamo a buon punto! Tra
poco, tutto sarà finito! » Gli spiegò: « Ora il mio confratello ti-
rerà fuori il Diavolo dal corpo del ragazzo. Non impressionatevi
e soprattutto non muovetevi, qualunque cosa succeda, per l'a-
mor di Dio! Restate fermi e pregate, che al resto ci pensiamo
noi frati! »

Il frate-orco s'avvicinò a Floriano. Gli gridò due volte – o,
per meglio dire, gridò al Diavolo – come se lo stesse sfidando:
« Vieni fuori! »,e poi colpí il ragazzo con un ceffone improvviso
e violentissimo, che lo mandò lungo disteso per terra. Floriano,
terrorizzato, s'alzò per scappare: allora il frate lo acchiappò per
il collo, lo sollevò, lo scrollò, mentre lui aveva gli occhi cosí dilatati dalla paura che sembrava dovessero uscirgli dalle orbite, lo
costrinse ad aprire la bocca. In quell'attimo si vide qualcosa che
guizzava, un serpentello argenteo che il frate-orco immediatamente ghermí, ruggendogli: « Ti ho preso, maledetto! Non
puoi piú scapparmi! » Il frate esorcista aprí un armadio dov'e-
rano già pronti alcuni recipienti di vetro colmi d'un liquido incolore, dall'odore acre: ne prese uno e il serpentello, in un batter d'occhi, finí sott'alcol mentre ancora guizzava. Era in tutto
simile – osservò Mattio – a quegli innocui animaletti, le *bisse de
vero*, che vivevano nei luoghi umidi e sotto i sassi, anche tra i
monti di Zoldo. (Noi, oggi, li chiamiamo orbettini). Il flacone,
poi, fu chiuso e sigillato con la ceralacca, e fu dato da tenere alla
signora Vittoria. « Ecco il Diavolo di vostro figlio! – le fu detto.
– Conservatelo come ricordo di questa brutta avventura e andatevene con Dio, perché quel Diavolo lí non infastidirà piú nessuno! »

Capitolo terzo
Zoldo

Zoldo, oggi, è «il paese dei gelatai»: una valle un po' appartata tra le Dolomiti dove molte case restano chiuse per buona parte dell'anno e però sono tutte ben tenute, nuove o ricostruite in quello stile ibrido alpino in cui gli elementi architettonici della Svizzera tedesca, del Tirolo, delle Alpi venete si fondono con le invenzioni del geometra locale, figlio di immigrati siciliani, o del capomastro che da giovane ha fatto il muratore in Austria. Quando le case di Zoldo si riaprono, soprattutto d'inverno, le automobili ferme davanti ai cancelli sono quasi sempre di grossa cilindrata e hanno quasi sempre targhe tedesche: di Stoccarda, di Francoforte, di Monaco, di Amburgo e delle altre città d'oltralpe dove gli zoldani vivono per la maggior parte dell'anno facendo i gelatai, e dove molti tra i piú giovani sono anche nati. Dell'epoca di Mattio Lovat, tra queste montagne, restano soltanto alcune case di legno dette *tabià*, alcune chiesette dette *altarioli*, alcune memorie scritte nei libri: ma le vecchie storie non abitano piú qui, si sono perse nel tumulto dei tempi. Chi, oggi, guarda la valle di Zoldo pensando al passato, alle miniere e alle officine da cui Venezia trasse una parte considerevole della sua ricchezza e della sua potenza, ricorderà – se li conosce – quei versi di Leopardi, che rievocano le vicende e il «fragorío» d'un'epoca lontana, in un paesaggio silenzioso e tranquillo: «Tutto è pace e silenzio, e tutto posa | il mondo, e piú di lor non si ragiona». Eppure, nonostante le apparenze, quell'epoca, a Zoldo, è esistita davvero. Armi zoldane combatterono in Levante fino dai tempi delle Crociate; chiodi fabbricati in questa valle tennero insieme i fasciami delle navi e tutto ciò che nella

Repubblica s'inchiodò, per oltre mezzo millennio; qui si estrassero il ferro, il rame, l'argento, il piombo, lo stagno, tutti i metalli, insomma, che fecero grandi e splendide le città di Terra Ferma, e la stessa Venezia! Le miniere poi si sono esaurite e sono scomparse, come tutto nel mondo è destinato a scomparire: da tanti anni, ormai, che non si sa nemmeno dove fossero. Già al tempo della nostra storia non c'erano piú, e anche il Leone di San Marco, vecchio e asmatico, era rimasto cosí a lungo senza ruggire, che nessuno ne ricordava la voce. Stava finendo un'epoca che era durata piú di mille anni: un'epoca felice, per quanto possono essere felici le epoche degli uomini. E, come sempre accade in simili circostanze, sembrava che il mondo intero dovesse finire...

A Zoldo, oggi, ci si arriva in automobile e in pochi minuti, venendo su per quello che una volta si chiamava il Canal, e che nelle nostre carte stradali è diventato la strada statale numero 251, da Longarone a Selva di Cadore. Della vecchia mulattiera, e delle opere dell'uomo che ancora esistevano nel Canal al tempo di Mattio, non è rimasto piú niente. Non c'è piú la *muda*, cioè la dogana dove si pagavano i dazi sulle merci e sugli animali che entravano nella valle venendo dal porto fluviale di Codissago, o dalla strada di Capo di Ponte. Non ci sono piú le Mura di Soffranco: che dovrebbero invece essere ricostruite nel luogo esatto dove si trovavano e tenute a disposizione delle scolaresche e d'ogni altro genere di visitatori, come monumento alla solidarietà dell'uomo per l'uomo. Quelle mura, infatti, servivano a chiudere il Canal ed erano state alzate nel 1631, in seguito all'epidemia di peste che aveva spopolato il Veneto e buona parte d'Europa e che dappertutto, o quasi, era stata attribuita alla malvagità di qualcuno: a Milano s'era parlato degli *untori*, a Belluno s'erano incolpati gli zoldani. Erano loro – avevano detto i bellunesi – che andavano attorno a propagare il contagio, e che già avevano infettato mezzo mondo! (Naturalmente anche nella valle di Zoldo si moriva di peste, come e piú che altrove, ma quel fatto era stato considerato irrilevante: è del tutto normale – s'era pensato in città – che chi infetta gli altri finisca per rimanere infettato lui stesso!) Agli zoldani, dunque, era stato proibito di scendere in pianura e di avere rapporti con gli abitanti delle altre valli; siccome però la peste continuava a mietere vittime, i bellunesi esasperati avevano deciso di murare il Canal nel punto dove questo è piú stretto, e di metterci anche delle sentinelle per maggior sicurezza: si tenessero la loro peste, i maledetti zoldani, e se crepavano di fame, tanto di guadagnato! L'umanità non li avrebbe rimpianti! Sulla statale numero 251, purtroppo, le Mura di Soffranco oggi non ci sono piú; e cosí anche non ci sono piú, in cima al Canal, l'Ospitale di San Martino e l'*altariol* di San Giovanni Nepomuceno, una cappelletta andata distrutta al tempo della prima guerra mondiale. Non ci sono piú il Ponte Alto e i *pontesei* (ponticelli), dove si pescavano le piú belle trote del Maè: al loro posto c'è un laghetto artificiale, che alimenta una centrale idroelettrica. Anche le trote – secondo la testimonianza d'un pescatore del luogo – sono poche e sempre piú piccole. Tutto passa...

Non c'è piú, a valle, Longarone. O, per meglio dire, c'è una brutta moderna cittadina che porta ancora il nome di un paese cancellato dalla faccia del mondo il 9 ottobre del 1963: quando, in seguito al cedimento di una diga, le acque del lago artificiale del Vajont si abbatterono sui centri abitati della valle del Piave, provocando la piú grande catastrofe di cui si abbia memoria tra queste montagne...

Ci sono ancora le montagne, bellissime in ogni momento del giorno ma soprattutto quando il primo o l'ultimo raggio di sole le fa risplendere di quella luce misteriosa che solo qui, tra le Dolomiti, è dato vedere. Una luce che sembra nascere all'interno stesso della roccia; una luce lontana, che comunica a chi la guarda dalla valle una sensazione di grande serenità, ma gli dà anche l'esatta percezione dell'indifferenza della natura per le vicende degli uomini. (Io vengo dalla profondità della materia e del tempo – gli dice quella luce – e la tua esistenza mi è estranea).

Non ci sono piú, sotto la chiesa della Pieve, i «64 metri cubi di ossa umane» diligentemente ammonticchiate nei secoli – i crani tutti da una parte, le tibie tutte dall'altra, le ossa minori negli altri scomparti – che erano il riassunto di mille anni di storia della valle e che vennero tolti di mezzo nel 1916 per fare largo al progresso, secondo quanto riferisce una memoria dell'epoca: «Fu scavata una fossa nel sagrato della chiesa, a sinistra di chi entra dalla parte di Dozza, subito sotto la croce commemorativa, nella quale furono inumati 64 metri cubi di ossa. Il lavoro durò quasi 20 giorni. Il trasporto delle ossa fu effettuato di notte, mediante un impianto provvisorio elettrico, su barelle portate a mano. Nessun incidente e nessuna opposizione fu sollevata dalla popolazione. Le vecchie superstizioni erano tramontate per sempre».

Non c'è piú la chiesa della Pieve. Resta il contenitore in muratura, con incisa sull'ingresso una data, 1487, d'un luogo di culto che il visitatore cercherebbe invano d'immaginare come fu all'epoca di Mattio Lovat e della nostra storia, e che è stato sostituito, nel presente, dalla chiesa dei gelatai: rimodernata come le loro case, luminosa, ariosa, imbiancata da cima a fondo e nuovamente affrescata all'inizio del secolo ventesimo con colori tenui di limone, di pistacchio, di fragola, di mirtillo, di vaniglia, di cocomero... Anche il pavimento è stato rifatto in ogni sua parte, con un bel marmo color zabajone. Anche la bussola in legno – che faceva tanta polvere! – è stata sostituita con una vetrata di cristallo temperato, per cui l'interno del locale e gli avventori sono sempre visibili dall'esterno, come vuole il *marketing*... Anche i finestroni dietro l'altare, color ghiaccio, sono fatti d'un vetro stampato, molto comune nell'arredamento d'ogni genere di locali pubblici, e perfino degli *autogrill* e delle paninoteche. Unico oggetto fuori luogo tra tanta modernità, l'Altare delle Anime di Andrea Brustolon – un capolavoro della scultura in legno, e dell'arte barocca – sembra un mobile d'epoca in una pizzeria. Questa chiesa, che nel presente è cosí nuova, al tempo della nostra storia era buia e antica: una caverna, dove la luce fioca delle candele rendeva spaventose le immagini del Brustolon, e a malapena permetteva la lettura delle parole scritte sul cartiglio in mano allo scheletro: *Hor tu che guardi in su io fui come sei tu verrai come son io or pensa al pianto e vatene con*

Dio. Ma già era vecchia, la chiesa di San Floriano, nel 1570, quando il vescovo Contarini, in una sua visita, vi trovò «disordine» e «molti ragni»; e poi ancora nel 1608, quando il vescovo Lollino ordinò che si mettesse una grata sul rosone, «per proibire che civitte no entrino»...

Non ci sono piú, a Zoldo, i diciassette preti con il loro codazzo di sacristi, perpetue e familiari a carico registrati nelle *Anagrafi* del 1768 e divisi in tre parrocchie: San Florian (Pieve), San Tizian (Goima), san Nicolò (Fusine). Non ci sono piú la Confraternita dei Battuti, che sfilavano incappucciati nelle processioni, la Confraternita del Carmine e del Suffragio, la Scuola del Rosario; non ci sono piú, o, per meglio dire, non si celebrano piú come si celebravano un tempo, le oltre cento ricorrenze «di precetto» del calendario liturgico, e le feste dei Santi «comandati»: per cui metà delle risorse della valle e del tempo lavorativo dei suoi abitanti se ne andavano verso il cielo, in fumo d'incenso e in mormorío di preghiere...

Non c'è piú, e a dire il vero non c'è mai stato, un paese che si chiami Zoldo, nonostante la valle si divida ancora oggi in due entità amministrative: Forno di Zoldo e Zoldo Alto. Come la mitica Campigno presso Marradi, cantata dal maggior poeta italiano del Novecento, Dino Campana, anche Zoldo non è un paese né una valle che prende il nome dal suo fiume ma è – o, per meglio dire, era – una dimensione dello spirito. Un'entità globale, che comprendeva tutto: i villaggi, il cielo, la gente, le montagne... Una piccola patria! In Italia, in passato, esistevano molti luoghi cosí e forse ancora ne esiste qualcuno, camuffato dietro cartelli stradali che parlano d'incongrui «gemellaggi» con località dell'Irlanda o della Lituania, o di Comuni «denuclearizzati». Le piccole patrie si difendono anche in questo modo...

Nel presente, Zoldo è un luogo di riposo e di villeggiatura per gente tranquilla, che non ama le «megadiscoteche» e non ha nemmeno bisogno di quelle piste per lo sci e di quegli impianti sportivi che si trovano di là dalle montagne, nella valle adiacente di Cortina d'Ampezzo. Anche le tracce del passato

sono poche – come già s'è detto – e di scarso rilievo: qualche
vecchia casa di legno, qualche cappelletta, qualche lettera incisa
nel sasso ad alta quota... Dell'uomo che impedí alle forze del
male di trionfare nel mondo, e che salvò il mondo, non esiste
memoria. Soltanto il nome nel *Libro dei Battesimi* della parrocchia di Pieve, unico registrato il giorno 12 settembre dell'anno
del Signore 1761: *Matio fig.o di Marco quondam Matio Lovat da
Casal, e di Vitoria iugati fú tenuto alla porta, e al S.o Fonte da
Zuane quondam Baldissarre e Pia da Pra, e batezato da me P. Bortolo Lazaris cap.o* (cappellano).

I Lovat, a Zoldo, erano calzolai da molte generazioni ed erano stati benestanti – secondo ciò che i compaesani dicevano di
loro – piú o meno fino all'epoca del matrimonio di Marco con la
signora Vittoria, e della nascita di Mattio. Avevano avuto bottega nel villaggio di Forno, che era ed è tuttora il centro commer-
ciale della valle: un bel negozio, con la sua *dàlmeda* gigante appesa come insegna sopra l'ingresso e la sua mostra per strada di
calzature spaiate (casomai a qualcuno fosse venuto in mente di
rubarle). Ma gli affari, a Forno, avevano incominciato a farsi
sempre piú magri, fino dai tempi del doge Loredan. La povertà
era entrata nella valle a poco a poco e la gente, dapprincipio,
aveva cercato di resisterle, in attesa di tempi piú favorevoli; tutti
avevano qualcosa da parte per i momenti difficili e tutti speravano che le difficoltà fossero transitorie, dicevano: «La fortuna
fa dei sbalzi», «Quel che g'ha principio, g'ha fin», ed altre frasi
del genere, fatte apposta per consolarsi in simili circostanze. Invece gli anni passavano e le ristrettezze non accennavano a finire. A Forno, il primo ad arrendersi e a chiudere bottega era stato il sarto, seguito poi dal ciabattino e dal fornaio; nessuno piú
comperava il pane, nella valle di Zoldo, perché tutti mangiavano un unico cibo: la polenta, intesa sia come «polenta gialla» di
mais che come «polenta nera» di grano saraceno. Ma anche la
farina da polenta scarseggiava, se le annate andavano male, e diventava sempre piú cara. Cosí, infine, erano arrivati gli anni bui,
della vera miseria e della vera fame: quando anche gli animali da
cortile si erano fatti rari e i frutti degli alberi e dei campi veniva-

no raccolti prima del tempo per paura che qualcuno li rubasse, o addirittura non si coltivavano piú. «Dobbiamo toglierci di bocca i grani e metterli sotto terra, – dicevano i contadini, – perché poi i ladri si mangino i frutti al posto nostro?» Tutti rubavano a tutti, senza scrupoli; il problema infatti non era d'ordine morale, dal momento che rubare per fame non è peccato o è peccato lieve, secondo quanto ammettevano gli stessi preti: il problema vero era trovare qualcosa da rubare, perché non c'era piú niente, o quasi niente! Alla fine, tutti quelli che avevano potuto andarsene se ne erano andati, per la strada del Canal o anche – piú raramente – per i valichi alpini che portavano a nord nelle terre dei *síceri*, e da lí in Germania. I primi a scappare da Zoldo, a centinaia, erano stati i fabbri; ma poi anche i contadini avevano incominciato ad abbandonare quella loro valle, che ormai tutti chiamavano «la valle della fame»! Gli uomini andavano a fare i boscaioli, o gli zattieri, o a lavorare sul Piave alla *menada* della legna, o scendevano per esercitare i loro mestieri – se avevano un mestiere – nelle città di pianura e nella lontana Venezia; le donne cercavano lavoro nei *folòi*, dove si trattavano i tessuti di lana e di *medalana*, o s'impiegavano come serve in casa di signori, o facevano le *màmole* (prostitute), se ne avevano l'inclinazione e i requisiti fisici. C'era chi ritornava nella valle tutti gli anni, chi ritornava di tanto in tanto, chi non ci ritornava mai piú: quanti spazi bianchi, nelle *Anagrafi* della Pieve, là dove dovrebbe esserci una data di morte, ci parlano di queste persone battezzate in San Floriano e poi finite chissà dove per il mondo, senza che piú nessuno, a Zoldo, abbia avuto notizia di loro!

Per non essere costretto a lasciare la sua valle e ad andare a guadagnarsi il pane lontano da casa come già avevano fatto tanti altri zoldani, lo *scarpèr* Marco Lovat aveva avuto un'idea geniale. Quando aveva chiuso la bottega di Forno, d'accordo con la moglie aveva portato alla Camera dei Pegni i *piroi* e le altre gioie della signora Vittoria, e con il ricavato s'era comperato un mulo: visto che la clientela – aveva detto a chi gli chiedeva la ragione di quell'acquisto – non sarebbe piú andata dallo *scarpèr*, lo *scarpèr* l'avrebbe raggiunta a domicilio, in ogni angolo della valle! Si era trasformato in calzolaio ambulante. Partiva all'inizio di ogni mese, tranne che nei mesi d'inverno quando le strade diventavano impraticabili a causa della neve, e stava lontano da casa una decina di giorni, a volte anche un paio di settimane. Caricava sul dorso di Carlino, cioè del mulo, tutti i suoi ferri del mestiere e anche tutto ciò che poteva occorrergli per vivere all'aperto senza troppi disagi: il paiolo della polenta, il vino, le coperte, perfino lo sgabello su cui era abituato a sedersi quando lavorava! Ad ogni *tabià*, ad ogni gruppo di case, ad ogni villaggio, fermava il mulo e dava fiato al corno che portava a tracolla. Gridava: «Donne, è arrivato lo scarpèr!» Riparava sul posto tutte le *dàlmede* e le *zopèle* che le donne gli portavano perché gli risuolasse, o gli mettesse le *broche* nuove, o gli ricucisse e rappezzasse la tomaia. Qualche volta allargava le braccia: «Non si può! Non c'è piú niente da fare, benedetta donna! Le scarpe sono come gli uomini: prima o poi, il momento di dare l'addio al mondo arriva anche per loro!» Se gli ordinavano un paio di scarpe nuove diventava serio. S'inginocchiava a prendere le misure; poi, si faceva dare un piccolo anticipo in denaro e prometteva che le scarpe sarebbero state consegnate entro un mese esatto, al suo prossimo passaggio. Prima d'intascare i soldi, alzava la mano. Sentenziava: «Lo scarpèr lavora sulla fiducia e sempre l'avrà! Un centesimo in mano sua, è piú sicuro che tenerlo in casa!»

Nella primavera del 1777, e precisamente all'inizio di giugno, Mattio per la prima volta accompagnò il padre in una di quelle sue peregrinazioni che lo portavano ogni mese a Fusine, a Pianaz, a Mareson, a Pécol nella parrocchia di San Nicolò; a Foppa, a Gavaz, a Chiesa nella parrocchia di San Tizian. Il ragazzo aveva allora sedici anni e doveva ancora imparare molte cose, della vita e del mondo. In quella circostanza imparò a viaggiare dormendo all'aria aperta, o nei fienili accanto alle case; imparò – o, per meglio dire: incominciò ad imparare – il mestiere di calzolaio ambulante; ma soprattutto imparò a conoscere suo padre e un poco anche il genere umano. Il ciabattino Marco Lovat, che nel suo villaggio e nella sua cerchia familiare

veniva considerato un uomo senza grandi vizi – non beveva,
non scommetteva, non fumava tabacco – ma anche senza grandi virtú, a poche miglia di distanza da casa diventava un infaticabile benefattore e consolatore di donne sole: non soltanto di
quelle – ed erano molte – che avevano il marito lontano dalla
valle per ragioni di lavoro, ma anche delle vedove e anche di
quelle che un marito non l'avevano mai avuto, a causa della loro
bruttezza o dei loro difetti fisici. Lo *scarpèr* le consolava tutte:
belle o brutte, *zitelle* o vedove o maritate, e addirittura teorizzava una relazione stretta, quasi da causa e effetto, tra il mestiere
di ciabattino e l'arte di consolare il sesso femminile. «Chi tocca
i piedi delle donne, – disse un giorno a Mattio, – se non è un coglione può toccare anche il resto: tienlo sempre a mente!»

Già il primo giorno che era per strada con il figlio, lo *scarpèr*
aveva avuto un'avventura. Oltre Dont, che è un villaggio sulla
sinistra del Maè, s'erano fermati a risuolare le *zopèle* d'una donna cosí piccola di statura da potersi considerare nana, che aveva
chiesto al ragazzo come si chiamasse e aveva anche scambiato
qualche arguzia, qualche parola un poco maliziosa con il padre.
Poi, s'erano rimessi in cammino; ma non avevano fatto un quarto di miglio, che improvvisamente lo *scarpèr* s'era ricordato d'aver lasciato un trincetto a casa della nana, e aveva detto al ragazzo: «Tu stai qui. Vado a riprendere il trincetto e torno in un attimo». La ricerca dell'attrezzo, invece, era durata parecchio
tempo, un'ora o addirittura due ore: un'eternità, per il povero
ragazzo rimasto a pascolare il mulo lungo il bordo della strada!
Quando lo *scarpèr* era ricomparso, fischiettando, il sole già era
tramontato dietro la Moiazza e la giornata era finita: padre e figlio si erano accampati alla bell'e meglio, e avevano acceso il
fuoco per fare la polenta. Lo *scarpèr* era cosí soddisfatto della
nana che prima d'incominciare a mangiare aveva sentenziato,
alzando il dito verso il figlio: «Se gli uomini sapessero cosa si
perdono con le donne piccole di statura, sarebbero meno schizzinosi! Te lo dico io!»

Nei giorni successivi, lo *scarpèr* aveva poi avuto altre avventure in altri villaggi ma senza piú lo stratagemma del trincetto, che gli avrebbe fatto perdere troppo tempo; e Mattio, per parte sua, aveva avuto modo di accorgersi che molte donne nella valle aspettavano il passaggio di suo padre come una benedizione, perché non c'era nessun altro uomo al mondo che le consolasse. Quelle donne erano quasi tutte nane, o gobbe, o avevano il gozzo; lo *scarpèr*, però, non trascurava nemmeno le donne normali, che anzi – secondo la sua stessa teoria – cercava di sedurre «toccandogli i piedi». Dopo le prime sgradevoli esperienze, Mattio fu in grado di capire cosa significavano quei sorrisini, quelle smorfie, quei gridolini scandalizzati e compiaciuti quando la mano dello *scarpèr* invece di misurare la circonferenza della caviglia scappava in su sotto le gonne, verso il polpaccio e la coscia; e prendeva il largo da solo, in un batter d'occhi, senza bisogno che nessuno gli dicesse di andarsene. Una sera, padre e figlio erano seduti accanto al fuoco della polenta e il ciabattino Marco Lovat decise che era arrivato il momento di istruire Mattio anche sui rapporti con l'altro sesso, e di spiegargli come bisogna comportarsi con le donne, quando si è veri uomini! Un vero uomo – gli disse – deve cercare di darsi buon tempo con tutte quelle che gli vengono a tiro, belle o brutte che siano, e con le brutte piú ancora che con le belle, perché *a vorè ben a una bela, l'è pecà*; *a una bruta, l'è carità!* Un pelo di femmina tira piú di un paio di buoi e chi non sente la forza di quel richiamo non è nemmeno un uomo, è un povero *strupio* (storpio); ma da quel punto di vista – sentenziò lo *scarpèr* – Mattio poteva dormire sonni tranquilli: la razza dei Lovat, a memoria d'uomo, non aveva mai perso un colpo! Il bisnonno e il nonno erano stati degli autentici castighi di Dio per le donne della loro epoca e in quanto al padre cioè a lui, Marco Lovat... Be', lui di certe cose non amava vantarsi, ma a Forno, dietro il negozio di scarpe che poi s'era dovuto chiudere, c'era uno sgabuzzino dov'erano passate metà delle donne della valle, per amore o per forza: sissignore! («Perché certune vogliono essere prese con la forza, ricordatene, e però poi ti ringraziano!») Era stato un marito infedele, infedelissimo: ma – disse lo *scarpèr* con voce grave, e alzando il dito con molta solennità – nonostante certe apparenze, non aveva mai mancato di rispetto a sua moglie! Aveva fatto tutto ciò che un uomo deve fare lontano da casa, prendendo ogni precauzione perché la moglie non ne fosse informata; e se un marito si comporta cosí – conclude il ciabattino – e confessa al prete i suoi peccati una volta all'anno, nessuna donna ha diritto di lamentarsene. Allargò le braccia: «Correre dietro a tutte le femmine che trova è la natura dell'uomo! Non c'è scampo!»

A luglio, padre e figlio ripeterono il viaggio; e quei vagabondaggi di paese in paese e di valle in valle a riparare *dàlmede* sarebbero diventati un'abitudine anche per Mattio, se il destino non avesse voluto colpire nuovamente lo *scarpèr* facendogli ammalare il mulo: l'animale, che era sempre stato in buona salute, d'un tratto incominciò a barcollare, a respirare a fatica, ad avere gli occhi appannati e le froge asciutte. I saggi del villaggio, chiamati a consulto, alzavano le sopracciglia e scuotevano il capo e poi anche suggerivano qualche cura; ma da come guardavano lo *scarpèr* e da come gli parlavano si capiva che il mulo – a loro giudizio – era spacciato, e che davano quei consigli soltanto per dimostrare la loro buona volontà e la loro competenza in fatto di muli. C'era chi raccomandava di far bere all'animale un infuso di *belfiore*, che è una pianticella dalle foglie screziate e dal fiorellino viola, molto comune nella vegetazione alpina (polmonaria); chi proponeva di cavargli sangue dalla vena grande del collo, e di stare poi a vedere cosa succedeva; chi, infine, sosteneva la necessità di purgarlo con «un clistere di nicoziana» e di fargli anche dei suffumigi di cera benedetta, nel caso – sempre possibile! – che ci fosse malocchio. Tutti parlavano e proferivano sentenze, e il mulo agonizzava. Lo *scarpèr* allora mandò suo figlio Mattio a chiamare un uomo soprannominato «il Crociato» – per metà eremita cristiano, e per metà stregone – di cui a Zoldo si diceva che conosceva l'arte di guarire gli animali di tutte le razze, nessuna esclusa, e che sapeva anche parlare con loro nelle loro lingue. Questo Crociato abitava in un *tabià* sopra le Volpere, si chiamava Giovan Battista Ollivier ed era, all'epoca della nostra storia, uno dei personaggi piú noti della valle di Zoldo, con una sua vicenda personale che merita di essere raccontata. Molti anni prima che Mattio nascesse, qualcuno di cui non si era mai saputo il nome si era preso la briga di denunciarlo al Tribunale dell'Inquisizione per pratiche di magia, e l'inquisitore di Belluno lo aveva invitato a discolparsi; siccome però lui non si era presentato e non aveva dato alcun segno di voler cambiare vita, alla fine il pievano Bottaini, che era stato il predecessore del pievano Fulcis, aveva scandito dal pulpito alcune parole contro Giovan Battista Ollivier detto il Crociato, che erano rimbombate nella valle con il fragore d'un tuono: una scomunica! Da quel momento, nessuno piú e per nessun motivo avrebbe potuto avere a che fare con lui senza essere a sua volta scomunicato: bastava dirgli «sani» per strada, e si andava diritti all'Inferno! Gli effetti pratici della scomunica, però, erano stati meno gravi di quanto noi oggi potremmo forse pensare, e il Crociato non aveva smesso nemmeno per un giorno di entrare e uscire dai *tabià* dei montanari, e soprattutto dalle loro stalle; perché era l'unico veterinario della valle e perché anche molti esseri umani, sia uomini che donne, preferivano le sue panacee e le sue cure di erbe ai salassi del medico-prete don Giuseppe, e pensavano della scomunica: «Si vedrà! Finché c'è vita, c'è sempre tempo a pentirsi!» L'aspetto del Crociato era – a dir poco – pittoresco. I capelli, incolti e sporchi dalla nascita, gli formavano dietro la nuca una gran massa scura e compatta: un cuscino naturale – lui diceva – che gli permetteva di dormire anche sulle pietre! Tutto ciò che aveva indosso – i vestiti, le calzature, il berretto, i guanti – era fatto di pelli di pecora o di animali selvatici, tenute insieme con laccetti di cuoio. La sua età, ignota a tutti e indefinibile, era però certamente superiore ai sessant'anni; il suo viso era nascosto da una gran barba grigia che gli arrivava fin sotto le palpebre, ma gli occhi neri, mobilissimi, avevano un'espressione di vivacità e di intelligenza che stupiva, in un essere dall'aspetto cosí primitivo! Portava sul petto una croce di legno di frassino – perciò tutti lo chiamavano «il Crociato» – e quando qualcuno gli chiedeva perché i preti ce l'avessero con lui si limitava a sorridere, alzando gli occhi verso il cielo in un certo modo che significava: «Lo so io, perché!»

Mattio dunque salí al *tabià* del Crociato avendo nelle orecchie le raccomandazioni di suo padre, che per l'amor di Dio lo persuadesse a venire, e a venire subito! Che gli promettesse, se il mulo poi fosse guarito, tutto ciò che ragionevolmente si poteva promettergli! Arrivò che era passato da poco mezzogiorno e trovò l'eremita fuori casa, intento a prepararsi il pranzo: attizzava il fuoco in un braciere rustico, di pietre, ed infilava dei pezzi di carne, lunghi e neri, su degli spiedi che poi metteva tra le pietre, rivoltandoli di tanto in tanto perché la cottura fosse uniforme. Già dal sentiero, che era distante dal *tabià* una cinquantina di passi, si percepivano gli aromi acri del legno di pino e di ginepro con cui l'uomo si stava cuocendo il cibo, e mescolato a quelli un sentore di carne abbrustolita, piuttosto sgradevole; ma quando fu abbastanza vicino per vedere cosa c'era infilato negli spiedi, Mattio sentí un urto allo stomaco, una nausea che gli impediva di aprire la bocca, proprio nel momento in cui avrebbe dovuto parlare per dire chi era e cosa voleva! Restò fermo davanti al Crociato e al suo fornello, con gli occhi spalancati e il pomo d'Adamo che si muoveva in su e in giú, senza poter pronunciare nemmeno una parola; mentre il padrone di casa lo guardava e rideva sotto i baffi. Alla fine, fu l'eremita che parlò per primo. «Siediti lí, – disse al ragazzo, – e favorisci alla mia tavola! Se non ti spaventa l'idea di mangiare con un povero scomunicato, quest'oggi c'è una vivanda da leccarsi le dita! Un piatto da re!»

Mattio aprí due o tre volte la bocca, prima di riuscire a tirar fuori la voce. Indicò il secchio di legno che il Crociato si teneva accanto e da cui pescava ad uno ad uno quegli orrori, che poi infilava sugli spiedi. Disse, o per essere piú precisi balbettò: «Ma quella... quella... è carne di carbonazzo!»

(Il *carbonàz* – biacco o milordo, in italiano – è un serpentone assolutamente innocuo che si trova in ogni parte d'Europa, e che nel Veneto settentrionale e nel Trentino viene chiamato cosí per il colore del dorso, che è nero come carbone. Di lui, i libri di storia naturale dicono che può raggiungere anche la lunghezza di due metri e che si ciba prevalentemente di topi).

L'uomo assentí con gravità. «Parola mia: i piú bei carbonazzi che si siano mai visti nella valle di Zoldo, da quando io
sono al mondo! Un vero colpo di fortuna!» Raccontò: «Li ho
presi l'altro ieri, laggiú dove ci sono quei massi. Erano due, un
maschio e una femmina. Il maschio l'ho anche misurato e posso
assicurarti che era un mezzo braccio piú lungo di quanto tu sei
alto!»

Mattio pensò al mulo di suo padre che stava morendo, e tentò di cambiare discorso; ma la vista del Crociato che, dopo aver
mosso nell'aria uno dei suoi spiedi perché la carne arrostita si
raffreddasse, s'era poi riempito la bocca di quel cibo abomine-
vole, lo costrinse a mettersi una mano sul viso e a tenercela pre-
muta per non vomitare. L'uomo rise, porgendogli lo spiedo:
«Se ti dico che sono deliziosi... Almeno assaggiali! Come fai a
sapere che qualcosa non ti piace, se non l'hai assaggiata?»

«Per carità, – implorava Mattio, guardando da un'altra parte e sforzandosi di non pensare a ciò che aveva visto. – Per carità, non insistete... Ve ne supplico!»

Il Crociato finí di ripulire il primo spiedo, schioccando le
labbra e la lingua ed esprimendo tutto il piacere che gli dava
quella pietanza con ripetuti mugolii di soddisfazione. Infine
disse al ragazzo: «Sei uno sciocco! Non sai nemmeno cosa per-
di!»Prese in mano un secondo spiedo e ripulí anche quello.
Guardò Mattio scuotendo la testa in un certo modo, come se
provasse compassione di lui. «La chiamate polenta, non è vero,
– gli chiese, – quella pappa gialla che è diventata il cibo di tutti i
poveri di Zoldo, e di tutti i poveri del mondo? Ebbene, voglio
che tu sappia che nel mio tabià la vostra polenta ancora non è
arrivata e che non ci arriverà mai, finché io sarò vivo!» Sputò
per terra in segno di disprezzo. «Se volevi mangiare polenta,
hai sbagliato strada! Io l'ho assaggiata una volta soltanto la vostra polenta, ma posso dirti cos'è. È un'invenzione del Diavolo
per far impazzire gli uomini; è un falso cibo, che ti sazia senza
nutrirti e ti avvelena, entrandoti a poco a poco nel sangue... È
una malattia: e se è vero che il mondo intero se ne appaga, ciò significa che il mondo sta andando verso la sua rovina, e che il

giorno del giudizio è vicino! » Abbassò la voce. «Questi poveri
carbonàz che tu hai disprezzato, – disse a Mattio in tono di rimprovero, – li aveva fatti Dio nostro signore e creatore, e tutto ciò
che esce dalle mani di Dio, preso com'è, non può nuocere agli
uomini. La polenta, invece, è una manipolazione del Diavolo:
ma il Crociato non si lascia ingannare! Il Crociato parla con Dio
e Dio gli risponde attraverso le sue opere, e tutti i trucchi del
Diavolo non possono prevalere contro di lui! »

«Sono venuto fino quassú, – disse Mattio, – per pregarvi di
scendere a Casal a guarire il mulo di mio padre, il ciabattino
Marco Lovat. Mio padre è disperato, perché se il mulo morirà,
lui non potrà piú guadagnarsi da vivere a Zoldo e dovrà emigrare». Descrisse i sintomi della malattia e il Crociato lo ascoltò
con molta attenzione; quando poi lui ebbe finito di parlare, uní
le mani e abbassò la testa. Rimase qualche istante cosí, in racco-
glimento. «Mi dispiace per te, – disse infine al ragazzo, – che sei
salito da Casal fino al mio tabià e non hai nemmeno assaggiato il
mio cibo! Ma forse un giorno ti ricorderai di quanto ti ho detto
oggi, e di quest'uomo che mangiava i carbonàz mentre tutti
mangiavano polenta; e la tua fatica non sarà stata inutile. Per
tuo padre, invece, non posso fare niente, perché il suo mulo è
già morto mentre ne stiamo parlando, e nessuno piú può richia-
marlo in vita, nemmeno il Crociato! »

In quell'ormai lontano 1777 in cui tanti oscuri presagi e tanti
guai avevano incominciato ad addensarsi sul mondo, anche il
clima fece registrare i suoi primi eccessi, e le sue prime stravaganze: a una primavera burrascosa di trombe d'aria, grandine e
temporali continui, che a Zoldo portò perfino una leggera nevi-
cata nei primi giorni di giugno, successero un'estate torrida come non se ne ricordavano – dissero i vecchi – da almeno cin-
quant'anni, e un inverno che sembrò una primavera, senza
pioggia e con pochissima neve: preludio alla tremenda siccità
del 1778, e degli anni successivi. In casa Lovat, la morte di Carlino fu l'inizio della miseria, anche se il calzolaio continuò per
qualche mese ad andare attorno per i villaggi vicini alla Pieve,
con il secondogenito Ferdinando che aveva preso il posto del

mulo. Mattio, invece, fu mandato a lavorare come carbonaio
per il fabbro Andrea De Fanti, proprietario d'una *fusina* di Forno, e partí ai primi d'agosto insieme al figlio del padrone, un
giovane di vent'anni di nome Michele, che doveva insegnargli
il nuovo lavoro. Portava in spalla il *darlín*, la gerla di legno dei
carbonai, e dentro il *darlín* c'era tutto ciò che gli sarebbe servito
per vivere fuori casa fino all'inizio della brutta stagione: una
giacca di lana, una coperta anch'essa di lana, un *manarin* (ron-
cola), un piatto di stagno «per mangiare come mangiano i cristiani» – cosí aveva detto la signora Vittoria, insistendo perché
lui lo prendesse – una pietra focaia e un poco d'esca avvolte
in un panno di feltro e chiuse dentro una scatola di latta perché non si bagnassero, un paio di calze di ricambio, una lunga
sciarpa...

Il lavoro dei carbonai, nella valle di Zoldo, era direttamente
collegato con quello dei fabbri a cui forniva da sempre la materia prima per alimentare forni e fucine, e per fare fuoco: perché
queste montagne un tempo furono ricche di miniere di ferro –
come già s'è detto – ed anche d'altri metalli, ma non ebbero mai
miniere di carbone; e perché l'industria metallurgica, in ogni
parte del mondo e in ogni epoca, ha sempre avuto bisogno, innanzitutto, di molto fuoco e di molto carbone. Per produrre
carbone c'era un solo modo, a Zoldo, quello di bruciare le foreste: e cosí, appunto, si fece. Generazione dopo generazione, secolo dopo secolo, mentre ancora il Leone di San Marco era forte e temuto nel Mediterraneo, migliaia di *carbonèr*, come termi-
ti, resero brulle e nude queste montagne, alterando in modo ir-
reparabile l'ambiente alpino ed esponendolo senza piú difese
all'erosione delle intemperie ed alle piene dei fiumi. Quelle terribili *brentane* del Maè e dei suoi affluenti che ancora in anni a
noi prossimi hanno prodotto devastazioni incalcolabili, certamente non avrebbero fatto tante rovine se le foreste d'un tempo
non fossero state sostituite dalla nuda roccia o da boschi di pini
e di larici, meno efficaci per la conservazione del suolo. Perciò il
passato è scomparso dalla valle di Zoldo, e perciò anche la valle
d'un tempo non c'è piú, s'è trasformata in quest'altra che porta

lo stesso nome ma è diversa perfino nel paesaggio: le montagne sono franate, le miniere si sono richiuse ed anche i *forni*, le *fusine*, le seghe ad acqua, i mulini, i magli, tutto ciò che si trovava sulle rive dei torrenti per sfruttare la forza delle loro acque è stato spazzato via. Gli uomini sono emigrati, le loro necessità sono cambiate, gli antichi mestieri si sono persi. Chi, oggi, a Zoldo, saprebbe ancora fare il carbonaio? Già ai tempi di Mattio quel mestiere era in declino, anche se continuava ad impegnare molta gente in tutta la valle. Era un mestiere duro: bisognava tagliare la legna, accatastarla, ricoprirla di terra e darle fuoco in modo che bruciasse lentamente e con regolarità; e poi ancora, quando la carbonaia s'era spenta, bisognava mettere il carbone dentro ai sacchi e caricare i sacchi sulle slitte che l'avrebbero portato a valle con la prima neve. Era cosí che si rifornivano, ogni autunno, i depositi di Sopracanal e di Soccampo: quei grandi mucchi di carbone posti all'ingresso della valle, che davano a Zoldo un aspetto inconfondibile e che facevano un tutt'uno con i fumi neri delle *fusine*, e col frastuono dei magli...

Mentre saliva verso il Sasso di Bosconero in quel suo primo giorno da *carbonèr*, Mattio pensava al nuovo lavoro: mesi e mesi lontano da casa, in luoghi impervi, a spaccare e a trasportare la legna fino a notte e ad alzarsi tutti i giorni con la prima luce, per riprendere la fatica che il buio aveva interrotto! Guardava quello sconosciuto che camminava davanti a lui, con in spalla il *darlín*, e gli tornavano a mente certi discorsi uditi fare da suo padre, sull'amaro fiele del pane degli altri e sulle umiliazioni che si devono sopportare, quando si lavora sotto un padrone... (Perciò appunto lo *scarpèr* s'era comperato il mulo, e aveva fatto quanto aveva potuto per non emigrare: ma, ora, anche per lui le cose si mettevano al peggio). Era molto triste. Pensava alla località d'alta quota dov'erano diretti e si domandava: riuscirò a resistere lassú fino all'autunno, senza poter mai parlare con una persona amica, e facendo un lavoro cosí faticoso? Quando poi le ombre della sera scesero sulla baita e il suo compagno e padrone – anche lui taciturno – incominciò a rimestare nel paiolo della polenta con il viso arrossato dal riverbero della fiamma,

Mattio si augurò che venisse subito il buio, e che anche il fuoco si spegnesse in fretta: per poter dare libero sfogo a quelle lacrime, che sentiva di non poter trattenere a lungo. Durante la cena, i due giovani scambiarono poche parole: in pratica, Michiele informò il compagno di ciò che avrebbero dovuto fare il giorno successivo – sveglia all'alba, trasferimento in una località detta Casera che era la meta del loro viaggio, inizio della raccolta e del trasporto della legna per fare la prima carbonaia – e Mattio rispose che aveva capito. Poi, si prepararono per la notte; ma quando furono al buio, fianco a fianco, coricati sulla paglia in quello spazio angusto della baita, e Mattio finalmente poté piangere, stando solo attento a non fare rumore; sentí una mano che si posava sul suo braccio, e una voce che gli diceva: «Su, coraggio! Vedrai che la vita quassú non sarà poi cosí difficile, e nemmeno cosí brutta, come ora ti immagini!»

Alla Casera c'era un'altra baita, ancora piú piccola di quella dove i due giovani avevano trascorso la prima notte: quattro muriccioli di sasso con un tetto di paglia piuttosto malandato, e dentro ci si poteva stare solamente seduti, perché per mettersi in piedi bisognava uscire! Mattio e Michiele prepararono l'*aiàl*, cioè lo spiazzo per la carbonaia, e poi iniziarono la raccolta della legna nei boschi circostanti. I valligiani, a quell'epoca, avevano incominciato a darsi qualche regola per il lavoro dei *carbonèr* sulle montagne e Michiele spiegò a Mattio che bisognava tralasciare il piú possibile gli alberi sani e cercare invece quelli colpiti dal fulmine, o malati, o cresciuti contorti: soltanto cosí – gli disse – i boschi si sarebbero potuti salvare, e con essi la valle! Era una giornata di gran sole e le malinconie di Mattio dileguarono nel blu profondo del cielo alpino, si persero nello scroscio dei torrenti, s'annullarono nei richiami degli uccelli e nel volo lento dell'aquila sulle loro teste. Diventarono allegria: per quel lavoro, per quella giornata, per quel paesaggio in cui l'anima si dilatava, si librava; per quel nuovo compagno, perché no? Che non si stava comportando da padrone – come lui aveva temuto – ma da amico. Michiele era un giovane di media statura, con i capelli neri, gli occhi neri e i denti candidi; sebbene fosse figlio di un *forgnàcol*, cioè di un uomo dell'abisso, non aveva alcuna deformità fisica, anzi le sue membra erano ben fatte e ben proporzionate. Forse i tratti del viso non rispondevano all'idea classica e rinascimentale della bellezza, ma a Mattio sembrò bello: se non proprio dal primo momento che lo vide, da quel mattino in cui prepararono l'*aiàl* davanti alla baita della Casera. E poi anche gli piacquero, di Michiele, il modo semplice e franco di dire le cose, e la cura che lui aveva della sua persona anche lassú dove nessuno li vedeva, nella foresta del Bosconero. Michiele era fatto cosí: tutte le mattine, con il primo raggio di sole, si radeva le guance e il mento davanti a un pezzettino di specchio che qualcuno aveva incastrato nella corteccia di un albero poco lontano dalla baita, e che ormai faceva parte dell'albero; perché la corteccia, crescendo, se l'era incorporato. La sera poi andava al ruscello, si spogliava, mentre le ombre della notte si allungavano tra i larici, e si immergeva rabbrividendo in quell'acqua fredda come il ghiaccio, per togliersi di dosso tutto il sudore e tutta la fatica di una giornata di lavoro. Aveva anche imposto quell'abitudine a Mattio, gli aveva detto: «O ti fai il bagno tutte le sere, come lo faccio io, o dormi fuori dalla baita. Puzzi tanto, che mi dai fastidio!»

Quando però i loro corpi nudi avevano incominciato a toccarsi nel ruscello era successo tra loro qualcosa, che aveva lasciato Mattio stupefatto ed anche un po' sgomento e che secondo Michiele, invece, era assolutamente naturale e normale, come l'ultima luce tra le rocce e le ombre scure dei larici lí attorno: faceva parte di quella vita, e di quel lavoro, e della loro amicizia. Sissignore! Perché avrebbero dovuto nascondersi l'un l'altro una necessità che era di entrambi? Vivere di comune accordo, semplicemente e senza falsi problemi, li avrebbe aiutati a stare meglio e a sopportare meglio i disagi e le fatiche di quella permanenza in alta montagna. E poi – diceva Michiele – l'affinità tra le persone si manifesta anche cosí, mica soltanto nelle parole e nei pensieri: è anche un'affinità di sensazioni, e di sensazioni fisiche! I timori e i sensi di colpa di Mattio lo facevano sorridere. Da vero figlio dell'abisso lui non aveva in testa complicazioni d'ordine religioso o morale e cercava di persuadere anche l'amico che è meglio non averne. «Il bene è ciò che fa bene e che dà piacere, – sosteneva: – il male è ciò che fa male. Se Dio esiste ed è il bene, cos'altro può essere se non il nostro piacere? Anche mio padre la pensa cosí».

A metà agosto la prima carbonaia incominciò a fumare, e bisognò sorvegliarla durante la notte per evitare che il fuoco si spegnesse, o che, al contrario, bruciasse troppo e troppo in fretta, e che la legna raccolta con tanta fatica, anziché diventare carbone diventasse cenere! Il lavoro del *carbonèr* consisteva anche in questo: e Mattio e Michiele, seduti al buio davanti alla baita, trascorsero molte notti guardando il riverbero del fuoco sulla sommità della carbonaia, e il cielo stellato sopra le loro teste; almanaccando su quei mondi che stavano lassú, sospesi a centinaia di migliaia in mezzo alle stelle e che forse, anzi, quasi certamente – diceva Mattio – erano abitati da esseri pensanti, come loro! Qualche volta, facevano progetti sul futuro: anche se a Mattio quest'altro genere di discorsi interessava meno, perché – diceva – lui aveva avuto modo di verificare che nel suo caso i sogni erano inutili, e che il destino era già stato tracciato! Gli sarebbe piaciuto – confidò a Michiele – studiare sui libri e diventare un medico famoso o una persona importante come suo zio grand'uomo, ma le condizioni della famiglia non lo permettevano e allora un lavoro valeva l'altro: *scarpèr*, *carbonèr*, che differenza poteva mai fare? Michiele invece un suo bel sogno ce l'aveva, e quando ne parlava gli brillavano gli occhi, perché era sicuro di realizzarlo. Non era un sogno campato per aria: la fortuna – disse una notte all'amico – l'aveva fatto venire in possesso d'una vecchia carta con le insegne dei nobili Grimani, che nei secoli andati erano stati proprietari di molte miniere della valle di Zoldo. Su quella carta c'era tracciata la mappa d'una cava d'argento che per qualche misteriosa ragione – forse, a causa d'una guerra – era stata murata e abbandonata mentre ancora era attiva: un autentico tesoro, che tutti, ormai, avevano dimenticato e che attendeva soltanto d'essere riportato alla luce! Mattio – disse Michiele – non avrebbe piú dovuto darsi pensiero di fare lo *scarpèr*: lui l'avrebbe preso con sé, come suo socio, in quell'impresa della miniera che li avrebbe liberati entrambi dalla povertà e dalla necessità dei lavori manuali. Naturalmente, ci sarebbe voluto un po' di tempo per diventare ricchi: perché innanzitutto bisognava trovare l'argento, e perché, una volta trovato l'argento, bisognava portarlo a valle con molte precauzioni e nascosto nei sacchi del carbone, per evitare che il segreto della miniera si sapesse in giro; ma con un po' di pazienza – diceva Michele all'amico, in quelle notti trascorse alla Casera sotto il cielo pieno zeppo di stelle – e con un po' d'astuzia, il loro sogno, infine, si sarebbe avverato! («C'è qualcosa di piú bello a questo mondo – si chiedeva – che essere ricchi?»)

Alla fine d'ottobre cadde la prima neve in alta montagna e tutti i carbonai ritornarono alle loro case. Incominciò l'inverno, che a Zoldo era la stagione dell'ozio: lo *scarpèr* non faceva piú scarpe, o ne faceva pochissime; il *carbonèr* se ne stava in casa, o all'osteria, aspettando che i *viàz* (sentieri) sulle montagne ritornassero agibili; il *caretièr* era fermo, o, se doveva muoversi per i valichi, raccomandava l'anima a Dio. Anche i fabbri, che una volta lavoravano tutto l'anno, ora preferivano fermare i magli delle *fusine* e lasciare che il fuoco si spegnesse, per non sprecare carbone. Chi aveva legna per riscaldarsi, stava a casa a guardare la fiamma che si muoveva dentro al camino, e a seguire il corso dei propri pensieri; chi non aveva legna andava a scaldarsi all'osteria, dove gli uomini passavano il tempo discutendo per ore su cose da niente, o si giocavano un bicchiere di vino a carte o a dadi, in certe interminabili partite in cui accadeva di tutto: si gridava, ci si bisticciava, si faceva la pace, si ricominciava a gridare. Le donne, invece, s'incontravano in chiesa. L'oscurità di San Floriano, contro cui poco valevano le fiammelle delle candele davanti agli altari, era animata fino dalle prime ore del giorno da un brusío fitto di sospiri, di preghiere, di chiacchiere; ogni tanto le campane suonavano, l'altare maggiore o un altare laterale s'illuminavano come per incanto, arrivava il prete con i chierichetti a dire messa, o a cantare il vespro, o a recitare il rosario. Ogni domenica, dopo la seconda messa, sul sagrato della

Pieve si facevano le esercitazioni delle *cernide*, e anche Mattio dovette incominciare ad addestrarsi proprio in quell'inverno, con un certo schioppo che era stato di suo nonno e poi di suo padre, e che non sparava da trent'anni, o forse addirittura da cinquanta: perché, diceva lo *scarpèr* Marco Lovat, Dio solo sapeva cosa sarebbe successo, se davvero si fosse riempita la canna di polvere e le si fosse dato fuoco! L'istruzione militare delle *cernide* era affidata a un tale Zuane Besarel, di professione falegname: un uomo mite e panciuto, che da ragazzo era stato imbarcato su una nave da guerra e da anziano si sforzava di trasmettere ai giovani di Zoldo le sue virtú militari d'un tempo. Non era un grande spettacolo, quell'addestramento, e non varrebbe nemmeno la pena che se ne tenesse discorso, se all'epoca della nostra storia non vi avesse partecipato una recluta d'eccezione: un ragazzo di Casal di Sotto, tale Filippo Fontanella, a cui madre natura aveva concesso l'insolito privilegio di poter parlare tenendo la bocca chiusa, direttamente con lo stomaco! Oltre che ventriloquo, il Fontanella era anche basso di statura e mingherlino, e questo poi fu il pretesto che consentí ai reggitori di Zoldo di liberarsi della sua presenza alle esercitazioni: dissero che se fosse sfilato nelle rassegne insieme agli altri coscritti avrebbe fatto sfigurare tutta la valle, e che anche in guerra non era il caso di mostrare al nemico uomini cosí piccoli; che badasse a difendere se stesso, perché la patria, di difensori come lui, non ne aveva bisogno! Fontanella era una di quelle rare persone che, qualunque cosa dicano o facciano, provocano scrosci di risa tra chi gli sta intorno, e però hanno l'intelligenza di ridere loro per prime, di se stesse e degli altri. Era un attore comico per nascita e per temperamento: un buontempone, che trasformò il suo tirocinio militare in una farsa, a cui i montanari avrebbero voluto poter assistere tutti i giorni, perché ridendo dimenticavano per un attimo le loro miserie! Ogni domenica, davanti a San Floriano, Besarel riusciva ad imbrancare le sue *cernide* in un plotone quasi ordinato e poi le faceva marciare in linea retta da un'estremità all'altra della piazza, gli faceva imbracciare le armi, le faceva correre; ma arrivò il giorno in cui i suoi ordini in-

cominciarono ad incrociarsi con altri ordini ad essi contrari,
gridati da una voce in tutto simile alla sua che però non si capiva
da dove venisse. Se il caporale diceva «a destra», oppure: «di
corsa!», l'altra voce subito ordinava «a sinistra», «alt!» e i ragazzi si dividevano, si sbandavano; si mettevano a ridere o si
guardavano perplessi, cercando di capire cosa stava succedendo e cosa dovevano fare...

La prima volta che Fontanella aveva disturbato le esercitazioni delle *cernide*, Besarel era quasi uscito di senno. Si era messo a correre di qua e di là come un ossesso, afferrando per gli
abiti quelli che uscivano dai ranghi e scrollandoli furibondo:
«Chi ha parlato?»

Fontanella, candido: «Siete stato voi!»

Infine, il trucco era stato scoperto; ma non perciò il ventriloquo aveva rinunciato a rallegrare i compagni e il pubblico con
quelle sue sortite che facevano impazzire di rabbia l'istruttore, e
divertivano tutti gli altri. Una domenica – fu, quella, l'ultima
volta che al Fontanella fu permesso di partecipare all'addestramento delle reclute – il ragazzo aveva portato un tale scompiglio nella manovra dei compagni, che questi avevano finito per
sparpagliarsi un po' qua un po' là, metà verso la chiesa di San
Floriano e metà verso l'Ospitale dei Battuti; qualcuno, addirittura, s'era seduto per terra. Zuane allora lo chiamò davanti a sé,
gli ordinò di mettersi sull'attenti. Era stravolto. Gli occhi, dilatati, sembravano uscirgli dalle orbite, il mento e il labbro inferiore gli tremavano, le guance violacee, da bevitore, avevano assunto un colorito bluastro che non faceva presagire niente di
buono. Guardava dall'alto il ragazzo, tanto piú piccolo e mingherlino di lui, e ci si aspettava da un momento all'altro l'urlo
con cui lo avrebbe investito ma Fontanella lo prevenne a modo
suo, con le labbra chiuse, immobile e impassibile nella sua posizione di attenti. Si sentí una vocetta di fanciullo che venendo da
chissà dove e chissà come, implorava:

«Aiuto!»

Ogni domenica pomeriggio Mattio e Michiele s'incontravano a Forno, oltre il Maè, nella *fusina* deserta del padre di Mi-

chiele, grande e buia come la chiesa di San Floriano, anzi addirittura piú buia: la loro piccola lanterna, muovendosi in quell'oscurità, evocava ombre mostruose tra le incudini abbandonate, le forge spente e le catene che pendevano dalle travi del tetto. Attraversata l'officina, i due ragazzi entravano in una stanza che gli operai chiamavano «il burò» e che era l'ufficio del fabbro De Fanti, dove lui riceveva i clienti e teneva i registri. Lí dentro, tra le altre carte, c'era anche la mappa con le indicazioni per ritrovare la miniera d'argento e naturalmente era stato proprio quel foglio la prima cosa che Michiele aveva mostrato all'amico. Gli aveva detto: «Qui c'è la carta dei Grimani!», e poi aveva appoggiato la lanterna sul tavolo, aveva preso una scatola di ferro da un armadio; ne aveva tirato fuori una pergamena ingiallita, e l'aveva aperta vicino alla lanterna. La scritta in alto diceva: *Questo e il luogo dove si chiuse la busa de argento, dicta de Civian, lano* MDCXIX, e sotto c'erano tanti piccoli disegni uniti da una serie di trattini, in un'autentica mappa del tesoro davanti a cui gli occhi di Mattio si erano dilatati. (A differenza di Michiele, lui non aveva mai sognato di diventare ricco, e la miniera d'argento dei Grimani non lo interessava granché; ma l'avventura, a diciassette anni, lo attirava ancora!) Il tracciato della mappa partiva dal disegnino di una casa con scritto a fianco *Medoi*; saliva verso un abete *Mas di Fies*, arrivava a un *Ru Moro* oltre il quale c'erano un *Pra* e un *Pian* non meglio identificati; piú avanti, sotto una mucca, c'era scritto *strada de le vache*, e dopo due montagne stilizzate: *Crep*. Oltre *Crep* finalmente c'era la miniera, indicata con una freccia: *qui ce il fillone*. Sopra al foglio, lo stemma dei Grimani, un'aquila con due stelle, garantiva l'autenticità del documento; il motto posto sul cartiglio, di due sole parole, diceva: «Mirando lunge». «Questa scatola e questa carta, – aveva spiegato Michiele all'amico, – le ha trovate mio padre prima che io nascessi, nel palàz dei Grimani a Forno. C'era andato perché doveva mettere delle inferriate, e rompendo il muro sotto una finestra ha trovato la mappa». Il fabbro De Fanti – raccontò Michiele – sperava che la cassetta nascosta nel muro contenesse monete d'oro o pietre preziose, ed era rimasto molto deluso di trovarci dentro quel pezzo di carta, a cui non aveva attribuito alcuna importanza. Era stato lui, Michiele, che aveva ritrovato l'antica mappa del tesoro tra le carte del padre, poche settimane prima di salire in montagna con Mattio per fare il carbone...

Dice un'antica massima della valle del Piave, e di tutta la campagna veneta, che quando in una casa la fame entra dalla porta, l'amore esce dalle finestre e dai balconi e da tutte le aperture che trova. I poveri, si sa, fanno una gran fatica a sopportarsi tra loro; e se il buonanima Karl Marx – che li esortò ad unirsi per spezzare le loro catene – avesse prestato maggiore attenzione a questa costante universale del comportamento umano, si sarebbe risparmiato molte illusioni e le avrebbe risparmiate a moltissima gente: compreso, ahimè!, l'autore di questo libro. Nel *tabià* dello *scarpèr* Marco Lovat la fame fece il suo ingresso con la morte del mulo, e insieme alla fame arrivarono le incomprensioni, i rimproveri, le accuse reciproche tra i coniugi, che portavano ogni giorno nuovi litigi. Arrivarono le prime scenate, violentissime, della signora Vittoria che inveiva contro il marito accusandolo di non essere un "vero uomo", perché non era capace di procurare il necessario per vivere ai suoi figli; se fosse stato un vero uomo, gli gridava, sarebbe andato a lavorare in città, come già avevano fatto tanti altri capifamiglia della valle di Zoldo, e iniziava a elencarli: il Tizio, il Caio... Ogni volta però che si giungeva a questo punto, cioè all'elenco dei veri uomini, lo *scarpèr* insorgeva: no e poi no! Lui a lavorare sotto un padrone non ci sarebbe andato e non avrebbe abbandonato la sua valle, qualunque cosa potesse succedere: perché i Lovat si erano sempre guadagnati il pane tra le loro montagne – sentenziava – e perché all'ombra del suo campanile nessuno mai è morto di fame! Ma la miseria, oltre a far scappare l'amore, attira le disgrazie: che incominciarono puntualmente a verificarsi, in casa Lovat, verso la fine dell'anno. Il penultimo dei figli, il piccolo Angelo, fu sorpreso a rubare legna in un bosco vicino a Casal, e il padrone del bosco gli diede tante bastonate che lo ridusse in fin di vita; in primavera, poi, toccò al secondogenito Ferdinando d'ammalarsi di un misterioso e terribile «male di capo», che gli annebbiò la ragione e lo rese stupido. Tutto andava per il peggio, attorno allo *scarpèr*, e cosí infine lui si decise: sarebbe emigrato, visto che il destino non gli dava altra scelta! Avrebbe lasciato la bottega di Casal al figlio Mattio, che già era in grado di mandarla avanti da solo, e si sarebbe trasferito in città per assaporare l'amaro fiele del pane degli altri e per diventare garzone di un altro ciabattino, lui che aveva avuto negozio e garzoni propri! Da quel momento le liti cessarono. Il 27 luglio 1778, giorno di San Pantaleone patrono dei medici, lo *scarpèr* Marco Lovat s'alzò un'ora prima dell'alba, si mise in spalla la bisaccia che s'era preparata la sera precedente e baciò il figlio piú piccolo, Michiele: che aveva soltanto tre anni, e non fu svegliato. Gli altri figli, invece, erano già in piedi per salutare il padre che andava a lavorare in città: Floriano e il piccolo Angelo piagnucolavano e si fregavano gli occhi gonfi di sonno; Ferdinando dondolava la testa come faceva sempre da quando la disgrazia lo aveva colpito, e guardava attorno senza capire niente. La signora Vittoria s'asciugava le lacrime col grembiule: dopo tanti litigi, ora non avrebbe piú voluto che il suo uomo partisse, e continuava a raccomandagli, per l'amor di Dio!, di andare subito da fra Giuseppe a Sant'Alvise, una volta arrivato a Venezia; di farsi aiutare da lui a trovare lavoro. Ripeteva: «Tu sai quanto bene ci vuole!» (E lo *scarpèr*, che quando gli parlavano del cognato grand'uomo si portava una mano alla cintura, dove teneva un amuleto di corno, badava a dire sottovoce: «Sí, alla larga! Di disgrazie ne ho avute anche troppe, in questi ultimi tempi!») Mattio poi accompagnò il padre per un tratto di strada, fino al sagrato della Pieve. Era ancora buio: soltanto il Sasso di Bosconero, verso oriente, incominciava a schiarirsi e a illuminarsi d'una luce color madreperla, che preannunciava una giornata serena. Davanti alla chiesa di San Floriano si abbracciarono. «Mi raccomando, Mattio!, – disse lo *scarpèr*. – Bada a tua madre e ai tuoi fratelli piú piccoli, e lavora in bottega! Abbi giudizio!»

Il rimpianto per lo *scarpèr*, in casa Lovat, durò pochi giorni. Nelle settimane che seguirono alla sua partenza la signora Vittoria si accorse di essere incinta per la sesta volta e la cosa la mandò su tutte le furie, nonostante i preti la esortassero ad accettare con serenità il volere di Dio; incominciò a provare un risentimento, un astio nei confronti del marito, che glielo facevano sembrare odioso anche da lontano. Borbottava di tanto in tanto: «Quel maiale! Non gli bastavano cinque figli: gli occorreva il sesto!» E anche: «Si fosse deciso ad andarsene prima, quel giudeo, non sarei qua a gonfiarmi di nuovo!» Si pentiva d'avere sprecato qualche lacrima pensando ai disagi che lo *scarpèr* avrebbe dovuto affrontare lontano da casa, e malediva il giorno che l'aveva sposato. Mattio, invece, era allegro e la ragione della sua allegria – sebbene lui non se ne rendesse conto – era proprio l'assenza del padre: quella novità di lavorare da solo e a modo suo, anziché come aiutante di un altro, gli piaceva e lo faceva sentire importante. Tutte le mattine di buon'ora apriva la bottega e aspettava i clienti lavorando al deschetto; se in bottega non c'era niente da fare, andava attorno con un sacco in spalla a suonare il corno per i villaggi della Pieve e a gridare che era arrivato il ciabattino, e che aggiustava le *dàlmede*! Metteva le scarpe da riparare dentro il sacco, dopo aver scritto sulle suole, con un po' di gesso, il nome del proprietario, e dopo avergli promesso che sarebbe tornato a consegnarle entro pochi giorni. A Natale, poi, arrivarono in casa Lovat le prime notizie dello *scarpèr*, portate da uno zoldano emigrato a Venezia: stava bene – disse il messaggero alla signora Vittoria – e lavorava in una bottega di calzolaio, sotto un buon padrone; non aveva niente di cui lamentarsi, soltanto soffriva moltissimo per la lontananza della moglie e dei figli e per essere costretto a vivere fuori della sua valle, straniero in una grande città! Insieme alle notizie, il messaggero portò anche una piccola somma di denaro: ma né i soldi, né le sofferenze dell'esule ebbero il potere di riconciliargli l'affetto della consorte; la cui pancia, ormai, s'era talmente ingrossata, da rendere evidente a tutti la sua condizione. (Le donne di Casal e degli altri villaggi si chiedevano: «Quand'è partito il marito?», e poi facevano dei conti sull'età del nascituro, che le lasciavano deluse. «Sí, – dicevano: – probabilmente è figlio dello scarpèr...»).

L'inizio del nuovo anno 1779, a Zoldo, fu reso memorabile dai combattimenti notturni tra una certa Giacoma Marbian detta "la Santa" e il Diavolo che veniva a tentarla. Quei terribili combattimenti – di cui subito si parlò fino a Belluno e piú lontano ancora, nelle grandi e nebbiose città di pianura – si svolgevano poco lontano da Casal, in un *tabià* tra la Pieve e Dozza dove la Santa se ne stava immobile sul suo letto ormai da vent'anni e non mangiava, non beveva, non aveva secrezioni corporee: era – dicevano le comari – un'anima disincarnata, un puro spirito che Dio voleva rimanesse cosí, legato al mondo da quel filo sottilissimo, d'un corpo senza piú corpo! Tutti quelli che passavano davanti alla casa dei Marbian si toglievano il cappello e si segnavano, come davanti ad un tabernacolo; se parlavano, abbassavano la voce; se era notte, si levavano le *dàlmede*, o badavano comunque a non fare rumore. Ogni domenica veniva dalla Pieve un vicario dell'arciprete, a celebrare la messa per la Santa; ed era anche corsa voce, ai tempi del pievano Fulcis, che don Giacomo volesse scrivere un libro su di lei, per raccontarne la storia! Quell'opera, purtroppo, non era mai stata iniziata, perché la morte del pievano aveva poi vanificato tutte le sue intenzioni, letterarie e non: ma la storia della Santa, a Zoldo, era nota a tutti, e non c'era nella valle una sola comare che non fosse in grado di raccontarla. Giacoma – si diceva nei *filò* – era stata una bambina molto graziosa ed anche molto vivace, promessa in sposa dai suoi genitori ad un tale Giuseppe Panciera da Astragal, assai prima che avesse raggiunto l'età di sposarsi; quelle nozze, però, non s'erano potute celebrare perchè tra i quattordici e i quindici anni lei aveva incominciato a dialogare con la Madonna e con altri Santi, e a trascorrere intere giornate in loro compagnia, senza piú occuparsi delle cose del mondo. Se le parlavano di matrimonio sorrideva: la Madonna, rispondeva, la voleva con sé, e tutto il resto non aveva importanza! Aveva smesso di mangiare: beveva un poco d'acqua una volta al giorno, e soltanto ogni due o tre giorni tollerava che in quell'acqua fosse inzuppato qualche frammento di mollica di pane. Ogni tentativo di nutrirla per forza, o con l'inganno, le procurava convulsioni terribili, che la lasciavano come morta: perciò, dopo poche prove, i parenti e i dottori avevano dovuto desistere. Mentre il povero Panciera dava in escandescenze, accusando i genitori di Giacoma di averlo truffato, e per il gran dispetto prendeva la strada del Canal e se ne andava a lavorare a Venezia: lei, nel volgere di poche settimane, si era ridotta in quelle condizioni che ormai duravano da vent'anni. Il suo corpo pesava poche decine di libbre, le sue labbra erano quasi trasparenti, la sua pelle sembrava aderire direttamente alle ossa. Teneva gli occhi quasi sempre chiusi e stava lí, immobile in quella stanza dove l'aria era resa irrespirabile dai fiori nella buona stagione, e dalle candele e dai lumini ad olio durante l'inverno; ogni tanto usciva dall'estasi e scambiava qualche parola con i devoti che venivano a visitarla e le stringevano le mani e le braccia, o la toccavano in viso mentre chiedevano a Dio la grazia che volevano: si pensava infatti che le persone come Giacoma fossero una sorta di conduttore, un tramite anche fisico tra l'uomo e la divinità, e che per loro mezzo si potessero ottenere cose tali, da doversi considerare, piú che grazie, dei veri e propri miracoli! Naturalmente Giacoma non era l'unica Santa della valle di Zoldo: ai tempi di Mattio c'erano almeno altre due contadine che vivevano senza mangiare, e una di loro, la Rita di Zoppè, si diceva fosse anche capace di guarire gli ammalati a distanza, attraverso le ciocche di capelli che le venivano messe sotto il guanciale. La carriera di Santa, a quell'epoca e in tutta la campagna italiana, era ancora una carriera ambita: ma nessun'altra donna, tra le montagne bellunesi, era conosciuta e venerata come la Giacoma Marbian. Il suo *tabià* ogni giorno veniva visitato da diecine di persone, e i suoi genitori, da molti anni ormai, non facevano altro nella vita che aprire la porta di casa ai pellegrini, e ricevere le loro offerte. Erano diventati ricchi. La miseria dei tempi era cosí grande, e il bisogno di miracoli era cosí urgente, che anche una Santa mediocre, in quegli anni bui, avrebbe fatto buoni affari, a Zoldo come in ogni altra parte della provincia veneta; Giacoma Marbian, però, non si curava d'affari e non era donna da contentarsi di una santità qualsiasi: in fatto di santità, lei voleva il massimo! La sua carriera di Santa era tutta disseminata di eventi prodigiosi, se non proprio di miracoli certi. Dapprincipio, c'erano state le stímmate: segni grandi come una moneta da un soldo, di color rosso fuoco, che si formavano sulle mani, sui piedi e sul fianco sinistro della donna, e di cui lei diceva soltanto che la facevano soffrire moltissimo, e che quindi ne era felicissima. Dopo le stímmate erano poi comparse le piaghe, di forma allungata oppure anche rotonde; alcune di quelle piaghe erano diventate permanenti, e sanguinavano in certe particolari ricorrenze del calendario liturgico ed anche in altre occasioni, per esempio quando moriva una persona molto conosciuta, o quando succedeva una disgrazia di cui tutti parlavano. Ma ciò che accadde nei primi mesi del 1779 fu qualcosa di nuovo e di diverso rispetto al precedente repertorio di Giacoma Marbian, e delle altre Sante bellunesi dell'epoca. Da un giorno all'altro e senza che la faccenda fosse stata in alcun modo preannunciata, la Santa di Zoldo incominciò ad accapigliarsi con il Diavolo, e l'eco di quelle lotte sovrumane – come già s'è detto – si sfece sentire lontano: a Belluno, a Padova, perfino a Venezia! Il vescovo Giovan Battista Sandi mandò a Zoldo un prete di sua fiducia, un monsignore, perché assistesse agli scontri e gliene riferisse; e arrivò da Padova un professore di medicina di quell'Università che ripetutamente visitò la Santa, l'auscultò e ottenne anche l'autorizzazione a pesarla. (L'esito di quegli esami, purtroppo, è rimasto ignoto).

I combattimenti tra il Diavolo e la Santa avvenivano una volta al mese, puntualmente all'inizio di ogni plenilunio, e potevano anche ripetersi per due o tre sere consecutive. Nessuno mai vi assistette di persona, stando all'interno del *tabià* e vicino al letto di Giacoma; e nessuno, del resto – nemmeno il professore venuto da Padova, o il monsignore mandato dal vescovo di Belluno – pensò che la cosa potesse essere utile o necessaria. Ogni volta che c'era luna piena, la gente si radunava davanti alla casa dei Marbian fino dall'ora del tramonto, tenendosi però sempre ad una certa distanza dalla porta d'ingresso. Nelle prime file c'erano i coraggiosi con gli schioppi a tracolla e le lanterne posate per terra o appese ai paletti della recinzione del *tabià*; dietro ai coraggiosi c'erano i curiosi, e tra loro Mattio: anche se la signora Vittoria non aveveva voluto accompagnarlo ed era rimasta a casa con i figli piú piccoli, lui c'era andato a gennaio, una prima volta, e poi, nonostante la paura che aveva provato, c'era ritornato a febbraio... Quando le tenebre scendevano sul *tabià* della Santa la scena diventava irreale: quella folla attenta e silenziosa attorno alla luce gialla delle lanterne, nella neve e tra le montagne scintillanti sotto la luna, sembrò a Mattio – e probabilmente anche agli altri che erano con lui – la materializzazione di un sogno. Poi però iniziavano i combattimenti tra la Santa e il Diavolo e allora un brivido d'orrore passava nella schiena di tutti: voci e rumori come di un alterco tra due coniugi crescevano fino a rimbalzare contro le montagne lontane, e la valle diventava il teatro di una rappresentazione che lasciava gli spettatori senza fiato, disorientati o sconvolti o addirittura furiosi. Una voce maschile, bassa e rauca, gridava contro la Santa i peggiori insulti che si potessero immaginare tra quei monti; parole come «puttana» si sprecavano, e tra un insulto e l'altro risuonavano gli schiaffi, con una sonorità strana che l'eco dilatava, i pugni che sembravano dati su un tamburo anziché su un corpo umano e che facevano insorgere i giovanotti delle prime file, i coraggiosi armati di schioppo: «Non possiamo stare qui cosí, senza fare niente! Andiamo a vedere cosa succede, altrimenti l'ammazza!»

I preti e gli uomini anziani li fermavano: «State fermi, pazzi! Volete combattere il Diavolo con i vostri schioppi? Lasciate fare alla Santa, che sa lei il modo di sconfiggerlo!»

Quasi a conferma delle loro parole si sentiva la voce della Santa, cosí acuta da frantumare cristalli e da far guaire e ululare i cani nel raggio d'un miglio, alzarsi a contrastare e a dominare quella del Diavolo e tutti, allora, si sentivano accapponare la pelle, tutti si facevano il segno della croce. «Vade retro, Satana! – gridava la Santa. – Esci subito da questa casa: io non ti temo!

Ti ho già scacciato da Zoldo tante volte, e ti scaccerò anche questa notte! Vai all'Inferno! »

Rispondeva il Diavolo, con la sua voce bassa e rauca: «Vieni su da quel letto, vecchia scrofa, che ti riporto nel mondo! È lí il tuo posto! »

Pugni, schiaffi e urli duravano un'ora o poco piú e poi il *tabià* ritornava silenzioso, la gente se ne andava. La mattina del giorno successivo, con la prima luce, arrivava il prete dell'Ospitale, don Giuseppe, per medicare le ferite della Santa e per intrattenersi con i genitori di lei su ciò che era accaduto. Quando usciva, trovava in strada una piccola folla di persone che gli chiedevano, ansiose: «Come sta la Santa? »

Don Giuseppe scuoteva la testa. Rispondeva, ogni volta: «È tutta blu per le botte, dalla testa ai piedi! » Oppure: «Ha una ferita su una coscia, che sembrerebbe fatta con un'arma da taglio! » «Ha una costola rotta e un occhio nero! È piú morta che viva! Ha perso un dente! »

Capitolo quarto
Lucia

Il sesto ed ultimo figlio dei Lovat, Antonio, nacque il 5 aprile del 1779, mentre lo *scarpèr* era a lavorare a Venezia, e poi l'anno successivo, il 1° maggio, morí il secondogenito, Ferdinando: ucciso a soli quattordici anni da un nuovo accesso di «mal di capo». (Meningite?) I funerali si fecero senza il padre, che non poté nemmeno essere avvisato della morte del figlio: da alcuni mesi, infatti, il ciabattino Marco Lovat non dava piú notizie di sé ai suoi familiari, e nessuno sapeva dove abitasse. Gli zoldani che ritornavano da Venezia dicevano che vagabondava per le calli, con la barba lunga e i vestiti in disordine, e che, quando loro lo chiamavano, scappava, senza che si capisse il motivo di un simile comportamento! Nell'estate del 1780, e poi anche in quella dell'anno successivo, Mattio dovette ritornare sul Bosconero a fare il carbone, perché lavorando soltanto come calzolaio non avrebbe guadagnato abbastanza soldi per mantenere la madre e i cinque fratelli. Era un carbonaio esperto, ormai, e faceva tutto da solo: tagliava la legna, preparava la catasta, si cuoceva la polenta alla fine della giornata mentre attorno a lui e su di lui scendevano le tenebre e poi si metteva a dormire; ma il buio fitto delle notti senza luna era pieno di schiocchi e di fruscii che lo terrorizzavano, e gli impedivano di prendere sonno. Inutilmente, stando al buio con gli occhi spalancati, continuava a ripetersi che quei rumori erano i rumori del vento e delle fronde dei larici, o, al massimo, degli animali notturni: la paura non ascolta ragioni! Quando c'era la luna, però, era ancora peggio, perché allora la montagna si popolava di ombre e anche le rocce e anche le piante si animavano, diventavano entità vive e minacciose, che incutevano spavento con la loro sola presenza. Di giorno, alla luce del sole, le paure svanivano e sembravano assurde; ma si ripresentavano ogni sera, puntualmente con il calar del buio, e costituivano l'aspetto piú sgradevole del lavoro del *carbonèr*. Alla fine d'ottobre, con la prima neve, Mattio ritornò a Casal nella sua bottega di calzolaio e dopo pochi giorni rivide Michiele, che gli ripeté ciò che già gli aveva detto l'autunno precedente: non era ancora riuscito a trovare la miniera dei Grimani ma contava di trovarla l'estate successiva, anzi ne era assolutamente certo! Anno dopo anno, con un entusiasmo degno di imprese piú ragionevoli, Michiele era tornato a fare il carbone sulla montagna indicata nella mappa e tra una carbonaia e l'altra aveva continuato a scavare buche e a saggiare il terreno in un certo luogo, dove pensava che dovesse esserci il filone d'argento... Mattio, quel giorno, provò fastidio e irritazione per la follia dell'amico. («Se almeno smettesse di parlarmene, della sua stupida miniera!») Gli accadeva spesso di pensare, in quel periodo, all'infinito ripetersi delle azioni umane e alla monotonia della vita. Lui, Mattio, aveva incominciato ad avere con Michiele quell'intimità che lo riempiva di rimorsi, e non riusciva a sottrarsene; Michiele s'era messo in quell'impresa di cercare la miniera, ed era condannato a cercarla finché fosse vissuto... Mentre lavorava in bottega a risuolare *dàlmede*, sognava a volte d'imbarcarsi su una nave che lo portasse di là dall'oceano, in quel mondo lontano e misterioso che non a caso si chiamava «il Nuovo Mondo»; o fantasticava su quei mondi ancora piú lontani e ancora piú sconosciuti, che stanno sospesi in mezzo alle stelle. Quei mondi – gli aveva detto una volta don Marco – noi non possiamo nemmeno immaginarli, perché la nostra fantasia ha le ali tagliate, e non vola fino all'ignoto; riesce soltanto a rielaborare quello che già sappiamo, per cercare di dargli una nuova forma... (Ma Mattio, quando stava molte ore seduto al deschetto, s'accorgeva spesso che la sua mente era impegnata proprio in quell'impossibile tentativo, d'immaginare l'ignoto).

A Natale, tornò lo *scarpèr*. Era magro, sporco e quasi completamente rimbecillito: capiva poco di ciò che gli altri gli dice-

vano, non parlava, o, se parlava, parlava a sproposito. I due uomini di Goima che lo accompagnarono, raccomandarono alla
signora Vittoria che per l'amor di Dio non lo lasciasse piú andare via da casa, perché a Venezia il suo uomo dormiva per strada
e mangiava quello che trovava frugando nell'immondizia delle
scoazzere. S'era dovuto fare una colletta tra zoldani – le dissero –
per riportarlo al paese! Lavato e coi capelli tagliati, con la barba
fatta, lo *scarpèr* tornò ad essere quasi presentabile: si scoprí però che era pieno in ogni parte del corpo di macchie violacee e
ciò convinse la signora Vittoria – evidentemente la donna conosceva il marito piú e meglio di quanto lui credesse – che quel
giuda, quell'*asasín*, quel poco di buono si fosse fatto infettare da
qualche donnaccia, e che cosí avesse procurato la rovina sua
personale, e quella della sua famiglia. (Ripeteva: «L'ho soppor-
tato per vent'anni, ma ormai ha passato ogni limite. Quel por-
co! Dormirà sulla paglia e nella stalla, come gli animali suoi pari!») Da quel momento, la signora Vittoria rifiutò il marito: gli
impose di dormire nella stalla, di tenersi alla larga da lei e dai figli piú piccoli, di mangiare quel poco che gli si poteva dare senza sedersi a tavola con i familiari... Lo sventurato *scarpèr* trascorse l'inverno del 1782 seduto nella sua bottega, a soffiarsi sulle mani piene di geloni e a conversare con se stesso e a ridacchia-
re, mentre Mattio lavorava. Ogni tanto aveva dei momenti di lucidità, in cui piangeva e si abbandonava alla disperazione. « Lo
so, lo so cosa crede tua madre, – disse un giorno al figlio, – ma ti
giuro che non è vero! Devi credermi! Io non ho colpa della mia
malattia! » Singhiozzava cosí forte, che non riusciva a parlare.
Infine si ricompose. Guardò Mattio con gli occhi pieni di lacrime; balbettò, torcendosi le mani: «Io... io non avrei nemmeno
potuto fare quello che lei pensa, perché ormai sono impotente:
te lo giuro! Me ne sono accorto laggiú a Venezia... Io, tuo padre, non sono piú un uomo! Mi vergogno di esistere! »

Domenica 7 aprile, alla seconda messa in San Floriano, c'era
una ragazza che nessun giovane di Zoldo aveva mai visto prima
d'allora, e Mattio fu subito certo che quella era l'unica ragazza
al mondo di cui lui avrebbe potuto innamorarsi. Fino a quel

momento non aveva mai provato una vera attrazione per nessuna delle sue coetanee, nemmeno per quelle che avevano fama d'essere particolarmente graziose, o particolarmente simpatiche. Aveva sempre visto, in tutte le adolescenti della valle, le comari che poi sarebbero diventate: intriganti, pettegole, aggressive, maligne come le loro madri e le loro nonne che si mettevano i pugni sui fianchi quando litigavano, e strillavano cosí forte che le sentivi da Casal a Pieve, infamie d'ogni genere! Delle vere arpie: ma fino a vent'anni, o finché non s'erano sposate, si mostravano piene di vezzi e di moine, di pudori e di timidezze... Per quali vie misteriose si compisse poi quella trasformazione a ritroso, della farfalla in verme, Mattio non avrebbe saputo dirlo; cosí come non avrebbe saputo dare un senso e una ragione agli entusiasmi di suo padre per quelle orribili donne con cui lo *scarpèr* si era prodigato finché aveva potuto, e che, oltre ad essere brutte nella persona, portavano scritti in viso tutti i loro difetti: la meschinità, la cattiveria, l'ipocrisia, l'invidia... Nonostante le sentenze di suo padre, sui peli di femmina cha tirano piú dei buoi, e nonostante il sangue bollente dei Lovat che avrebbe dovuto spingerlo a compiere chissà quali prodezze con l'altro sesso, Mattio, fino a quella mattina d'aprile del 1782, era sicuro che non avrebbe mai preso sul serio l'idea di sposarsi: l'umanità – diceva – lavorava con tanto impegno alla fabbrica dei figli, che se anche le fosse venuto a mancare il suo contributo, nessuno se ne sarebbe accorto! La ragazza – si seppe poi che si chiamava Lucia, e che era figlia del *marigo* di Campo, tale Lorenzo Costantin – stava a poca distanza da lui, sulla sua destra; Mattio la vedeva di profilo e per tutta la durata della funzione non fu in grado di guardare altro e non prestò attenzione a nient'altro. Di lei, subito, gli piacque tutto: i capelli scuri, gli occhi neri, il sorriso, il viso, la persona nel suo insieme e poi anche gli piacquero la voce e il modo di parlare, quando Lucia, uscendo di chiesa, si chinò per dire qualcosa a una donna in età matura che le stava a fianco e che doveva essere sua madre. Quella misteriosa ragazza indossava un abito di panno nero lungo fino alle caviglie, aveva un farsetto ricamato a colori vivaci e portava in capo il velo della messa; tolto il velo, fuori della chiesa, si videro due bellissimi *piroi* d'oro che le pendevano dalle orecchie. Mattio era cosí incantato a guardarla che la cosa, in mezzo a tanta gente, non poteva passare inosservata; ci fu, infatti, chi toccò con il gomito la persona che aveva a fianco, e lo indicò; ci fu chi scosse la testa, sorridendo in un certo modo che significava: «Sarebbe meglio che non si facesse illusioni!» Ma lui non se ne accorse. La ragazza rise allegramente, d'una frase che una sua coetanea – forse un'amica, o una parente – le aveva detto passandole accanto; e a Mattio sembrò che ridesse il mondo intero, per quanto la faccenda possa sembrare banale, ed effettivamente lo sia: ciò che lui stava sperimentando in quel momento e per la prima volta, era proprio la banalità dell'amore! Il cielo azzurro con le nuvole sfilacciate dal vento, caratteristico del paesaggio veneto, gli sembrò piú luminoso di quanto fosse stato in passato; e gli sembrarono piú nitide le montagne, piú belli i prati fioriti, piú caldi i raggi del sole primaverile. Quasi senza accorgersene, anziché svoltare per Casal, andò dietro alle due donne: arrivò al villaggio di Campo e continuò a seguirle finché le vide entrare in una bella casa di pietra con il fienile nel sottotetto e un pergolato davanti alla facciata. Si fermò: e sarebbe rimasto a guardare la casa chissà quanto tempo ancora, se una donna di Campo, riconosciuto il figlio dello *scarpèr*, non fosse uscita dal suo *tabià* con in mano un paio di vecchie *zopèle* per chiedergli se si potevano riparare, e quanto le sarebbe venuta a costare la riparazione...

Da quel giorno, Mattio incominciò a comportarsi come si comportavano i giovani di Zoldo quando corteggiavano una ragazza, facendosi vedere piú spesso che poteva davanti alla casa di lei, e cercando di incontrarla. Gli anziani di Campo, che nella buona stagione trascorrevano la maggior parte del loro tempo seduti fuori dell'uscio a guardare chi passava per strada, scuotevano la testa: quel ragazzo – commentavano – aggiusta le scarpe degli altri, e consuma le sue senza che gliene possa venire un utile qualsiasi! Anche le comari dei paesi della Pieve incominciarono a chiacchierare su quello strano caso, e a chiedersi cosa gli fosse venuto in mente, al povero Mattio, d'andare a mettere gli occhi proprio sulla Lucia Costantin: suo padre, dicevano, era uno dei pochi uomini veramente ricchi che ci fossero nella valle, ed era anche un uomo ambizioso, che aveva fatto allevare la figlia a Belluno dalle monache fino ai sedici anni, perché sperava di sposarla a un nobile. Mai e poi mai – assicuravano quelle tra le comari che lo conoscevano meglio – il *marigo* di Campo avrebbe accettato d'imparentarsi con un calzolaio! (Sentenziavano: «L'amor del poareto, no val un peto»). Ma Mattio continuò a farsi vedere a Campo attorno al *palàz* dei Costantin e alla fine la sua costanza fu premiata, perché ebbe la fortuna d'incontrare Lucia e poté perfino parlarle. Questo accadde una sera di fine aprile, all'ora del tramonto. La ragazza era uscita di casa con un secchio per attingere l'acqua alla fontana del villaggio; aveva un nastro rosso nei capelli e le braccia nude e Mattio le si fece innanzi sentendo le ginocchia che gli tremavano: s'inchinò per chiederle il permesso di aiutarla e le prese il secchio. Davanti alla fontana rimasero in silenzio; lui avrebbe voluto parlare di sé o iniziare una conversazione qualsiasi, ma riuscí soltanto a dire «mi chiamo Mattio» e subito si aprí una finestra nella casa del *marigo*, una voce di donna gridò: «Lucia! Con chi stai parlando?»

Lucia arrossí come se fosse stata sorpresa a commettere chissà quale colpa. Disse: «È mia madre! Mi chiama! Devo ritornare a casa!»

Per la ricorrenza di San Floriano, il 4 maggio, si sarebbero dovuti svolgere a Zoldo, come tutti gli anni, i solenni festeggiamenti del Santo patrono: ma la povertà della gente era ormai cosí grande, e i mali che l'affliggevano erano cosí gravi e numerosi, che il pievano Pellegrini pensò di rimandare la festa ad un momento piú adatto, e di sostituirla con tre giorni di penitenza e di preghiera in cui gli uomini e le donne della Pieve avrebbero chiesto a Dio tempi migliori, per se stessi e per la loro valle. Fu fatto venire da Belluno un predicatore quaresimalista, il molto reverendo don Giovanni Talamini; costui era un frate piccolino, magrolino, con la testa rasata e gli occhi sporgenti come quelli d'un rospo, che aveva fama d'essere un trascinatore di folle, e di avere indotto migliaia di peccatori a cambiare vita, soltanto con le parole! Per tre mattine consecutive, don Talamini predicò stando su un palco allestito fuori della chiesa, perché la folla che l'ascoltava era cosí grande, che in San Floriano ce ne sarebbe entrata soltanto una piccola parte, e anche la piazza era insufficiente a contenerla tutta: c'era gente nel cimitero, tra le tombe, e sui balconi delle case lontane. Dappertutto si rideva e si piangeva; anche là dove non arrivavano le parole del predicatore, arrivavano gli umori della folla, mossi da quelle parole: ci si batteva il petto con la mano destra chiusa a pugno, si cantavano il *Miserere* ed altri canti liturgici. Tutte le donne e tutti gli uomini della valle erano piú che fiduciosi: erano certi!, che quel prete venuto da Belluno gli avrebbe finalmente svelato le ragioni delle loro disgrazie, e che gli avrebbe suggerito un modo concreto per farle cessare. In mezzo a quella folla c'erano anche Mattio con i suoi fratelli, e la signora Vittoria con in braccio il piccolo Antonio: soltanto lo *scarpèr* era rimasto a Casal, seduto sulla porta di casa a fissare il vuoto. Nel primo dei suoi tre sermoni don Giovanni Talamini ammoní i fedeli che per un'intera settimana avrebbero dovuto osservare il digiuno, ed ogni altro tipo di astinenza: perché la mano di Dio s'era alzata per colpirli come un tempo s'era alzata per colpire il popolo d'Israele, e soltanto il digiuno, i sacrifici e le preghiere potevano fermarla. Che Dio fosse adirato contro tutti gli uomini, e specialmente contro gli zoldani – disse il predicatore – non era cosa dubitabile, purtroppo: troppi segni stavano a confermarla, e da troppo tempo! Le stagioni non erano piú le stagioni: c'erano temporali d'inverno e nevicate d'estate; la siccità persistente, anno dopo anno, aveva tolto la neve dalle montagne, aveva disseccato i pascoli e impedito i raccolti; quello poi che la siccità aveva risparmiato era stato guastato dalla grandine, dai topi e da altri flagelli. Gli animali domestici, indeboliti dalla fame, venivano decimati da un terribile contagio, il cosiddetto *morbion*, che gli faceva gonfiare il ventre: vacillavano, tremavano dalla testa ai piedi, cadevano senza piú potersi rialzare, muovevano la testa d'un moto convulso e poi morivano nel volgere di poche ore, o, al massimo, di pochi giorni! E morivano anche gli uomini. Una nuova malattia, che i medici ritenevano essere causata da calor di fegato, e che il popolo chiamava *pellarina*, li faceva delirare e uscire di senno al punto che non riconoscevano piú amici e parenti e perdevano ogni barlume di ragione, ancor prima di perdere la vita. «Molti tra voi li hanno già veduti, – gridò il prete, – gli ammalati del nuovo male! Uomini e donne che un tempo ebbero fama di saggi, balbettano ora parole senza senso, s'imbrattano dei loro stessi escrementi, si trastullano dall'alba a notte con qualche piccolo oggetto o sono attratti da cose senza importanza: una goccia che cade da un sasso, una nuvola che trascorre nel cielo gli fanno dimenticare il lavoro, i figli, perfino se stessi! Si riducono a dover dipendere dagli altri per ogni loro necessità; e perché lo strazio dei congiunti sia completo, possono durare, in quelle condizione, anche molti anni!»

Le cause della collera divina erano molteplici, ma tutte si riassumevano in una frase che fu il tema specifico della prima predica di don Talamini: «La pericolosa novità dei tempi, e la superbia e l'empietà del presente secolo». Questo secolo sciagurato – disse in sostanza il predicatore – con le sue nuove e false dottrine e filosofie ha rinnovato la sfida stessa di Lucifero, il suo sogno di dominare la materia e di scacciare Dio dal mondo. Come se ciò non bastasse, ha immaginato un universo senza Dio, dove la materia si riproduce da sola in modo meccanico, e la morte è la fine di tutto! Arrivato a questo punto del discorso don Talamini fece una pausa e alzò una mano, quasi volesse sottolineare con quel gesto l'enormità di ciò che stava per rivelare. Disse gravemente: «Io ho veduto con i miei occhi un libro a stampa, in cui si trova che le galline, le beccacce, le aquile, i maiali, i buoi, un tempo furono pesci, e che venuti in terra, a poco a poco scambiarono le scaglie in penne, in pelo, in ugne, in corna, e che tutti gli animali e la vita stessa hanno avuto origine nel mare; non vi si fa parola dell'uomo, in quel libro empio, ma vi si lascia intendere che anche l'uomo, come gli altri esseri viventi di questo nostro mondo, non è stato fatto da Dio al momento della creazione, secondo dicono le Scritture, ma è parente prossimo delle seppie e dei peoci! » La folla, che aveva ascoltato stupefatta la storia dei pesci tramutati in galline, scoppiò in una fragorosa risata sentendo nominare i *peoci*, cioè i pidocchi di mare, come antenati degli uomini; ma quel moto d'allegria durò pochissimo, perché subito don Talamini si lanciò in una violenta requisitoria contro l'allora imperatore d'Austria, Giuseppe II di Lorena: da lui definito « il vero erede, ed il moderno successore, di quei principi folli dell'antichità, come Nerone, che perseguitavano e imprigionavano i cristiani, e li facevano cospargere di pece perché bruciando illuminassero di notte i loro giardini, o li gettavano in pasto alle belve nei circhi! » Se ancora non si erano ripetuti quegli eccessi – disse il predicatore – il merito era di sua santità papa Pio VI, che per placare la matta furia del tiranno sarebbe andato a Vienna ad inginocchiarsi ai suoi piedi: un'impresa paragonabile a quella di Leone Magno, che affrontò Attila re degli Unni e lo fermò, armato soltanto della sua parola e della sua fede in Dio! Ma già i danni erano enormi. Il despota – spiegò don Talamini – aveva ordinato la chiusura di moltissimi conventi, aveva soppresso antiche congregazioni e gloriose confraternite, aveva proibito processioni e tradizioni; i guasti da lui prodotti erano irreparabili, e la bestialità dei suoi comportamenti faceva sí che si temesse per la vita stessa del santo pellegrino, « agnello indifeso nella tana del lupo ». Il primo sermone di don Talamini si concluse cosí, con le preghiere per la salvezza del papa e per il buon esito della sua missione alla corte del tiranno.

La predica del secondo giorno, e poi anche quella del terzo, trattarono invece del peccato: dei peccati commessi dall'umanità in generale e di quelli specifici degli abitanti della valle di Zoldo, per cui Dio s'era arrabbiato con loro e li stava castigando già in questa vita. Don Talamini partí da lontano: dalla corruzione delle città, in cui, disse, gli uomini avevano ormai perduto il senso morale e la rettitudine dei loro padri, e nessuno piú si fidava di nessuno, anzi ci si guardava con sospetto perfino tra persone che abitavano nella stessa casa! Il tradimento, la frode, lo spergiuro dominavano incontrastati: si vendevano i corpi e le anime per denaro, e per denaro – quasi ogni giorno – si uccideva. Venezia – disse il predicatore – era cosí corrotta, che poteva benissimo essere paragonata alla Babilonia delle antiche Scritture, o alla Roma dell'*Apocalisse*; ma anche le piccole città un tempo devote e virtuose, anche Treviso e Belluno e Feltre erano ormai diventate dei centri di perdizione dove le idee dei filosofi si diffondevano a rotta di collo, i costumi degeneravano in licenza, gli Ospitali traboccavano di creature abbandonate e le strade risuonavano di bestemmie. E le campagne? Il predicatore, a questo punto del discorso, tirò fuori di tasca una pezzuola e si asciugò la fronte: per significare a se stesso, e al suo uditorio, che il piú e il peggio dei peccati dovevano ancora venire. Le campagne – disse don Talamini – avevano tutti i vizi delle città, nessuno escluso, e però li coprivano con l'ipocrisia: tutto vi sembrava semplice, pulito, privo di malizia e invece era proprio lí, nelle povere case dei contadini e dei montanari, che si nascondevano le depravazioni piú sordide, le colpe piú turpi! Era nel chiuso degli alpeggi e delle stalle, nelle baite dei carbonai e nei *tabià* dove si riponevano i fieni per l'inverno, che si commettevano peccati cosí vergognosi da non poter nemmeno essere nominati, e da gravare come macigni sulle coscienze che dovevano reggerli! Tu – gridò il prete: puntando il dito accusatore su Mattio – credi che Dio non conosca il tuo peccato, e che non veda la tua colpa? Tali furono lo spavento e la sorpresa per quel gesto, che il ragazzo perse il controllo di sé: si coprí la faccia con tutt'e due le mani e incominciò a singhiozzare senza ritegno, pensando di avere addosso gli occhi di tutti e che tutti, ormai, conoscessero il suo vizio segreto, la sua amicizia colpevole con Michele: Mattio Lovat, il peggior peccatore di Zoldo, era stato additato al pubblico disprezzo e non avrebbe piú potuto nascondere la sua vergogna, come aveva fatto fino a quel momento! Lucia e tutti gli abitanti della valle ne sarebbero stati informati; ma quando infine riuscí a frenare i singhiozzi, e a guardarsi attorno, si accorse con stupore che nessuno gli badava: c'erano tante altre persone in mezzo alla folla, soprattutto donne, che piangevano e si disperavano come si era disperato lui, per-

ché pensavano di essere state smascherate... Cosí, ecco, era stato un trucco! Si asciugò le lacrime.

La predica dell'ultimo giorno fu dedicata in modo specifico
ai *forgnàcoi*, cioè al popolo dell'abisso e delle *fusine*. Erano loro
– tuonò don Talamini – i piú antichi e i maggiori corruttori della
valle: portatori di vizi tali, da poter reggere il confronto con
quelli di Sodoma e di Gomorra, le città che Dio aveva voluto
spazzare via dalla faccia della terra, perché il resto del mondo
non ne fosse infettato! Creature d'Inferno anche nell'aspetto fisico, i *forgnàcoi* avevano portato a Zoldo l'infamia delle Dame
di Castelaz: femmine abiette che avevano abitato in un *tabià* sopra Faín, il famoso «tabià dalle tende rosse», e avevano vendu-
to le loro carni e le loro anime a chiunque gliene aveva fatto richiesta! Quella casa delle Dame – disse il prete – non esisteva
ormai piú da quasi un secolo, ma la sua memoria non cancellata
né espiata continuava ad appestare la valle, rendendola maledetta. E poi, l'infamia continuava. A Forno, oltre il Maè, si facevano scommesse e si giocava d'azzardo; e c'era ancora un'osteria, detta Osteria delle Zílighe, dove tornavano tutti gli anni certe rondini, che Noè certamente non avrebbe accolto sulla sua
arca, per salvarle dal diluvio! Come potevano pretendere, gli
zoldani, che la collera di Dio li risparmiasse, finché non avevano
fatto piazza pulita di simili sconcezze? Non ricordavano quel
passo dei *Vangeli*, dove si dice che bisogna allontanare da sé
tutto ciò che dà scandalo?

Davanti al predicatore c'era un leggio con un libro aperto e
don Talamini, dopo aver inforcato un paio di occhiali a molla,
incominciò a leggere con voce nasale: «Ecco, io ti dico: se la tua
mano è occasione di peccato, tagliala ; è meglio per te andartene
monco per il mondo che entrare con due mani nella Geenna,
nel fuoco inestinguibile!

E se il tuo piede è occasione di peccato, taglialo: è meglio
per te andartene zoppo per il mondo, che essere gettato con due
piedi nella Geenna!

E se il tuo occhio è occasione di peccato, cavalo: è meglio

per te entrare con un occhio solo nel regno di Dio, che essere gettato con due occhi nella Geenna!»

Don Talamini si tolse gli occhiali, chiuse il libro; e poi, dopo un minuto di silenzio per far crescere l'attesa, pronunciò quella sentenza che tutti, a Zoldo, s'aspettavano di sentirgli pronunciare fino dal giorno in cui aveva incominciato i suoi sermoni. Per far tornare la prosperità nelle loro case – disse il predicatore – gli zoldani innanzitutto dovevano cacciar via le *zílighe* da Forno, in modo tale che non s'azzardassero a rimettervi piede. Inoltre, dovevano edificare una nuova chiesa con molte pitture, nel luogo dov'era stato il *tabià* delle Dame: per tramandare ai posteri la memoria d'una colpa che era pesata per molto tempo su di loro, e sulla loro valle, ma che infine era stata espiata. Dio – concluse il frate – s'attendeva con urgenza quelle due prove di ravvedimento; quando le avesse avute – assicurò – la sua mano, che s'era già alzata per colpire, avrebbe invece tracciato il segno della benedizione! Allora sarebbe iniziata un'epoca nuova per la valle di Zoldo, un'epoca tanto prospera e felice quanto quella che l'aveva preceduta era stata piena di disgrazie: la siccità sarebbe finita, il *morbion* sarebbe scomparso, la *pellarina* avrebbe cessato di affliggere i contadini, uccidendoli nell'intelletto prima che nel corpo, le montagne sarebbero tornate rigogliose; tutta la valle, che ora risuonava dei loro lamenti, sarebbe risuonata dei loro canti di gioia, e di lode a Dio!

Cosí finí l'ultima predica di don Talamini, lunedí 6 maggio, e tutti quelli che l'ascoltarono tirarono un respiro di sollievo; dopo quel quadro spaventoso che il predicatore aveva tracciato nei suoi precedenti sermoni, nessuno s'aspettava che per far tornare l'abbondanza nella valle bastasse cosí poco: un *altariol*, e mandar via due puttane! La mattina del giorno successivo, dopo il primo rintocco dell'Angelus, il predicatore era già ripartito per tornare in città e incominciò a radunarsi gente a Forno, davanti al *palàz* del Capitaniato, senza che nessuno l'avesse chiamata: semplicemente, era corsa voce che il *capitanio* stava per firmare un decreto, con cui ordinava l'immediata chiusura dell'Osteria delle Zílighe, di proprietà della signora Andreanna

Fain, e l'arresto e l'espulsione dalla valle delle due forestiere che ivi vivevano. In quella folla di sfaccendati e di curiosi che s'ingrossava di minuto in minuto Mattio naturalmente non c'era, perché stava a Casal nella sua bottega, intento al lavoro; c'erano però gli scolari della Pieve, e tra loro il piccolo Angelo Lovat: che avrebbe poi raccontato innumerevoli volte, alla madre e ai fratelli e a chiunque gliene facesse richiesta, lo storico episodio a cui lui e gli altri bambini della scuola avevano avuto la ventura di prendere parte, della «cacciata delle zílighe»! Stando dunque al racconto di Angelo, la gente era rimasta ferma a gridare davanti alla Casa del Capitaniato per un tempo abbastanza lungo: forse mezz'ora, forse tre quarti d'ora, finché era uscito dalla Casa il *fante* Gavaz, con in testa quella sua berretta color rosso fuoco che ne sanciva l'autorità su tutto il territorio della valle, dalla *muda* di Longarone fino ai *tabià* sopra Pécol. Gavaz teneva in mano un foglio arrotolato, legato da un nastro rosso attraversato da una striscia dorata – il rosso e l'oro erano i colori della Repubblica – e fu salutato da un'ovazione: «Viva il fante!» La folla si aprí per fare ala a cotanto personaggio; i monelli gli corsero innanzi per precederlo; i cani – c'erano anche dei cani, in quella folla – gli si accodarono per seguirlo. Impettito come richiedeva la gravità del compito che gli era stato affidato, intimamente compiaciuto che la sua persona e la sua funzione di rappresentante della legge e dell'ordine repubblicano ricevessero – almeno in quella circostanza! – il tributo di rispetto e di popolarità che meritavano, il *fante* si avviò verso il borgo dei *forgnàcoi*: attraversò il ponte sul Maè, entrò nell'Osteria delle Zílighe e alcuni animosi entrarono con lui, gli altri si accalcarono fuori, nella stradetta sudicia e fangosa che finiva pochi passi piú in là, davanti all'ingresso di una *fusina*. Di ciò che poi era accaduto all'interno dell'osteria, il piccolo Angelo Lovat onestamente confessava di non avere cognizione diretta, non essendoci entrato: sapeva soltanto, per averlo sentito raccontare da altri, che la proprietaria del locale, la gigantessa Andreanna Fain, aveva accolto il *fante* con le maniche del vestito rimboccate e la ramazza tra le mani, perché era impegnata – come tutte le mattine – nelle pulizie; che gli aveva lasciato leggere il suo bravo decreto («Noi conte Giuseppe Rudio, capitanio di Zoldo, decretiamo» eccetera) dalla prima all'ultima parola e che poi gli aveva scaricato addosso una tale gragnuola di colpi con la ramazza, da ridurlo piú morto che vivo. Anche la famosa berretta rossa era finita chissà dove, e nessuno piú l'aveva trovata; forse, approfittando del trambusto, qualcuno dei monelli se l'era messa in tasca, senza pensare che stava commettendo un reato grave, un reato di «lesa maestà»: punibile – addirittura! – con la condanna al remo sulle galere. I curiosi che avevano seguito il *fante* fin dentro l'osteria, vista la brutta piega che prendevano gli eventi, scapparono fuori; ma la gigantessa li inseguí e con la sua ramazza – disse il ragazzino – compí tali atti di valore che se avesse avuto tra le mani una vera arma, per esempio una scure, avrebbe lasciato sul terreno, come minimo, una dozzina di morti, e chissà quanti feriti! La ramazza, invece, è una scopa di vimini, soltanto un po' piú robusta di una scopa di saggina: e questa sola fu la ragione per cui, alla fine del combattimento, non ci furono vittime e la gigantessa, sopraffatta e legata con una lunga fune, venne trascinata dalla folla verso la Casa del Capitaniato; dove arrivò proferendo le piú orribili bestemmie che si fossero mai udite tra il Col Dur e gli Spiz di Mezzodí, e affermando cose tali sul conto del *capitanio*, e di sua madre, e del modo come il *capitanio* era stato concepito e messo al mondo, che il piccolo Angelo Lovat garantiva d'essersi turate le orecchie con le dita, per non doverle ascoltare: perché certe parole – l'aveva studiato nel catechismo – è peccato anche sentirle, oltre che dirle...

Tolta di mezzo l'Andreanna Fain, gli eroi – di cui ogni folla si compone – avevano ripreso coraggio e avevano dimostrato tutto il loro valore e tutta la loro intrepidezza demolendo i mobili e le suppellettili dell'osteria, trascinando tavole e panche in mezzo al cortile per farne un falò, ingozzandosi con i formaggi e le sopresse della gigantessa e tracannando il suo vino. C'era stato – a voler essere proprio scrupolosi nella ricostruzione dei fatti – un attimo di incertezza in quegli impavidi, prima che il saccheggio iniziasse; era circolata la notizia, tra la folla, che in difesa dell'Andreanna e delle sue *zílighe* stavano accorrendo molti *forgnàcoi*, ed effettivamente – diceva a questo punto del raccontoto il piccolo Angelo – erano comparsi in fondo alla strada alcuni uomini con il viso e gli abiti anneriti dal fumo, e le mazze in spalla, che però erano rimasti sull'ingresso della loro *fusina* e non s'erano mossi da lí, anzi dopo qualche minuto erano rientrati. L'osteria, allora, era stata devastata da cima a fondo ed erano stati messi sottosopra anche i locali al piano superiore, ma le donne-rondine non s'erano trovate: forse – pensarono gli eroi – avevano avuto sentore del pericolo, ed erano volate via... Rimasta priva di nemici, la folla aveva incominciato a sbandarsi e a perdere un po' del suo entusiasmo e della sua determinazione iniziali. Molti di quelli che ne facevano parte, delusi e preoccupati per la vicinanza dei fabbri, stavano già pensando di dare fuoco a tutto, e di andarsene: quand'era arrivato uno dei ragazzi della scuola, un compagno di Angelo, a riferire che le *zílighe* si trovavano dall'altra parte del cortile, chiuse in un certo stambugio dove ogni anno s'allevava il *pollo d'India*, e che erano tutte scorticate per lo sforzo di entrarci! Tra gli applausi e le facezie degli eroi, le due disgraziate erano state riportate alla luce del sole; gli erano stati tagliati i capelli e poi anche avevano dovuto indossare, al posto degli abiti, due sacchi di tela grossa da carbone, con dei buchi per far uscire la testa e le braccia; gli era stata scritta con la vernice rossa sulla schiena la parola *putan* (puttana) e gli erano state legate alle caviglie due lunghe file di barattoli, che ad ogni movimento facevano un baccano d'Inferno. Cosí vestite, le donne-rondini erano state condotte in processione giú per la strada del Canal fino all'*altariol* di San Giovanni Nepomuceno, e lí congedate con un solenne avvertimento: scendessero piú in fretta che potevano fino al porto delle zattere – gli era stato intimato – e non ardissero ritornare nella valle di Zoldo, mai piú e per nessuna ragione al mondo! Le disgraziate, cui non doveva essere sembrato vero di potersene andare senza troppi danni, erano scomparse in un batter d'occhi; e cosí – concludeva ogni volta il suo racconto il piccolo Angelo – l'Andreanna Fain aveva salvato la casa: che sarebbe certamente sta-

ta bruciata per stanare le *zílighe*, se le *zílighe* non si fossero trovate...

Anche quell'anno, come già l'anno precedente, Mattio doveva ritornare sul Bosconero a fare il carbone, perché a ciò lo
costringevano le necessità sue personali e della sua famiglia; ma
un pensiero lo tormentava. Si chiedeva: «Come posso partire, e
stare lontano dalla valle per dei mesi, senza prima aver parlato
con Lucia?» Una domenica di fine giugno, all'uscita della messa, Lucia era insieme a due giovani donne della sua stessa età e
Mattio capí che se voleva rivolgerle la parola il momento era
quello, e che non ci sarebbero state altre occasioni. Facendo appello a tutto il suo coraggio si avvicinò alle ragazze – che immediatamente smisero di chiacchierare e di ridere e diventarono
serie – e si offrí di accompagnarle: nessuna di loro rispose, ma
dopo pochi passi le amiche si ricordarono che dovevano salutare una certa persona vista in chiesa, e ritornarono in tutta fretta
verso Pieve! Mattio e Lucia restarono soli. Lei, quel giorno, indossava un vestito di *medalana* chiara col colletto di pizzo, si riparava dal sole con un ombrellino di seta e aveva le guance leggermente arrossate: forse – pensò Mattio – provava imbarazzo
di farsi vedere in pubblico a parlare con lui, o forse era stata
proprio la sua intraprendenza a turbarla! La pregò di non giu-
dicarlo troppo male. Stava per lasciare la valle – le spiegò – e
non aveva saputo resistere al desiderio di salutarla, e di chiederle di ricordarsi qualche volta di lui nei mesi a venire: anche se si
rendeva conto che una tale richiesta poteva sembrarle eccessiva. Lui, Mattio, avrebbe pensato a lei in ogni momento, come
faceva dal primo istante in cui l'aveva vista! Lucia guardava davanti a sé e non rispondeva: ma il solo fatto che continuasse a
camminare al suo fianco, e che stesse ad ascoltarlo, forse era già
piú di quanto il nostro ciabattino avrebbe potuto aspettarsi in
quella circostanza. «Volevo domandarvi ancora una cosa, – disse il giovane, – per quando tornerò all'inizio di novembre. Se
una sera venissi a filò dai vostri genitori e gli portassi un piccolo
dono, come s'usa, a voi dispiacerebbe?»

A quell'epoca e in questa parte di mondo, il giovanotto che

andava a *filò* da una ragazza portando piccoli doni – frutta, uova – ai genitori di lei, compiva il primo atto di un rituale destinato a concludersi in chiesa con le nozze, se i genitori della ragazza
non si fossero opposti. Mentre Mattio parlava, il rossore sulle
guance di Lucia s'accentuò e divenne ancora piú evidente, le dita della mano destra si strinsero attorno al manico del parasole,
cosí forte che i polpastrelli diventarono bianchi. Continuando a
non guardare l'interlocutore, la ragazza rispose: «Se la vostra
visita non dispiacerà a mio padre e a mia madre, non dispiacerà
nemmeno a me!» Poi però dovette sembrarle di essere stata
troppo pronta a dare il suo consenso perché si fermò in mezzo
alla strada, a pochi passi di distanza dalle prime case di Campo.
«È meglio che ci salutiamo qui, – disse a Mattio. – Mio padre
non vuole che parli con estranei, e io oggi l'ho disubbidito!»

Quando arrivò sul Bosconero, ai primi di luglio, Mattio era
quasi felice. S'era convinto – forse un po' troppo ingenuamen-
te, e un po' troppo in fretta – che Lucia sarebbe diventata sua
moglie e ne aveva incise le iniziali sull'albero con lo specchio in-
castonato nella corteccia, davanti alla baita. Fischiettava preparando il mucchio di legna, o addirittura cantava mentre lavorava con il *manarin* sui tronchi contorti che crescevano in mezzo
ai macigni del Ru Sec; ma la sua allegria durava soltanto finché
durava il giorno, e svaniva alla sera con il giallo cupo della polenta in fondo al paiolo, e con l'ultima luce. Quando salivano le
grandi ombre dalla valle tornavano le paure: quelle stesse paure
notturne che già avevano tormentato Mattio in passato e che
nell'estate del 1782 presero forma d'un incubo, ricorrente e os-
sessivo. Al fondo di quell'incubo, come sempre, c'erano i rumori della notte e della montagna: gli scricchiolii, i fruscii, le voci
del vento e degli animali e il fragore del tuono in lontananza che
lo tenevano sveglio a lungo nel buio, nonostante la stanchezza
gli inchiodasse le membra sul saccone. E c'erano anche gli occhi
di don Giovanni Talamini fissi su di lui, il suo dito che lo indicava in mezzo alla folla, la sua voce che gli gridava: ti ho riconosciuto e ho riconosciuto la tua colpa! Ravvediti, o rivelerò al
mondo intero ciò che fai! Alla fine, Mattio riusciva ad addor-

mentarsi; ma dopo pochi minuti – o poche ore: calcolare il tempo mentre si dorme è un'impresa difficile – improvvisamente si svegliava. Immobile nel buio, con la pelle accapponata e gli occhi sbarrati, ascoltava i passi di qualcuno che si avvicinava alla baita dove lui s'era barricato alla bell'e meglio, chiudendone l'ingresso con alcune assi: che ci girava attorno piú e piú volte, zoppicando; che sbuffava e spingeva contro le assi, cercando di entrare. Mattio era certo che quel qualcuno fosse il Diavolo e pregava Dio di tenerlo lontano; finché una notte il ricordo della predica di don Talamini («Se la tua mano è occasione di peccato, tagliala... e se il tuo occhio è occasione di peccato, cavalo») gli attraversò la memoria con l'intensità di un lampo, e lui improvvisamente seppe ciò che doveva fare per ottenere che il Diavolo smettesse di tormentarlo, e che anche la sua vita notturna tornasse ad essere normale, e anzi felice, com'era normale e quasi felice la sua vita di giorno. Si mise in ginocchio sul suo povero giaciglio; si sforzò di parlare ad alta voce perché anche «l'altro» là fuori lo sentisse, nel silenzio della montagna. «Prometto a Dio, – disse con solennità, – che se mi accadrà ancora di commettere quel peccato per cui il Diavolo mi perseguita, farò ciò che sta scritto nel Vangelo e mi libererò di quella parte del mio corpo che è la causa dello scandalo. Nel nome del Padre, del Figlio e dello Spirito Santo, amen».

Il voto funzionò. Nelle notti che seguirono e poi ancora in tutte le notti della vita di Mattio, fino alla sua ultima, il Diavolo si tenne lontano dal suo giaciglio e dai suoi sogni, permettendogli di trovare nel sonno il meritato ristoro. Anche se ogni tramonto sul Bosconero riportava alla mente del *carbonèr* i pensieri notturni, e con essi quelle paure che sono sepolte in fondo al cuore di ogni uomo, il Signore delle tenebre non venne piú a camminarci con il suo passo zoppicante; e tornò a far sentire la sua presenza intorno alla Casera soltanto nelle prime ore del pomeriggio del 21 settembre, festa di San Matteo. Quel giorno il cielo era tutto pieno di nuvoloni neri, poco piú alti delle cime delle montagne. Faceva freddo e pioveva a dirotto da molte ore: il Ru Sec – di solito silenzioso e asciutto come dice il nome – s'era trasformato in una massa d'acqua fangosa che s'abbatteva a valle di cascata in cascata, schiantando e trascinando con sé tutto ciò che trovava sul suo percorso e coprendo con il suo frastuono tutti gli altri rumori. Mattio, seduto all'ingresso della baita, era intento a scolpire due statuine da presepe – un San Giuseppe e una Madonna di legno di ciliegio – che intendeva regalare ai genitori di Lucia quando sarebbe andato a *filò* nella loro stalla. Scolpire il legno era un suo talento naturale che aveva scoperto da ragazzo, mentre dava forma alle suole delle *dàlmede* nella bottega del padre: aveva pensato che anche le statue che vedeva alla domenica in San Floriano, anche il famoso Altare delle Anime di Andrea Brustolon e tutte le figure che lo componevano erano di legno, e che col legno si possono fare tante cose, oltre alle zoccole dei montanari! Aveva provato a scolpire qualche statuina, e aveva visto che ci riusciva. Mentre era assorto in quel suo lavoro sentí un rumore di passi, come d'una persona che venisse su per il sentiero calzando scarpe con *broche* di ferro; alzò la testa, e vide un uomo che era appena uscito dal bosco dei larici e che si stava dirigendo verso di lui. Si domandò, spaventato: «Chi può essere?» L'uomo era avvolto fino agli occhi in un *tabàro* da pastore, e si riparava dalla pioggia con un cappellaccio di feltro a tesa larga che rovesciava acqua ad ogni suo movimento; aveva sulla schiena una grande gobba e si appoggiava, per salire, ad un bastone con la punta ferrata. Quell'apparizione, in quel luogo e in mezzo a quel diluvio, era quasi assurda, e Mattio pensò: «Potrebbe essere un bandito!» Gli tornarono a mente i molti discorsi che s'erano fatti, a Zoldo e in tutto il bellunese, su di un giovinastro di Agordo soprannominato Luserta (lucertola), che era stato un *bulo* dei signori Crotta e poi aveva dovuto nascondersi tra le montagne, perché i suoi stessi datori di lavoro l'avevano incolpato d'un omicidio... Ma il gobbo ormai era arrivato alla Casera e Mattio, pur essendo spaventatissimo, alzò la mano in un gesto di pace: «Sani, sani!»

«Oilà, Mattio!» rispose il gobbo. Si levò il cappello, rovesciando a terra tant'acqua quanta avrebbe potuto contenerne un pentolino di media grandezza, si scoprí il viso fino al mento: era Michiele!

Mattio ci restò male: quasi quasi, avrebbe preferito che fosse stato il Luserta! Michiele allora si sbarazzò del *tabàro*, si tolse dalla schiena lo zainetto di cuoio che lo aveva fatto sembrare gobbo, appoggiò il bastone al muro della baita e si sedette nello stretto riparo che gli offriva il tetto. Borbottò, giusto per dire qualcosa: «Che tempaccio!»

«Cosa ci sei venuto a fare, quassú?», domandò Mattio; e si stupí lui per primo di quanto poco fosse amichevole il suo tono di voce.

Michiele lo guardò sorpreso: «È San Mattio! Ti sei dimenticato della tua festa?» Aprí lo zaino, ne tirò fuori un fagottino di tela da cui uscirono alcuni campioni d'una roccia bianco-grigia, friabile, con dentro molti granelli d'un minerale piú compatto di colore giallino. «Eccolo qua, – disse trionfante all'amico, – il regalo che volevo farti già da due anni! Questo è l'argento dei Grimani: non mi credi?» Guardò Mattio, per vedere come reagiva a quella notizia. «L'ho trovato all'inizio d'agosto, – gli spiegò, – e l'ho subito portato ad Agordo, per mostrarlo ai vecchi minatori della valle del Mis. Mi hanno detto che è argento: argento buono!»

Mattio però non dava segni di entusiasmo e anche Michiele perse un poco della sua baldanza. «Purtroppo, – aggiunse dopo un momento di silenzio, – i minatori mi hanno anche detto che il prezzo del minerale d'argento è molto basso: cosí basso, che chi possiede un piccolo filone e ci lavora da solo, riesce a malapena a mantenersi e a mantenere la famiglia... Allora mi sono messo a riflettere, – proseguí il *carbonèr*, – perché dopo tutta la fatica che avevo fatto per trovare la miniera non me la sentivo di rinunciare ai vecchi progetti; e cosí riflettendo mi sono reso conto che per arricchirsi con l'argento c'è un solo modo. Vuoi vederlo? Eccolo!» Tirò fuori di tasca due monete, le mostrò sul palmo della mano: erano, rispettivamente, un soldone e un mezzo ducato. «Con un po' d'argento, un po' di stagno e due punzoni fatti a regola d'arte, – disse all'amico, – di monete cosí, nella mia fusina, possiamo farne un sacchetto ogni domenica: tanto perfette che, a Zoldo, non le riconoscerà nemmeno lo scrivano della Camera dei Pegni! Diventeremo ricchi in due anni: che ne pensi?»

«Io non ci tengo a diventare ricco, – rispose Mattio, – e i tuoi progetti non mi riguardano. Non metterò piú piede nella tua fusina e non ti aiuterò a fare soldi falsi. Sono affari tuoi!»

Michiele, ora, era disorientato. Restò un momento in silenzio a guardare in viso Mattio, cercando di capire cosa fosse successo. «Io sono venuto fino alla Casera nel giorno del tuo Santo, – gli disse in tono di rimprovero, – per portarti una buona notizia, e non mi aspettavo d'essere trattato in questo modo! Ti sembra normale, tra amici, un comportamento del genere?»

«È la nostra amicizia che non è normale, – rispose Mattio. – Perciò, è meglio che finisca!»

Il visitatore s'alzò in piedi. Borbottò: «Se lo sapevo questa mattina, di che umore eri...» Si rimise in spalla lo zaino; afferrò il *tabàro* fradicio di pioggia, lo scrollò e stava già per riavvolgerlo intorno alla persona ma si fermò a metà del gesto. «Veramente, – aggiunse, – c'era un'altra faccenda di cui dovevo informarti e tanto vale che te la dica, se hai voglia di ascoltarmi: anche se so già che non servirà a niente e che forse verrò frainteso... È una faccenda che riguarda quella ragazza di Campo che hai deciso di chiedere in moglie, la Lucia Costantin. Vuoi sapere cosa si racconta in paese, in questi giorni?»

Mattio ascoltava Michiele e lo guardava, sorridendo in un certo modo come se stesse pensando: parla, parla! Tanto le cose che stai per dire le so già, e so anche perché vuoi dirmele! Domandò: «Cosa c'è di nuovo?»

«C'è, – disse Michiele, – che Lucia probabilmente è all'oscuro di tutto, ma suo padre l'ha promessa in sposa ad un altro e non si rimangerà certo la parola data per compiacere uno come te, che lui considera un pezzente! Io lo conosco, il Lorenzo Costantin: è un uomo superbo, che vuole arrivare ad imparentarsi con qualcuna delle famiglie nobili di Belluno e a quanto pare ci sta riuscendo, se le voci che corrono in paese sono vere... Sembra che ci sia di mezzo il notaio Lazzaro Lazzaris di Forno e che esista già un contratto firmato e autenticato in cui si specificano gli oggetti del corredo, i soldi della dote e, naturalmente, anche la data e il luogo delle nozze. Il futuro marito, stando alle voci, è un nobile bellunese rovinato dal gioco e pieno di debiti, un certo Giacomo Doglioni in rotta con i suoi genitori e con tutti i Doglioni del mondo, che avrebbe voluto concludere l'affare entro pochi giorni, per aver subito i soldi: ma la cerimonia si farà il prossimo aprile. Queste notizie vengono da persone che sono in rapporto di confidenza con il notaio Lazzaris, e io, come tuo amico, ho pensato che fosse mio dovere informartene».

«Sono chiacchiere di gente invidiosa», disse Mattio. (Invece e per sua sfortuna era tutto vero, fino all'ultima parola: il contratto depositato presso il notaio Lazzaris di Forno, il nobiluomo Giacomo Doglioni, la passione del nobiluomo per il gioco d'azzardo). «Quante storie circolano a Zoldo su ogni ragazza che deve sposarsi, che poi risultano essere campate per aria? Non credo che ci sia un briciolo di verità in quello che mi hai detto, e non credo che tu me l'abbia detto per amicizia. Lo so io, perché sei venuto a raccontarmi tutte queste fandonie!»

Michele si riavvolse nel *tabàro* in modo da coprire anche il viso, come quando era arrivato, e si rimise in testa il cappellaccio. Salutò: «Sani, Mattio!»

«Sani, Michele!»

Lunedí 11 novembre, giorno di San Martino, Mattio Lovat si presentò con un *compagn* – com'era consuetudine dei giovani che dovevano farsi conoscere dai genitori della ragazza su cui avevano messo gli occhi – nella stalla dei Costantin a Campo verso la terza ora di notte, cioè alle otto di sera. Indossava una giacchetta di colore blu scuro con due lunghe file di bottoni verdi che avrebbero dovuto rappresentare – secondo il sarto che ce li aveva attaccati – l'ultimo grido della moda, o giú di lí! Aveva le brache nuove, le calze bianche ed era un bel giovane, alto cinque piedi e tre once (un metro e ottanta centimetri) con i capelli biondo-rossicci, gli occhi chiari e il corpo irrobustito dalla permanenza in alta montagna. Pietro Pra, il *compagn*, aveva invece l'aspetto d'un uomo precocemente invecchiato, un po' calvo e con un po' di pancia; ma la sua parlantina e il suo buonumore erano rimasti quelli d'una volta e, del resto, lui il problema di prendere moglie non l'aveva piú, perché era già sposato e aveva due figlie... Secondo l'uso della valle, e del *filò*, i due amici entrarono senza bussare e si annunciarono ad alta voce, anzi per meglio dire fu Pietro Pra che annunciò entrambi con la sua solita allegria, gridò: «Siamo qui anche noi, Pietro Pra da Forno e Mattio Lovat da Casal! Siamo venuti per festeggiare il San Martino con il marigo di Campo e con la sua famiglia!»

La stalla dei Costantin era la piú grande di Campo e nel momento in cui Pietro e Mattio vi fecero irruzione c'erano dentro ventidue esseri umani e otto bovini: i bovini se ne stavano nella penombra quieti quieti, e riscaldavano l'ambiente con il loro respiro; gli umani invece si capí che parlavano, perché quando si voltarono verso i nuovi arrivati avevano tutti la bocca aperta, e in qualche caso spalancata; ma può anche darsi che alcuni di loro l'avessero aperta per lo stupore. Erano seduti in cerchio attorno ad una lampada appesa con un saliscendi ad una trave del soffitto: gli uomini tutti da una parte con in mano la pipa o il bicchiere del vino nuovo, che per tradizione s'assaggia appunto nel giorno di San Martino («Da San Martin, ogni mosto xe bon vin»); le donne tutte dall'altra parte con in mano i fusi per filare, o un lavoro di rammendo, o «la calza». Tra le donne c'erano tre giovani in età da marito, con le *gusele* nei capelli: queste erano Lucia e le altre due ragazze – in realtà, si trattava di due sue cugine – che Mattio aveva visto insieme a lei alla fine di giugno, quando le si era avvicinato al termine della messa. Una delle cugine si chinò per mormorare qualcosa all'orecchio della sorella, che si mise la mano sulla bocca per non ridere. Le altre persone del *filò*, invece, avevano stampata in viso un'espressione indignata, come se fosse accaduto qualcosa che non sarebbe dovuto accadere; soprattutto gli uomini lanciavano agli intrusi certe occhiate che significavano: «Chi siete? Cosa ci siete venuti a fare, in questa stalla? Tornatevene ai vostri paesi!»; mentre le loro

pipe continuavano a mandare nuvolette di fumo verso il soffitto
e nessuno si muoveva, nessuno parlava, tutto era fermo. Secondo le regole antiche del *filò* sarebbe toccato ad uno degli uomini, e specificatamente al padrone di casa, di alzarsi e di invitare i
forestieri a venire avanti e a sedere insieme agli altri: ma il *marigo* Lorenzo Costantin, soprannominato Bora-Bora per l'asma
che lo faceva soffiare come un mantice in ogni momento della
giornata e soprattutto quand'era irritato, soffiava e non parlava;
e cosí tutti tacevano. Alla fine, quando la situazione diventò
proprio insostenibile, si alzò la madre di Lucia, la signora Pasqua, e andò incontro ai due giovanotti: «Ma che bravi! Avete
fatto bene a entrare nella nostra stalla! Sedetevi qui con noi, e
bevete un bicchiere di vino nuovo! È San Martino!»

Le ragazze corsero a prendere due sedie e due bicchieri di
vino e i nuovi venuti si sedettero al posto degli ospiti, avendo
tutte le donne da una parte e tutti gli uomini dall'altra. Mattio
consegnò alla signora Pasqua le sue statuine da presepe in legno
verniciato; Pietro Pra, invece, tirò fuori dalla custodia il *canachion* (chitarrone) che s'era portato sottobraccio e la vista dello
strumento suscitò subito entusiasmo, soprattutto nella parte
femminile del *filò*. Le comari gli furono attorno: «Siete capace
di suonare il canachion? Suonateci qualcosa!» Lui per un po' si
schermí: «Lo suono dopo! Prima, finite i discorsi che abbiamo
interrotto quando siamo arrivati!» Alla fine, però, dovette piegarsi alla volontà delle donne: a cui non pareva vero di poter
rompere la monotonia d'una serata a *filò*, dove si vedevano
sempre le stesse facce e si facevano sempre gli stessi discorsi,
con un po' di musica! Suonò e cantò alcune canzoni, tra cui le
allora famosissime *Mambruk se ne va in guerra* e *Quelle piume
bianche e nere*; aveva una bella voce, una mimica inesauribile e
in pochi minuti riuscí a trascinare tutto il pubblico umano della
stalla, non solamente le donne; anche gli uomini, superata la
diffidenza iniziale, spianarono le sopracciglia e si strinsero attorno ai nuovi venuti. Soltanto il *marigo* Bora-Bora se ne stava
in disparte, soffiando a piú non posso; ma nessuno gli faceva caso. Mattio guardò Lucia: le sue guance erano leggermente ar-

rossate, come quel giorno di fine giugno in cui gli aveva permesso di accompagnarla per un tratto di strada, dalla Pieve a Campo, e le sue labbra sorridevano. Si sentí rinascere: l'atmosfera era cambiata, e mica poco, rispetto al gelo di quand'erano entrati! Dopo la quarta o la quinta canzonetta, le comari chiesero allo strimpellatore di suonare qualcosa che anche loro potessero cantare insieme con lui, «una canzone popolare, delle nostre»; lui allora attaccò *Le tre sorelle* e tutta Campo risuonò delle loro voci, tutti seppero che nel *tabià* dei Costantin quella sera si faceva festa, e festa grande!: con la musica e i cori. *Le tre sorelle* è una canzone del genere dialogato e dopo un attimo d'incertezza iniziale, in cui le voci maschili e femminili si mescolarono tra loro, le parti furono chiare: le donne fecero – com'era logico e giusto – la voce femminile («O pescator che pesca, | vegní a pescar piú in qua. | Me xe cascà l'anelo, | vegnilo a ritrovar»), gli uomini fecero la voce maschile («Coss'è che pagarissio | avere el vostro anel?»), mentre Pietro Pra si limitava a ripetere il ritornello, quel martellante «Viva l'amor!» che fa da contrappunto al dialogo, dall'inizio alla fine.

Quando anche *Le tre sorelle* fu finita, tutti erano rossi in viso ed accaldati e Pietro Pra appoggiò il *canachion* alla sedia, fece segno con le mani: basta, basta! Le comari si divertivano un mondo: non gli pareva vero d'aver cantato a squarciagola, alla loro età e con tutte le cose serie a cui dovevano pensare, con tutti gli acciacchi propri e altrui che dovevano curare e ridevano, si scambiavano commenti, si sistemavano le forcine tra i capelli o riprendevano in mano quel lavoro a calza, che avevano posato ciascuna sulla propria sedia quando s'erano alzate per partecipare all'allegria generale. Una di loro, che era anche la zia materna di Lucia e la madre delle sue cugine, si rivolse a Mattio: «E voi, bel giovane, diteci un po' in cosa siete bravo, invece di starvene lí zitto! Raccontateci qualcosa: per esempio, quelle statuine da presepe che avete dato a mia sorella, sono opera vostra?»

«Sissignore, – disse Mattio: – le ho fatte io!» Spiegò: «Quando non posso lavorare, soprattutto d'inverno, mi diver to a intagliare il legno. Faccio tappi da botte, cucchiai e altri piccoli oggetti che si usano in cucina. Faccio anche statuine e cose d'arte: secondo le mie possibilità, s'intende, perché io non sono un artista!»

«Qual è il vostro mestiere?», domandò la donna.

Mattio arrossí. «Di mestieri, ne ho piú d'uno... Per nove mesi all'anno lavoro come scarpèr nella bottega di mio padre; e poi, quando viene il caldo, vado tre mesi sul Bosconero a fare il carbone, perché i tempi sono duri e perché mio padre è malato, non lavora piú e non può piú provvedere alla nostra famiglia! Ma quando la gente nella valle starà un po' meglio, – si sentí subito in dovere di aggiungere, – e quando i miei fratelli saranno diventati un po' piú grandi, voglio riaprire a Forno un bel negozio di scarpe, come l'avevano mio padre e mio nonno...»

«Sí, sí: campa cavallo!», ansimò il *marigo*. Le parole del giovane, però, avevano risvegliato tra le comari un nuovo motivo di interesse: lo *scarpèr* Marco Lovat. Il padre di Mattio era stato un personaggio abbastanza popolare, tra le donne di Zoldo: e molte ancora lo rimpiangevano. Una delle comari si rivolse al giovane Lovat dandogli familiarmente del «tu», gli chiese se era vero ciò che si diceva di suo padre, che a Venezia si era preso «un brutto male»; ma prima che Mattio fosse riuscito a trovare una risposta qualsiasi, intervenne un'altra comare a toglierlo d'imbarazzo. Esclamò, perentoria: «Tutte storie!» E poi spiegò che lo *scarpèr*, come tanti altri, s'era ammalato di quella nuova malattia che qualcuno chiamava *pellarina* e che nessun dottore, ancora, sapeva curare. «Ce ne saranno ormai piú di cento, in tutta Zoldo, – disse la donna, – che si siedono sulla porta di casa a fissare il vuoto, o vanno attorno senza piú sapere chi sono. Anche mio cognato...»

«Mi dispiace, – disse la prima comare: e si capí che stava pensando allo *scarpèr*, non certamente al cognato dell'altra. – Un uomo cosí pieno di vita! Mi dispiace proprio!»

Il discorso delle malattie, come sempre accadeva nei *filò*, trascinò le comari lontano. Non c'erano a quell'epoca, e probabilmente non c'erano mai state nel mondo, donne piú esperte di

malattie e di medicine delle comari di Zoldo; e tutte si affanna-
rono a mostrare la vastità delle loro cognizioni, tutte cercarono
di far valere il proprio personale repertorio di infermità vissute
in prima persona, e di dolori atroci felicemente sopportati.
S'entusiasmarono a parlare di orine, di clisteri, di feci; il ricordo
delle sofferenze passate le mandò in visibilio, e la pretesa delle
altre comari, d'aver patito quanto loro e piú di loro, gli sembrò
assurda e ridicola. («Cosa mai può aver sofferto, quella stupida...») Ogni tanto, nel discorso, interveniva uno degli uomini;
si toglieva con gravità la pipa di bocca, faceva un cenno che voleva dire: silenzio, e il vociare delle donne si arrestava, non proprio subito ma entro pochi istanti, l'uomo diceva ciò che aveva
da dire e poi le donne riprendevano il loro battibecco cercando
ognuna di appropriarsi, per far trionfare la sua personale verità,
della sentenza inappellabile emessa dall'uomo. Mattio, allora,
tornò a guardare Lucia e gli sembrò di capire, dall'espressione
del suo viso, che fosse proprio contenta. Era andata bene! Le
comari si erano divertite, e anche l'ostilità degli uomini si era at-
tenuata fino a scomparire. Restava, è vero, la difficoltà piú grossa, quella di parlare al padre di Lucia cioè al *marigo*, che si era
seduto di traverso per voltargli le spalle, e continuava a soffiare;
ma Mattio si sforzava d'essere fiducioso, pensava: è cosí bisbeti-
co di natura, non può avercela proprio con me, non gli ho fatto
niente!

Quando la campana della Pieve suonò cinque colpi, i due
giovani si alzarono per prendere congedo. Col cuore che gli
batteva molto piú in fretta del solito, Mattio andò davanti a Lorenzo Costantin e s'inchinò profondamente. «Signor marigo, –
gli disse, – permettetemi di ringraziarvi dell'ospitalità e di salutarvi». L'interpellato, però, non lo guardò nemmeno in
quell'occasione. «Risparmiatevi i saluti, – gli soffiò in risposta,
– e andate a riprendervi i vostri stupidi regali da quella stupida
di mia moglie, che vi ha invitato a sedere nella nostra stalla. In
casa mia, per voi, non ci sono spose!»

La notizia del matrimonio di Lucia diventò pubblica con l'i-
nizio del 1783, e per qualche mese a Zoldo non si parlò che dello

scapestrato Doglioni e della follia del *marigo* di Campo: che – dicevano le comari – regalava una figlia, e una fortuna, a un giocatore d'azzardo! Non ci fu donna, tra il monte Pelmo e la valle del Piave, che non fosse informata d'ogni singolo lenzuolo, e d'ogni piatto, e d'ogni fazzoletto ricamato che la bella e ignara Lucia Costantin, sposandosi con l'avventuriero, gli avrebbe portato come suo corredo; la dote in denaro, poi, era una somma enorme, da far restare i montanari senza fiato e da tenere sveglie di notte le loro consorti: chi diceva cento zecchini d'oro, chi, addirittura, cinquecento! Tutti s'aspettavano di vedere che faccia avesse quel mariuolo blasonato che di lí a poche settimane si sarebbe preso la ragazza e i soldi; ma il contino Giacomo Doglioni, a Zoldo, non ci mise piede. Fu Lucia che se ne andò con quattro muli carichi ciascuno di due bauli e pochi giorni dopo la sua partenza si sparse la voce che le nozze s'erano celebrate vicino a Belluno, nella cappella d'una villa sontuosissima ma pignorata fino all'ultima tegola del tetto e all'ultimo sassolino del viale d'accesso. I pochi zoldani invitati alla cerimonia e al pranzo che era seguito riferirono che tra i nobili in rovina venuti da ogni parte del Veneto per rimpinzarsi a spese del *marigo* di Campo non c'era nemmeno un rappresentante dell'aristocrazia bellunese, e nemmeno un parente dello sposo; e che la mattina dopo le nozze, di buon'ora e senza salutare nessuno, i due colombi avevano preso il volo ed erano spariti, probabilmente diretti a Venezia. (Il motivo di tanta urgenza – si diceva anche questo! – era che il giovane Doglioni non vedeva l'ora di sperimentare al tavolo da gioco i soldi della consorte, per scoprire se erano piú fortunati dei suoi...)

Finí il mese d'aprile, trascorse il mese di maggio e anche il tanto discusso matrimonio tra la bella Lucia Costantin – a cui tutti, a Zoldo, pronosticavano un destino d'infelicità da far impallidire le protagoniste delle piú grandi tragedie del passato – e l'impostore Giacomo Doglioni, incominciò a perdere d'interesse: nessuno piú aveva notizie fresche degli sposi e dei loro quattrini e ben pochi, ormai, ne parlavano. Una mattina d'un giorno di giugno – era, ad essere precisi, un lunedí – il piú anziano dei coadiutori del parroco di Goima, don Tomaso, uscendo dalla sacrestia della chiesa di San Tiziano si vide venire incontro un giovane sconosciuto, alto e snello con i capelli rossicci e gli occhi chiari, che si muoveva e si guardava attorno in un certo modo, come se fosse stato in preda ad una grande agitazione. Il vecchio prete cercò di scansarlo; e ci sarebbe riuscito, se lo sconosciuto non gli si fosse buttato davanti ai piedi e se non gli avesse afferrato tutt'e due le mani, supplicandolo: «Confessatemi, vi prego! Vi ho cercato per chiedervi un consiglio, però ciò di cui vi devo parlare ve lo potrò dire soltanto in confessione!»

Don Tomaso era il prete castrato, il *sopranista* che aveva cantato la Messa da Requiem per il pievano Fulcis: un omino dall'aspetto insignificante, basso e panciuto – cosí, almeno, era rimasto impresso nella mente di Mattio per tutti quegli anni – e dalla voce bellissima. Ora l'omino si era fatto ancora piú rotondo e la sua testa, che ai funerali del pievano era ancora grigia, era diventata bianca e leggera: tanto leggera, che a volte lui doveva stringerla con tutt'e due le mani per impedirle d'alzarsi in volo e di sparire tra le nuvole, lassú oltre la Moiazza... Quando il giovane stralunato dai capelli rossicci – che naturalmente era il nostro Mattio – gli si buttò davanti ai piedi per chiedergli che lo confessasse, don Tomaso stava per compiere sessantadue anni, essendo nato a Bologna nei primi giorni di luglio del 1721, da un nobiluomo di cui non aveva mai conosciuto il nome e da una cameriera; la sua salute, a parte la pinguedine, era abbastanza buona, ma il senno andava e veniva: certe volte c'era, e magari il giorno dopo non c'era piú... In quei periodi d'assenza il vecchio prete diventava bizzoso, e faceva discorsi o commetteva eccessi che mal si accordavano con la sua età e con l'abito che indossava. La sua storia era abbastanza semplice: nato illegittimo, era stato affidato ad uno di quegli istituti per l'infanzia che allora si chiamavano Conservatorii, dove gli era stato riconosciuto un naturale talento per la musica e dove era stato sottoposto a quell'operazione, che allora veniva considerata indispensabile per raggiungere l'eccellenza nell'arte canora. A partire dai quindici anni aveva avuto ripetute crisi mistiche, in seguito alle quali s'era fatto prete; ma già mentre studiava in Seminario, a Venezia, aveva compiuto le sue prime pazzie. Una notte era scappato in barca e soltanto dopo molte ricerche i suoi superiori lo avevano trovato all'alba in piazza San Marco, impegnato a convertire un gruppo di nottambuli venuti fuori dal Ridotto e dai Casini: quei buontemponi, per prendersi gioco di lui, facevano a gara a chi gli confessava il peccato piú orribile, l'azione piú infamante, il fatto piú mostruoso; e lui, con la sua parola appassionata, era già riuscito a redimerne tre o quattro, che si erano dichiarati pentiti e giuravano di voler cambiare vita! Un'altra volta, essendosi imbattuto in un povero, il giovane Tomaso aveva incominciato a spogliarsi per fargli dono dei suoi abiti: e se non si fossero intromessi alcuni passanti, si sarebbe tolto di dosso ogni indumento, fino a restare completamente nudo. Divenuto prete, aveva alternato periodi di relativa lucidità, in cui cantava come solista nelle cattedrali, a periodi – fortunatamente piú brevi – di follia quasi completa, in cui andava in giro con il capo cosparso di cenere e predicava la fine del mondo. La sua ultima stravaganza pubblica, a Venezia, era avvenuta molti anni prima, durante il famoso carnevale del 1768. Don Tomaso era comparso sul *liston* – cioè sul percorso tradizionale del passeggio, tra piazza San Marco e il Molo – armato d'una frusta da carrettiere, e aveva minacciato di frustare a sangue tutte le donne con gli abiti scollati e tutti i *cicisbei* che le accompagnavano. Era stato in seguito a quell'episodio – si diceva – che il patriarca di Venezia aveva pregato il vescovo di Belluno di sistemarlo in una parrocchia di montagna: e cosí era potuto accadere che un cantore, e addirittura un *sopranista* come don Tomaso, venisse mandato tra i rozzi montanari della valle di Zoldo, nonostante la bellezza e l'armonia della sua voce; una voce che nell'estate del 1783 aveva ormai perso una parte del suo incanto, ma che ancora non s'era affievolita...

Il giovanotto dai capelli rossicci continuava a stringergli le mani e a singhiozzare e don Tomaso si tranquillizzò; forse – pensò – quel ragazzo aveva davvero una ragione grave e urgente per chiedere d'essere confessato: ma perché si rivolgeva proprio a lui? Lo sapevano tutti, nella parrocchia di San Tiziano, che su di lui non c'era da fare affidamento, e che era debole di testa! Tracciò un segno di croce sopra il giovane. «Se davvero vuoi confessarti, io sono qua... Però ora alzati, per l'amor del cielo, e smetti di piangere! Ricordati che la misericordia di Dio è infinita, e che non esiste al mondo un solo peccatore, che non possa meritare il suo perdono, se davvero si pente. Nemmeno uno!»

«Ho fatto un voto e non so mantenerlo», disse il giovane. Si asciugò le lacrime. Spiegò: «Mi chiamo Mattio Lovat e vengo da Casal, nella parrocchia di Pieve. L'estate scorsa ero sul Bosconero a fare il carbone e una notte, tormentato dal Diavolo, ho promesso a Dio che se avessi commesso ancora un certo peccato, mi sarei liberato di quella parte del mio corpo che mi spingeva a peccare. Mi ero ricordato di una pagina dei Vangeli dove la questione è trattata con molta chiarezza. Se la tua mano è occasione di scandalo – sta scritto nei Vangeli – tagliala: è meglio per te vivere con una mano sola, che andartene con due mani nella Geenna! E se il tuo piede è occasione di scandalo, taglialo: è meglio per te andartene zoppo per il mondo, che essere gettato con due piedi nella Geenna! E se è il tuo occhio che ti spinge a peccare, cavalo: è meglio per te entrare con un occhio solo nel regno di Dio, che essere gettato con due occhi nella Geenna...»

«Calma, calma! Un momento! – disse il prete. – Lascia perdere la Geenna e spiegami con chiarezza che voto hai fatto, e di cosa dovresti liberarti... Ma prima di tutto dimmi qual era il peccato che non dovevi piú commettere, e che invece, se ho ben capito, hai commesso ancora. Come faccio a darti l'assoluzione, se non so il peccato?»

«Il peccato, ecco... – Le guance di Mattio si imporporarono, le sue labbra s'aprirono e si chiusero due volte prima che ne uscisse la voce: – Credo si chiami sodomia...»

Don Tomaso si fece il segno di croce. «Gesú, aiutami! Davvero, tu... hai avuto a che fare con un altro uomo?»

«Sí», disse Mattio.

Ci fu un momento di silenzio. «Dunque, – cercò di riassumere don Tomaso, – il tuo voto consisteva in questo, che se tu avessi peccato di nuovo, ti saresti...» Spalancò gli occhi, smise di parlare e s'afferrò la testa con tutt'e due le mani, come faceva quando voleva impedirle di volare via. Gridò: «Perché sei venuto a cercare proprio me, tra tutti i preti di Zoldo?» Domandò, in un sussurro: «Forse, perché io sono... io sono... come tu ora vorresti essere, e non sei?»

Mattio fece segno con la testa: sí, e i suoi occhi nuovamente si riempirono di lacrime, la sua voce fu rotta dai singhiozzi. «Aiutatemi, vi prego! Io vorrei fare ciò che ho promesso, ma ho paura di non esserne capace e ho pensato che solamente voi, in tutta la valle, potevate darmi un consiglio! Solo voi!»

«Ti sbagli», disse don Tomaso. Si sentiva proprio lucido, quel giorno, con i pensieri tutti giusti e ben concatenati tra loro, e tirò fuori di tasca un libriccino rilegato in pelle nera, lo sfogliò cercando una pagina. Ripeté: «Ti sbagli. Qualunque confessore, anche nella tua parrocchia, ti avrebbe detto le stesse cose che ti dirò ora io, e cioè che quel passo che tu hai citato dal Vangelo di San Marco non va inteso alla lettera, assolutamente! Se si dovesse intenderlo alla lettera, l'umanità si ridurrebbe a un'accozzaglia di storpi o sarebbe già scomparsa: perché, se ci rifletti, la causa prima dei nostri peccati è la nostra testa, ma se tutti ce la tagliassimo, cosa succederebbe?»

«Il motivo della tua disperazione, – disse il prete dopo una breve pausa, – è che hai promesso a Dio qualcosa che già gli apparteneva: te ne rendi conto? Le tue mani, i tuoi piedi, tutte le parti del tuo corpo sono cose sue: lui te le ha date e lui se le riprenderà, quando penserà che sia giunto il momento di farlo. Il tuo voto è nullo perché era sbagliato: se tu, ora, volessi davvero mantenerlo, aggiungeresti all'errore un altro errore, al peccato un altro peccato. Una cosa assurda!»

Don Tomaso brandí il libriccino che teneva aperto tra le dita, lo mostrò a Mattio. «Questo, – gli disse, – è il Vangelo dell'apostolo di cui porti il nome, e le parole che sto per leggerti sono sue: ascoltale attentamente, tu che volevi diventare eunuco per liberarti dal peccato! Ci sono uomini – dice San Matteo – che sono già eunuchi nel momento in cui nascono, ce ne sono altri che vengono resi tali dai loro genitori o dai loro padroni, e ce ne sono infine che si fanno eunuchi volontariamente, per il regno dei cieli». Richiuse il libriccino. «Ecco, – spiegò: – io che sono stato reso eunuco dagli uomini, non ho alcun merito per la mia condizione. Tu invece hai la possibilità, anzi: hai il privilegio!, di diventare eunuco per il regno dei cieli, mantenendo casti i tuoi atti e i tuoi pensieri fino al termine della tua vita. Se davvero vuoi adempiere al tuo voto questo è l'unico modo: non ce ne sono altri!»

Capitolo quinto
Venezia

C'era molta gente che aspettava la zattera per Venezia, in quel lontano giorno d'aprile del 1784 in cui Mattio e Angelo Lovat s'imbarcarono nel porticciolo di Codissago, e c'era anche molto frastuono: su tutt'e due le rive del fiume, allo strepito abituale delle seghe ad acqua e agli altri rumori si aggiungevano gli urli e i richiami dei *menadàs*, cioè degli uomini che agganciavano i tronchi portati dalla corrente e li tiravano in secco o li smistavano nei canali delle segherie, a seconda del marchio che avevano impresso. Nel porto, poi, si preparavano le merci che si sarebbero dovute caricare di lí a poco: si rotolavano botti, si accatastavano assi di legno pregiato, si allineavano sul pontile, pronte per essere imbarcate, certe casse pesanti come macigni, piene di chiodi e d'altro ferrame proveniente dalle officine di Zoldo. Era quello, infatti, il periodo dell'anno piú favorevole al trasporto per zattera di ogni genere di merci: quando le nevi sulle montagne incominciavano a sciogliersi e il grande fiume – già rinvigorito dalle piogge primaverili – si gonfiava d'un'acqua torbida, grigiastra, che era l'acqua di neve. In quella stagione della *menada* dei tronchi e del disgelo, partivano dal Cadore due zattere al giorno: una alla mattina, che si fermava a caricare e a scaricare in ogni porto del fiume e poteva impiegare anche piú di una settimana per arrivare in laguna. Questa zattera piú lenta serviva quasi soltanto a trasportare animali e cose e poi, nel pomeriggio dei giorni feriali, c'era un'altra zattera, la cosiddetta «rapida», che portava i viaggiatori dal Cadore al mare in soli tre giorni. Mattio e Angelo, naturalmente, stavano aspettando la «rapida», eccitati e anche intimoriti per la novità e la lunghezza del viaggio, e per ciò che li attendeva quando infine sarebbero arrivati a destinazione: la città di Venezia! Soprattutto era intimorito il piccolo Angelo, che aveva allora tredici anni e andava a Venezia per restarci a lavorare, grazie ai buoni uffici di fra Giuseppe da Zoldo: sarebbe stato assunto come garzone nella bottega di un orafo e avrebbe dovuto spiare ciò che facevano i lavoranti adulti – cosí gli aveva detto sua madre, e cosí gli ripetevano tutti – per «rubargli il mestiere»! Il povero ragazzo si guardava attorno con gli occhi spalancati, perché non era mai uscito dalla sua valle prima di quel giorno e alternava momenti di entusiasmo e di curiosità, in cui voleva sapere tutto di tutto e tempestava il fratello di domande, ad altri d'improvvisa tristezza, in cui gli occhi gli si riempivano di lacrime e la paura dell'ignoto diventava fortissima. Si domandava, in quei momenti: dove vado? Come sarà la mia vita, senza amici, in quella città sconosciuta e lontana? Anche Mattio, che aveva ormai ventitré anni e si metteva in viaggio soltanto per accompagnare il fratello piú giovane, era inquieto e eccitato: finalmente – pensava – avrebbe visto Venezia! Dopo una breve attesa, la zattera arrivò; anzi, a voler essere precisi, si dovrebbe dire che arrivarono le zattere: perché quelle imbarcazioni che viaggiavano sul Piave da piú di mille anni e che avevano portato in laguna tutti i tronchi con cui s'erano fatte le fondamenta di Venezia, i suoi palazzi, le sue navi, erano dei veri e propri «treni d'acqua» composti ciascuno di cinque vagoni – cinque zattere – tenuti insieme da artifici elastici di legno di nocciolo. La prima e l'ultima zattera d'ogni convoglio erano riservate agli zattieri: ogni «treno d'acqua», infatti, doveva avere un suo equipaggio regolamentare di otto uomini vestiti tutti di nero, col cappello nero a «bombetta», la camicia e le calze bianche e una fascia di lana rossa stretta intorno alla vita. Sulla seconda e sulla quarta zattera si caricavano le merci; soltanto la zattera centrale era destinata al trasporto delle persone. Tra imprecazioni fiorite e rumori d'ogni genere, frenando col *pal de ponta*, il convoglio venne a fermarsi di fianco alla banchina: allora i viaggiatori piú giovani saltarono giú, e aiutarono le donne e gli uomini anziani a compiere quell'operazione – che per loro era un po' piú difficile – e ad imbarcare i bagagli. Mattio aiutò Giacoma Slis, una ragazza di Casal che si ostinava a voler fare da sola e che, quando infine riuscí a mettere i piedi sopra i tronchi della zattera, era rossa per lo sforzo ed anche un po' per l'imbarazzo che provava, di dover viaggiare proprio con quel giovane, che non si decideva a chiederla in moglie! Giacoma, infatti, se Mattio non avesse sempre mostrato un sostanziale disinteresse per il matrimonio e per le ragazze di Casal, avrebbe potuto essere sua moglie, cosí come lui era uno dei possibili mariti di lei, fino dalla nascita; ma poi tutti i loro coetanei si erano sposati tra loro o se ne erano andati per il mondo a cercare fortuna, e loro due soli, nel villaggio, erano rimasti scapoli: una situazione imbarazzante, che li caricava di responsabilità reciproche, ben oltre le intenzioni di entrambi! Cosí, succedeva spesso in casa Lovat che la signora Vittoria chiedesse a Mattio: «Cosa aspetti a prenderti in moglie la Giacoma?» (E che qualche volta, anche, aggiungesse in tono di rimprovero: «Non sarà piena di vezzi e di moine come quell'altra allevata a Belluno dalle monache, ma è robusta, lavora e non matiza», cioè non matteggia, non ha grilli per il capo). E ancora piú spesso succedeva in casa Slis che i genitori della Giacoma, due contadini altrettanto poveri dei Lovat, dicessero alla figlia: «Quel Mattio! Ha la testa cosí piena di sogni e di fantasie, che finirà per sposare una nuvola, o la luna, e ti farà rimanere zitella! Gli anni volano!»

Qualche volta, addirittura, la sgridavano:«Sei tu, Giacoma, che sei troppo scontrosa per trovare un marito! Dovresti fare le mossettine e i sorrisini come fanno le altre, e portare l'uomo pian piano al punto giusto, senza che lui se ne accorga!» Sentenziavano: «Chi g'ha 'l mànego in man, lo dòpere!»

(«Chi ha il coltello dalla parte del manico, deve approfittarne!»)

Ma la Giacoma, poveretta, se si fosse messa a fare mossettine e sorrisini gli uomini li avrebbe fatti scappare come lepri, anziché attirarli, perché non era il tipo adatto per quel genere di cose: era una ragazzona grande e solida con i capelli del colore della stoppa, la pelle chiara piena di lentiggini e gli occhi tristi, da cane bastonato. Di carattere era taciturna e un po' selvatica, e anche quel giorno si capí che avrebbe preferito viaggiare da sola, pensando ai fatti suoi e senza dover fare conversazione con un compaesano; però la zattera era affollata, ci si stava stretti e bisognava adattarsi a scambiare qualche parola, perché cosí volevano le buone maniere, tra persone civili! «Dove andate, Giacoma?» le chiese Mattio.

Lei rispose che andava a lavorare in un *fol*, cioè in uno degli stabilimenti in riva al Piave dove si battevano e si tingevano i panni di lana, dalle parti di Feltre, e che sarebbe ritornata a Casal verso la fine di ottobre, o, al massimo, all'inizio di novembre... Quello di follare la lana – confidò – era un lavoraccio, da rompercisi la schiena e da lasciarci i polmoni: ma ci si guadagnavano abbastanza soldi per passare l'inverno a casa, e insomma era meglio cosí che star via tutto l'anno a fare la serva! Mattio invece era felice perchè andava a Venezia, e anche parlando con Giacoma non poté fare a meno di manifestare tutto il suo entusiasmo. Di lí a tre giorni – le disse – avrebbe camminato tra le case e i palazzi di quella città, sul cui conto correvano tante leggende, e che i sudditi di Terra Ferma chiamavano «la Dominante», quasi avessero timore a pronunciarne il nome! Giacoma lo ascoltava e guardava davanti a sé, la riva del fiume che scorreva veloce con i suoi mulini e le sue segherie. Infine scosse la testa: «Io a Venezia non ci sono mai stata – disse, – ma quando non sarò piú abbastanza forte per lavorare nei folòi ci andrò a servizio in casa di signori, come tante altre donne della nostra valle, e delle meraviglie della Dominante non vedrò niente e non me ne importerà niente, succede a tutte cosí! I palazzi e le altre bellezze di Venezia sono cose fatte dai ricchi per i ricchi, non per i poveri montanari come noialtri!»

Mentre Giacoma parlava, Mattio notò uno *zatèr* alto e massiccio, con i capelli raccolti a treccia sulla nuca, che si era fermato davanti a lei e faceva dei gesti con le labbra e con gli occhi, delle smorfie che probabilmente dovevano servire ad attirare l'attenzione di quella ragazza, poco meno alta e massiccia di lui.

Mattio pensò che Giacoma lo conoscesse e non disse piú niente; allora l'uomo s'avvicinò all'oggetto delle sue brame e gli sussurrò qualche parola in un orecchio, una frase che fece cambiare in un istante l'espressione del viso della ragazza, da triste a furibonda. «Devi solo provarci, brutto Giuda, – sibilò Giacoma
allo *zatèr* che si ritirava, sorridendo in un certo modo, per far intendere alla gente lí attorno: s'è arrabbiata all'improvviso e senza motivo, io non ho detto niente che potesse inquietarla... –
Prova solo a toccarmi, che ti copo!» (Ti ammazzo).

«Chi è? – domandò Mattio. – Lo conoscete?»

«Non l'ho mai visto prima d'oggi, – disse Giacoma: e gli occhi ancora le scintillavano, il labbro inferiore le tremava. – Ma
già prima della partenza, a Codissago, era venuto a dirmi una
porcheria». Fece un gesto come per sputare, alzò la voce: «Se
cerca rogna, con me l'ha trovata! Buzaròn!»

Superate in un turbine le tre rapide dette di Dogna, di Pro-
vagna e di Fortogna dai nomi dei villaggi ad esse sovrastanti, la
zattera continuò la sua corsa verso Belluno senza piú grandi
scosse, rallentando progressivamente l'andatura a mano a mano che le montagne s'allontanavano e il fiume s'allargava, si di-
videva in rami, formava le prime isole. Soltanto una volta la pesante imbarcazione corse davvero il rischio di incagliarsi per
una manovra affrettata; i tronchi della parte di poppa striscia-
rono contro i sassi del fondo provocando una sorta di terremoto e
chi era in piedi al centro della zattera vacillò e cadde, alcuni – e
tra essi il piccolo Angelo – gridarono per lo spavento: «Si va a
fondo! Aiuto!» Ma il *capo zata* ordinò ai suoi uomini di fare forza tutti insieme con i remi e in un batter d'occhi il convoglio si
raddrizzò, si liberò, riprese la sua corsa. Dopo Capo di Ponte il
paesaggio si fece piú ameno, piú variato di campanili e di ville e
d'alberi fioriti; incominciarono a venire incontro ai viaggiatori i
mulini e i *folòi* di *cividal*, o dei suoi immediati dintorni. Appar-
ve Belluno: in alto, immersa nel verde, si vide la città dei signori
con i suoi campanili, le sue torri, i suoi palazzi; e giú, sul fiume,
s'avvicinarono le casupole di Borgo a Piave e i magazzini del
porto. Con il trambusto che l'operazione richiedeva ogni volta,

la zattera attraccò e i viaggiatori si divisero in due gruppi: i benestanti si diressero verso l'Osteria del Borgo, dove avrebbero
cenato e pernottato in comode stanze da quattro o cinque letti
ciascuna; gli altri, e tra loro Giacoma e i fratelli Lovat, si sedettero su una catasta di assi, tirarono fuori dalle bisacce e dalle
sporte la polenta che s'erano portati da casa e cenarono con
quella, chiacchierando del piú e del meno per passare il tempo,
finché il buio fu completo. Soltanto allora, dopo che il campanile della chiesa di San Nicolò di Piave ebbe battuto due colpi, entrarono in una baracca di legno che serviva da riparo per la
pioggia e da dormitorio e si coricarono al buio sopra un po' di
paglia, cosí vestiti com'erano: dopo essersi augurata la buona
notte e dopo essersi dette le ultime facezie, soprattutto quelli
che stavano vicini alle donne. Alcuni, e tra loro Mattio, incominciarono a girarsi e a rigirarsi, alcuni altri attaccarono subito
a russare. Con il trascorrere del tempo, però, l'intero stanzone
risuonò d'un respiro profondo di gente addormentata, che faceva da sottofondo ai raschi e ai fischi dei solisti; e il concerto
sarebbe continuato fino al mattino del giorno successivo, con
minime variazioni su quel solo tema, se non fosse accaduto
qualcosa, un po' prima della mezzanotte, che costrinse i viaggiatori ad un risveglio improvviso e sgradevolissimo. Mattio e
Angelo e tutti gli altri che dormivano furono prima disturbati e
poi svegliati dal rumore di una lite furibonda vicino alla porta:
qualcuno al buio aveva afferrato qualcun altro per i vestiti e cercava di trattenerlo, nonostante quello si divincolasse per guadagnare l'uscita. E non era tutto. I viaggiatori che erano stati urtati
nel sonno, reagivano tirando pugni all'impazzata contro il nemico invisibile che li aveva aggrediti; e c'era anche chi invocava
un po' di luce, e chi gridava come un ossesso: « Aiuto! Aiuto! »
    Arrivò dalla darsena, correndo, uno sbirro con un *feral*; un
altro sbirro, seminudo e con in mano una torcia accesa, venne
fuori da una casupola dall'altra parte della strada: e cosí finalmente i viaggiatori poterono controllare i loro bagagli e i loro
soldi, e cercare di capire cosa fosse successo. Si vide allora che
l'intruso – in giacchetta e mutandoni di tela – era quello stesso

zatèr con i capelli legati a treccia che si era già fatto notare, il giorno precedente, per le molestie alla Giacoma. Aveva la manica sinistra della giacca imbrattata di sangue, un occhio tumefatto e veniva trattenuto per le braccia da quegli stessi viaggiatori che lo avevano fermato vicino alla porta. Quelli che, al buio, s'erano presi un pugno in faccia, e quelli che erano stati calpestati dalle *dàlmede* dello *zatèr* o dei suoi inseguitori se ne andavano attorno per lo stanzone tenendosi le mani sul viso insanguinato e bestemmiavano Dio, la Madonna e tutti i Santi del calendario, dicevano: «Chiamate un dottore! Per favore, portatemi un po' d'acqua!» La causa involontaria di quel gran scompiglio, cioè la Giacoma, stava in fondo alla camerata con le spalle contro la parete e stringeva tra le dita un coltellaccio lungo un piede (circa trentacinque centimetri) e largo in proporzione. Tremava tutta, piú di rabbia, però, che di paura: interrogata dagli sbirri seppe dire soltanto che qualcuno aveva cercato di approfittarsi di lei mentre dormiva, mettendole una mano sulla bocca per impedirle di gridare, e che le dispiaceva di non averlo ammazzato. Prometteva: «La prossima volta lo copo! Giuro a Dio!» Lo *zatèr* – che probabilmente non s'aspettava d'essere accolto a braccia aperte, ma nemmeno d'essere accoltellato – era scappato a rotta di collo; andandosene in quel modo, era inciampato nelle persone sdraiate per terra ed era stato scambiato per un ladro, perché l'accanimento dei viaggiatori a non lasciarlo andar via si spiegava con la paura che tutti avevano di essere derubati, e non certo con la faccenda della Giacoma! Alla fine, quando ebbero ricostruito i fatti per filo e per segno, gli sbirri se ne tornarono a dormire e anche i viaggiatori cercarono di riprendere il sonno interrotto, perché la notte era ancora lunga. Lo *zatèr* scomparve: ma alla mattina del giorno successivo era di nuovo al suo posto sulla prima zattera, con un occhio nero e un braccio al collo, e si atteggiava e cercava di comportarsi come se non fosse accaduto nulla...

Il secondo giorno di navigazione, da Belluno a Falzè di Piave, ci fu un'altra avventura. Pochi minuti dopo che i viaggiatori erano partiti il cielo s'oscurò, i tuoni rimbombarono tra il Mon-

te Alto e il Nevegal, l'azzurro si ridusse ad una striscia sottilissi-
ma che infine scomparve per far posto a nuvoloni gonfi di pioggia: tornò il buio, in un paesaggio rischiarato soltanto dalla luce
dei lampi che facevano sembrare piombo fuso le acque del Piave, e davano a tutto ciò che illuminavano un aspetto spettrale.
Angelino piagnucolava: «Voglio scendere! Per favore, Mattio,
di' al capo-zata che si fermi!» Ma bastava guardare gli zattieri
per capire che il loro massimo sforzo, in quel momento, era rivolto ad andare ancora piú in fretta, mantenendo la zattera nel
centro della corrente ed impegnandosi tutti insieme sui remi
per aggirare le secche, molto numerose in quel tratto di fiume.
Soltanto quando incominciarono a venir giú certi goccioloni
cosí grossi che battendo sulla superficie dell'acqua sembravano
sassi, o chicchi di grandine, l'equipaggio si preoccupò delle persone che erano a bordo, senza però eccedere in premure e senza
distogliere troppa gente dalla manovra: un uomo solo, il *caporal
a man de fant* – che nella gerarchia della navigazione sul Piave
era il comandante in seconda – abbandonò il suo posto sulla
zattera di poppa per portare una tela cerata ai passeggeri, e poi
anche li aiutò ad aprirla e ad allargarla, mentre la pioggia tempestava sulle loro teste e sui loro vestiti; ad assicurarla alle *taje*,
cioè ai tronchi di larice di cui era fatta l'imbarcazione, con certi
ganci di ferro che erano attaccati ai bordi del telo. Dopo molti
sforzi, e quando tutti ormai erano già bagnati, la copertura fu sistemata direttamente sulle teste dei viaggiatori che si ritrovarono al buio, senza piú la possibilità di vedere ciò che stava succedendo all'esterno: in balía del fiume e della tempesta. La zattera, intanto, correva veloce sul filo della corrente, spinta anche
da un vento gelato, cosí forte che l'acqua del Piave si sollevava
alle sue raffiche, e i fulmini cadevano tanto vicini che se ne sentiva, oltre al fracasso, anche l'odore: se la parola odore è sufficiente a definire quell'atmosfera elettrica e sulfurea, inconfondibile per chi l'abbia respirata anche solo una volta, che si av-
verte in prossimità di un fulmine. Era il primo vero temporale
di quell'anno e durò piú di un'ora: grandinò, piovve, ritornò a
grandinare e poi ancora a piovere, mentre i passeggeri, spaven-

tati e intirizziti, se ne stavano sotto il telone a battere i denti e a
mormorare preghiere. («Potremmo andare sottosopra da un
momento all'altro, – pensavano tutti, – e ci toccherebbe di morire come topi in trappola!») Quando finalmente la pioggia ces-
sò e il *caporal a man de fant* ritornò nella parte centrale della zattera per liberare i viaggiatori da quel telo con cui lui stesso li
aveva coperti, erano ormai arrivati al porto di Busche: dove il
convoglio avrebbe sostato una mezz'ora per consentire il colle-
gamento con la città di Feltre. Fu lí, a Busche, che Giacoma e
Mattio si salutarono: «Sani, Giacoma!»

«Sani, Mattio!»

Passata Feltre, il vento cambiò: in un batter d'occhi, il temporale dileguò verso sud-ovest, verso Vicenza e Verona. Le nuvole si sfilacciarono, si sfrangiarono; il cielo veneto, cosí bello e
luminoso nella realtà come nella pittura di tre secoli, dal Giam-
bellino al Guardi, tornò a risplendere del suo azzurro; il grande
fiume, che un'ora prima era sembrato cosí cupo, scintillò al sole
in una miriade di luci e di riflessi mentre dalla parte di Belluno,
tra le montagne, s'alzava l'arcobaleno. Il Piave, all'epoca della
nostra storia, era il fiume che porta ancor oggi questo nome ed
era anche l'altro fiume, quello sotterraneo delle condotte forza-
te «Piave Boite Maè Vajont» che alimentano le centrali elettri-
che in pianura: soltanto la somma di questi due fiumi, nel presente, potrebbe ridarci il Piave d'un tempo, che ogni anno trascinava a valle il legname delle foreste del Cadore e che Mattio e
Angelo vedevano dalla loro zattera, in quel giorno d'aprile del
1784. Spinto da un flusso sempre piú lento e possente, il convoglio arrivò in pianura e vi sostò per la notte, altre due volte: a
Falzè e a Ponte di Piave. Fortunatamente per i nostri viaggiatori, però, quei pernottamenti non ebbero storia: i passeggeri della «rapida» dormirono nelle baracche a loro destinate, da nul-
l'altro infastiditi che dal frastuono di quelli tra loro che russavano, e dal lavorio silenzioso di certe bestioline, che se ne stavano
acquattate nella paglia e attendevano ogni notte i nuovi arrivati... A Ponte di Piave, Mattio uscí all'alba per una sua necessità e
trovò dietro la baracca un altro passeggero della zattera che si

stava alzando le brache proprio in quel momento. Con un gesto di legittimo orgoglio, il viaggiatore indicò a Mattio quella parte di sé da cui si era appena separato e che stava lí a terra. Sentenziò, battendosi il pugno sul petto:

«Pissar ciaro e cagar duro, l'uomo è forte come un muro!»

In pianura, c'erano dappertutto certi campi coltivati con tante file di piantine alte una spanna, che i nostri montanari non avevano mai visto prima d'allora e che incuriosirono il piccolo Angelo. Mattio non sapeva dirgli di che coltivazioni si trattasse e uno sconosciuto che viaggiava insieme a loro si indignò per tanta ignoranza. «Come si fa, – chiese in tono di rimprovero, – a non riconoscere il Dio che ci ha creati, e i genitori che ci hanno fatto crescere, e questi campi che ci mantengono in vita?» Alzò il dito con molta gravità. «Questi che state vedendo, – disse rivolto al piccolo Angelo, – sono i campi della polenta, ricordatene sempre! Tutti gli uomini e le donne della Terra Ferma, tolti pochi signori, mangiano da qui!»

I campi della polenta erano cosí numerosi, e cosí grandi, che sembrava non dovessero finire mai: invece finirono. Nelle prime ore del pomeriggio, a forza di remi, la «rapida» dal Cadore entrò in laguna tra nuvole di trampolieri, stormi di anatre selvatiche e sciami d'uccelli d'ogni genere, acquatici e terrestri, che s'alzavano in volo disturbati dalle grida degli zattieri. Uno spettacolo indimenticabile, per il piccolo Angelo: ma le meraviglie, ormai, erano cosí numerose, che lui si guardava attorno con la bocca e gli occhi spalancati, e non chiedeva piú niente al fratello. C'erano le postazioni di pesca, con le loro reti quadrate appese agli argani; c'erano le barche colorate a colori vivaci, i barconi da carico e le *tartane* con le vele triangolari, palpitanti nella brezza di mare; c'era perfino – nera e sinistra in mezzo alla palude – una nave da guerra in disarmo, una *fusta* piena di pazzi che saltavano sul ponte e gridavano a chiunque passasse di lí, di dargli da mangiare. («Presto, presto! – imploravano i pazzi. – Buttateci qualcosa! Per l'amor di Dio, se no crepiamo di fame!»). Il convoglio oltrepassò Torcello e Burano e puntò la prua verso la città mentre il sole al tramonto incendiava la laguna e Venezia controluce era proprio come l'avrebbe descritta un suo poeta molti anni piú tardi: «Un'arca d'oro, ardente, raggiante». Passò davanti a Murano e a San Michele, mentre gli zattieri s'affannavano ai remi per arrivare in porto prima di notte; uscí in uno specchio d'acqua pullulante d'altre zattere, di *burchi*, di *peote*, di *tartane*, davanti a quelle Fondamente Nove e a quella Sacca della Misericordia che erano la porta di servizio della Dominante, cosí come la Riva degli Schiavoni, il Molo e piazza San Marco ne erano l'ingresso monumentale e principale. La Venezia in cui Mattio e Angelo Lovat stavano per sbarcare, venendo in zattera dalle loro montagne, non era certo la capitale dell'arte, del lusso e dei divertimenti, nota ai viaggiatori d'ogni parte d'Europa. Era l'approdo degli operai di Terra Ferma e delle forniture di grani e di legname; ma i due fratelli, che a Venezia non c'erano mai stati e non avevano molta pratica delle cose del mondo, non furono nemmeno sfiorati dal sospetto che esistessero in mezzo alla laguna due città, una per i ricchi e per i forestieri e l'altra per la gente come loro. A poca distanza dalle case e dalle calli, mentre già le ombre s'allungavano e la notte scendeva sulla laguna alle loro spalle, dovettero trasbordare con gli altri viaggiatori su un barcone a remi che li portò in Campo dell'Abbazia. Lí, tra gli uomini e le donne che aspettavano i passeggeri della zattera del Piave, faceva spicco da lontano loro zio, fra Giuseppe da Zoldo: per l'imponenza della corporatura, la grandezza della chierica e l'autorità con cui si faceva largo tra la gente, dirigendosi verso di loro. Erano arrivati!

Mattio andò alla scoperta di Venezia la mattina del giorno successivo, di buon'ora, partendo da Campo Sant'Alvise e dal convento dei Riformati. S'avviò senza nemmeno chiedere da che parte fosse piazza San Marco, e se fosse lontana: passò sulle Fondamenta della Sensa, dove i pescatori riparavano le reti e le loro donne, sedute davanti a casa con il gatto ai piedi, facevano la calza o attendevano a qualche lavoro di cucito conversando da una porta all'altra. Dopo alcune giravolte, si ritrovò in quello stesso Campo dell'Abbazia dov'era sbarcato la sera del giorno precedente e andò verso la Sacca della Misericordia per rivede-

re la zattera che l'aveva portato fin lí, ma si rese subito conto che
il suo desiderio, oltre che sciocco, era irrealizzabile: l'immenso
bacino d'acqua era pieno di zattere, tutte uguali e tutte in attesa
dei carpentieri che le avrebbero demolite per recuperare i tronchi – le *taje* – di cui erano fatte. Ritornò allora sui suoi passi:
percorse altre calli, altre fondamenta, attraversò altri canali ed
altri campi, finché ebbe la certezza di aver perso l'orientamen-
to, e di essersi smarrito. Quella sensazione – però – non lo im-
paurí, anzi lo rese felice. Continuò a camminare, guardandosi
attorno. Tutto ciò che vedeva – le calli, i ponti, i palazzi, le gondole e le altre imbarcazioni di cui non conosceva il nome – gli
sembrava facesse parte di una favola, e cosí gli sembravano diversi e straordinari, quasi abitanti d'un altro pianeta, gli esseri
che popolavano quella favola: i ragazzi per strada intenti al gioco della *lippa*, le dame e gli uomini che camminavano con il volto coperto da una maschera di cartone o addirittura in *baúta*,
con il mantello di velluto nero, il cappello a tre punte e la *larva*
in viso... Perfino le comari, e perfino i gatti, erano diversi dalle
comari e dai gatti di Zoldo! Ma i veri padroni di Venezia e delle
sue strade nelle ore del mattino erano gli ambulanti, e Mattio
non tardò ad accorgersene. Il primo ambulante in cui gli era ca-
pitato di imbattersi e che gridava a pieni polmoni: «Rabia! Rabia!», era stato per l'appunto un venditore di *rabia* cioè di veleno per topi. Mattio s'era stretto contro il muro per scansarlo e
l'ambulante gli era passato davanti tutto impettito – anche un
venditore di veleno per topi, nel suo piccolo, può essere un
grand'uomo! – tenendo in spalla un lungo bastone, una *canna
d'India* da cui penzolavano, attaccati ad altrettanti uncini, dodici topi morti: sei per parte, grossissimi e molto vecchi, a giudicare dalle code quasi prive di pelo. Sull'altra spalla il venditore
aveva un bisaccia con dentro la *rabia*, e poi anche portava appesi alla cintura due fiaschietti d'inchiostro, tre o quattro mazzi di
piume d'oca già tagliate e una filza di spugnette da calamaio,
che costituivano il resto della sua mercanzia destinata a topi e
scrittori. Gridava camminando: «Penne, inchiostro, spugne da
calamaio! Rabia, rabia!» Gli ambulanti, a Venezia, nelle prime

ore del mattino erano moltissimi ed erano i protagonisti d'uno spettacolo che si replicava ogni giorno, e che aveva per palcoscenico l'intera città. C'erano le *bigolanti* che andavano attorno con uno strano attrezzo a tracolla, una sorta di giogo detto *bígolo* con attaccati due secchi – uno per parte – e gridavano l'acqua; c'erano i *castragàti* con i ferri del mestiere tenuti dentro un panierino di vimini, e ogni tanti passi anche loro si fermavano per annunciare al mondo la loro presenza: «È rivà 'l castragàti! Castragàti!»; c'erano i *ponta piati* (aggiustapiatti) e i *conxa zòcoli* (zoccolai) che riparavano in città lo stesso tipo di calzature che Mattio riparava in montagna; c'erano i venditori d'aceto e le venditrici di frittelle e gli spazzacamini, e le loro voci s'incrociavano di calle in calle, formavano una polifonia, a tratti un concerto, che faceva risuonare di sé tutta Venezia, variamente modulandosi di sestiere in sestiere. C'erano i venditori d'esca per fuoco e d'acciarini che disponevano la loro mercanzia nei luoghi di passaggio, come fanno ancora oggi nelle nostre città gli ambulanti marocchini e nordafricani che vendono accendisigari, orologi al quarzo, stringhe per scarpe e canzonette incise su nastro. Questi recitavano la loro cantilena stando seduti per terra e di tanto in tanto, per richiamare l'attenzione, producevano una cascata di scintille sfregando un chiodo contro una pietra focaia. E c'erano perfino gli ambulanti silenziosi: i *marmotina*, che venivano dalla Savoia e non parlavano, perché, essendo stranieri, non conoscevano la lingua! Mattio ne vide uno davanti alla chiesa di San Giovanni Grisostomo: teneva al guinzaglio una marmotta spelacchiata, dall'aspetto triste, e portava appesa al collo una lavagna su cui c'erano scritte le seguenti parole: «Grasso di Savoia | originale | pel mal d'ossi | lire ven. 6 | la libra». Ma quando gli occhi del nostro montanaro incrociarono quelli del *marmotina*, lui subito li distolse e tirò diritto per la sua strada: il savoiardo, infatti, era uno zoldano d'Astragal, che certamente non avrebbe gradito d'essere chiamato per nome e salutato, per lo meno lí in pubblico...

Di calle in calle, senza sapere come ci fosse arrivato, Mattio si trovò davanti al ponte di Rialto: vi salí per affacciarsi sul Ca-

nal Grande affollato di battelli, di *bissone*, di barconi da carico e
soprattutto di gondole, coi gondolieri ritti a poppa che facevano forza sui remi e i passeggeri che s'intravvedevano dai vetri
del *felze*; discese sull'altra riva, affollata di uomini e di donne
con grandi sporte sottobraccio, e di servitori in livrea. Rialto, al-
l'epoca della nostra storia, era il ventre di Venezia, il suo mercato di generi alimentari, e il nostro montanaro, per la prima volta
dacché era al mondo, vide con i suoi occhi l'abbondanza: quel
Paese di Cuccagna, di cui parlano le favole, era lí! Ci entrò pas-
sando attraverso montagne di frutti dai colori abbaglianti – i colori, appunto, dei frutti delle favole – che erano le arance e i
mandarini e i limoni e i cedri dell'Aranceria; proseguí tra i mucchi degli spinaci, dei radicchi, delle cipolline, dei cavoli, delle
zucche, di tutte le verdure dell'Erberia che venivano dalle serre
delle isole e dagli orti dell'estuario, e poi ancora continuò a
camminare tra i banchi delle primizie che arrivavano dalla Pu-
glia e dalle isole greche: lattughe, cardi, piselli, rapanelli, fave,
fragole... Tra le casse e i sacchi della frutta secca e della frutta
candita: i fichi di Samo, le noci di Cappadocia, le mandorle del-
l'Illiria e della Tessaglia, l'uva passa di Corfú e delle isole dell'E-
geo, lo zibibbo di Cipro e di Pantelleria, i datteri della Cirenai-
ca... Procedeva guardandosi attorno con gli occhi spalancati,
senza nemmeno chiedersi dove stesse andando perché una folla
vociante, attorno a lui, lo urtava e lo spingeva. Andava come
tutti: avanti, avanti! Tra i mastelli delle olive in salamoia, di tante diverse qualità e grossezze, quante Mattio non avrebbe mai
creduto che esistessero al mondo, se non le avesse viste con i
suoi occhi; tra le tinozze dei sottaceti, e delle mostarde... Avanti, avanti: tra i sacchi bene allineati dei fagioli, dei ceci, dei lupi-
ni, delle fave, delle lenticchie, delle carrube, delle castagne secche; avanti ancora, in mezzo ai sacchi delle farine e a quelli dei
grani – riso, grano, granoturco e grano saraceno, miglio, senape
– e ai fornelli e ai banchi dei *fritolini*, impegnati a friggere polenta a fette o piccoli molluschi per dare ristoro alla gente che
era lí, affaccendata a fare compere, e tra una compera e l'altra si
mangiava un fritto... Dopo i banchi dei *fritolini* c'era la Pesche-

ria, con i venditori uno in fila all'altro che esponevano la loro
merce sopra lunghe tavole protette da tendoni: canestri di tri-
glie, di scorfani, di sardine, di scombri, di sogliole, di *passarini*,
di seppie, di branzini, di calamari, di polpi, di scampi, di testug-
gini, di orate, di granchi vivi, di gamberi, di aragoste che si trascinavano una sull'altra, muovendo ancora le lunghissime an-
tenne, di anguille che s'aggrovigliavano in gomitoli mostruosi e
che a Mattio fecero tornare a mente i *carbonazzi* del Crociato...
C'erano pesci enormi: tonni, spigole, murene, storioni. C'erano
pesci mostruosi: pescatrici, rombi, torpedini, razze, gattucci,
pesci di San Pietro ed altri ancora, che ricordarono a Mattio
certe rappresentazioni del Maligno, sui *capitelli* e nelle chiese
della sua valle. C'erano montagne di ostriche, di vongole, di
pettini, di cannolicchi, di datteri di mare, di patelle, di gran-
chioni, di *peoci* che i venditori reclamizzavano gridando: «I
peoci dell'Arsenale! I bei peoci!» Sospinto dalla folla, ubriaco
di immagini, di odori e di rumori, Mattio arrivò in fondo alla
Pescheria, dove si vendevano i pesci sotto sale, le *salacche* con-
servate in piccole botti, e dove anche si poteva acquistare, a pezzi o intero, un pesce secco e duro come il legno, ancora poco conosciuto tra le montagne della valle del Piave: il *bacalà*! Ritornò
sui suoi passi, svoltò nelle Beccarie: che in quel primo tratto
erano il regno della *castradina*, cioè della carne secca e salata di
montone, importata dall'Albania e dalla Dalmazia. Finché Venezia dominò la Terra Ferma, e l'Adriatico, e le isole del Mediterraneo orientale, la *castradina* fu la carne dei poveri; il suo
odore, nelle Beccarie, era cosí forte, che ti entrava nei vestiti in
pochi minuti e ci rimaneva attaccato per tutta la giornata. Dopo
le carni salate di montone c'erano quelle salate e insaccate di
maiale: enormi grappoli di sopresse e di pancette e di cotenne
affumicate stavano appesi fuori delle botteghe, insieme a file interminabili di sanguinacci, di salsicce, di *lugàneghe*, di cotechi-
ni e di cacciatorini, e a esposizioni mostruose di zamponi, a bat-
terie di culatelli e di prosciutti cosí appetitosi a vedersi e cosí
numerosi che Mattio provò una sorta di vertigine, pensando a
chi li avrebbe mangiati: soltanto di carni suine, in quella strada,

c'era di che sfamare la valle di Zoldo per una settimana! In campo delle Beccarie, però, cioè nella piazza, l'esposizione diventava orribile e al tempo stesso sublime. Era la mostra di un massacro che si era compiuto chissà dove poche ore prima, e che si ripeteva ogni giorno da tempo immemorabile perché quel luogo fosse sempre rifornito di merce fresca, cioè di animali ancora palpitanti e di carni ancora sanguinanti! Uno spettacolo cosí grandioso, e cosí barbaro, che Mattio restò fermo con gli occhi spalancati per qualche minuto, a riflettere sulla vita e sul cibo. C'erano montagne di capponi già spiumati, e svuotati delle interiora; grappoli di conigli già scuoiati e mazzi di *polli d'India* legati insieme per le zampe; porcellini vivi dentro alle loro gabbiette, a centinaia, in attesa d'essere scannati al momento dell'acquisto; stormi di piccioni, e di beccacce, e di quaglie, già ripieni e pronti a volare sugli spiedi; oche ed anatre ed altri innumerevoli animali, in mezzo ai quarti di vitella e di bue e ai capretti e agli agnelli appena scuoiati, tenuti sospesi sopra le teste dei passanti da grossi ganci di ferro. Mattio svoltò lasciandosi dietro le spalle l'urlo silenzioso di quella carne macellata che reclamava vendetta ad un Creatore, indifferente e lontano; attraversò l'epopea delle ricotte e dei formaggi – formaggi freschi, formaggi stagionati, formaggi di pecora e formaggi di vacca, formaggi affumicati, formaggi delle montagne venete e formaggi importati dalle terre d'Oltremare – e piegò nuovamente verso il ponte: per tornarci, però, dovette attraversare la Panetteria, che era il trionfo del pane. Venticinque botteghe – ma lui, naturalmente, non pensò a contarle! – una a fianco all'altra, esponevano pani d'ogni forma e d'ogni tipo ed esponevano anche sculture di pane fatte per attirare lo sguardo del passante e per mostrargli la bravura del fornaio che le aveva impastate. C'erano Leoni alati di pane, poco piú piccoli dei leoni veri; busti in pane dell'allora doge Paolo Renier e dell'allora papa Pio VI; maschere di pane: un Arlecchino col suo vestito a toppe confezionato con pani di diverse farine, un Pantalone, una Colombina; in una vetrina, addirittura, c'era in mostra un Bucintoro di pane con il doge in atto di lanciare l'anello per sposare il

mare, e attorno al doge tante altre pagnottelle scolpite rappresentavano i nobili del Collegio, e le loro dame! Mentre Mattio
stava guardando il Bucintoro, la campana di San Giacomo di
Rialto suonò l'Angelus; allora lui entrò in quella stessa bottega
per comprarsi una focaccia di farina di miglio, che sarebbe stata
il suo pranzo. Con la bocca piena, ritornò verso il ponte; e
avrebbe voluto svoltare per la Riva del Vin, dov'erano ormeg-
giati uno dietro l'altro i barconi carichi di botti, e dove c'erano
sul molo i vinai che servivano la *garba*, la malvasia e gli altri vini
navigati dentro bicchieri di vetro, e i vini di Terra Ferma dentro
boccali di ceramica: ma ne fu distolto da un gruppo di giovani
che imboccarono il ponte venendo dalla parte della Pescheria e
che parlavano ad alta voce tra di loro, d'andare a vedere «la
mongolfiera». (Mattio si domandò: «Cosa sarà mai?») «Presto, presto, – dicevano eccitati: – altrimenti arriveremo quando
la mongolfiera sarà già partita!» Continuavano a ripetere quella
parola: «mongolfiera», e Mattio, dopo un attimo di esitazione,
decise di seguirli. Tanto – pensò – il Paese di Cuccagna sarebbe
stato lí ancora l'indomani, e lui ci sarebbe tornato: mentre invece quella persona, o quella nave, o qualunque cosa fosse che stava per partire, se non avesse colto al volo l'occasione di vederla,
non l'avrebbe piú vista!

Seguendo i ragazzi che si facevano largo tra la folla, quasi di
corsa, Mattio arrivò in piazza San Marco dalla parte della Calle
dei Fabbri, perché a San Zulian si stavano facendo dei lavori, e
la strada era chiusa; ma appena entrato nella grande piazza si
fermò, dimentico della mongolfiera e di tutto il resto, con la
bocca aperta per lo stupore. «Ecco, – si disse, – anch'io da oggi
potrò raccontare di avere visto Venezia, e i cavalli d'oro della
basilica, e i due Mori, e questa piazza di cui si parla in tutto il
mondo ma che a vederla davvero, e a starci dentro, è ancora piú
grande e piú bella di come la si descrive!» Rimase fermo per alcuni minuti a guardare la piazza, cercando di imprimersi nella
memoria ogni dettaglio, finché ebbe la sensazione d'essere os-
servato: soltanto allora, abbassando lo sguardo, Mattio si accorse di due dame molto scollate, che ridevano e se lo indicavano

l'una all'altra. Chi erano? Forse – pensò il montanaro – quelle signore l'avevano scambiato per un'altra persona; ma la cosa era poco verosimile. Le due dame avevano guance cosí bianche e levigate che sembravano fatte di porcellana, labbra rosse e tumide come amarene e alcuni nei disposti qua e là sul viso, in modo da ravvivare l'insieme; la loro età era indefinibile, non inferiore ai trent'anni e – forse! – non superiore ai sessanta. Tenevano un ventaglio tra le dita e se lo passavano da una mano all'altra, senza però aprirlo; la stagione, infatti, non era ancora abbastanza calda da giustificare l'uso di ventagli. Una delle due, vedendo che Mattio finalmente si era accorto di loro, esclamò: «Ma che bel montanarone! Secondo me è arrivato a Venezia ieri sera dalla parte del Piave!»

L'altra dama – continuiamo a chiamarle con questo appellativo generico, anche se ce ne sarebbe disponibile uno piú specifico per la loro professione – fissò Mattio passandosi la punta della lingua sul labbro superiore, in un gesto che, in gergo, si chiama «linguina». Gli propose, andando subito al sodo: «Ehi, beca-sassi! Vuoi imparare come si fa l'amore in città? Te lo insegnamo noi!»

«Ti costerà soltanto un ducato!» precisò la prima.

Cos'altro poteva fare, il nostro Mattio, se non battere in ritirata? Se ne andò, inseguito dai lazzi delle due dame («Dove scappi? Ci sei mai stato con una donna, beca-sassi? Non ti mangiamo mica!»); cercando di confondersi in fretta nella folla e di non dare nell'occhio. C'era un gran movimento, al centro della piazza: dame in *baúta* e signori imparruccati uscivano dal Caffè Quadri e dal Caffè Florian e si dirigevano verso la Piazzetta; la parola misteriosa: «mongolfiera», rimbalzava di bocca in bocca. Quando poi Mattio arrivò sotto al Campanile si sentí un grido di migliaia di voci, un'acclamazione proveniente da quella parte della piazza dietro le Procuratie Nuove che lui ancora non poteva vedere; e finalmente anche il nostro ciabattino, sospinto e quasi trasportato dalla folla, giunse ad affacciarsi sul Molo. Lí, davanti a San Giorgio e alla Giudecca, stava succedendo un prodigio: un oggetto grande come il *tabià* dei Lovat, un enorme pallone decorato con i colori di San Marco si librava nel cielo chiaro della Dominante senza che nessuna forza visibile lo tirasse su dall'alto, e senza che niente lo spingesse dal basso. Tutti gridavano: «Sta volando! Sta volando! La mongolfiera sta volando!»; e anche Mattio si ritrovò a gridare e a battere le mani, con le lacrime agli occhi. La mongolfiera, simile per la sua forma a un enorme vaso da fiori rovesciato, saliva alta nel cielo e aveva appesa sotto di sé una navicella di vimini grande come una botte di medie dimensioni, con dentro un uomo che muoveva la mano e il fazzoletto per salutare la folla, e nell'altra mano stringeva un cannocchiale d'ottone. Quell'uomo ardimentoso – dicevano le persone attorno a Mattio – era il conte Giovanni Zambeccari, uno dei primi aeronauti del mondo, e il pallone che lo trasportava era tutto veneziano, costruito dai fratelli Zanchi per incarico e a spese del cavaliere e procuratore di San Marco, conte Francesco Pesaro: che aveva cosí voluto assicurare alla Serenissima una posizione di vantaggio nella gara, allora appena iniziata, per la conquista del cielo! Il conte Zambeccari indossava un'elegante giacca scura con i risvolti dei polsi ricamati in oro, aveva in testa un tricorno e di tanto in tanto portava all'occhio il cannocchiale, per guardare verso l'orizzonte. Lo specchio d'acqua sotto alla mongolfiera pullulava d'ogni specie d'imbarcazioni: sembrava addirittura che il mare fosse scomparso, tra la Piazzetta e l'isola di San Giorgio Maggiore, tante erano le *bíssone* e le gondole piene di dame e di signori del bel mondo che avevano voluto vedere con i loro occhi il compiersi di quel miracolo dell'ingegno umano, e delle scienze della natura! La mongolfiera continuò ad alzarsi e ad allontanarsi, spinta dal vento che la trascinava verso il mare aperto e verso l'ignoto; volò sopra la laguna verso il Lido, finché divenne piccolissima: un puntino, che poi si perse nella luce accecante. Mattio, allora, pensò a quell'uomo col tricorno lassú in mezzo alle nuvole: era solo, come nessun uomo prima di lui era mai stato solo, e sotto alla sua navicella c'era solamente il mare, attorno e sopra di lui c'era solamente il cielo. Si domandò: «Cosa farà, fuori dal mondo? Sarà in grado di dirigersi verso qualche luogo o dovrà seguire il capriccio dei venti? E se continuerà a salire, dove finirà?»

Improvvisamente, si sentí stanco: stanco di camminare, stanco di trovarsi in mezzo a tante persone, stanco di provare emozioni forti... La folla, intorno, si stava muovendo e anche Mattio si voltò per ritornare sui suoi passi, verso piazza San Marco e verso l'Orologio; ma davanti alla basilica la sua attenzione fu attratta da uno strano predicatore che inveiva contro la mongolfiera e contro la gente come lui, che veniva dal Molo e dalla Piazzetta. «Cosa credete d'aver visto? – gli gridava. – Quella macchina infernale che si è alzata in volo sopra le vostre teste era un'illusione del Diavolo e dei suoi servi sulla terra, i framassoni: e voi, folli, l'avete applaudita, come il popolo d'Israele applaudí il vitello d'oro!» Il predicatore era vestito da mendicante, con quell'abito di rattoppi – il *bernardone* – che a Venezia era la divisa di chi chiedeva l'elemosina davanti alle chiese, ma il suo atteggiamento non era umile: al contrario, i suoi occhi scintillavano, i lunghi capelli bianchi e la barba bianca lo facevano assomigliare a quei profeti che si vedono dipinti nelle chiese, l'aspetto era minaccioso. Guai a voi!, diceva la sua mano, alzata nel gesto della maledizione biblica. A Mattio, che veniva dalle montagne, l'atteggiamento e le parole del predicatore fecero un certo effetto, e l'avrebbero forse indotto a dubitare della mongolfiera, e di ciò che aveva visto poc'anzi; ma, fortunatamente per lui, qualcuno lanciò all'uomo della Bibbia un *bagatin*, e la vista del profeta che rincorreva la monetina tra le gambe dei passanti persuase anche il montanaro che i profeti antichi erano un'altra cosa. Proseguendo verso le Procuratie Vecchie, Mattio si accorse che tutta la piazza pullulava, se non proprio di profeti, d'imbonitori e d'imbroglioni d'ogni genere. Astrologhi, ciarlatani, prestigiatori cercavano in vari modi di attirare l'attenzione dei passanti; e non mancavano i veri saltimbanchi e i giocolieri, che si esibivano girando i piatti sui bastoni, o facendo volteggiare mazze e palle, o addirittura in prove di forza, piegando sbarre di ferro o spezzando catene. I venditori, invece, stavano a ridosso dei portici, con i loro banchi di belletti e d'*acque nanfe*, d'aghi e spille, di maschere e di ventagli; Venezia – pensò Mattio – era un immenso mercato, il piú gran mercato del mondo! Camminava guardandosi attorno, tra la folla; e si stava giust'appunto domandando se non fosse il caso di chiedere a qualcuno la direzione che avrebbe dovuto seguire per tornare al convento dei Riformati, quando a un tratto si fermò, s'irrigidí: aveva visto passare una persona, che non pensava di dover mai piú incontrare in questo mondo, se non forse in un sogno. Mormorò: «Don Marco!»

Don Marco procedeva spedito verso la Merceria dell'Orologio; aveva in mano una borsa nera da chirurgo e si sarebbe mescolato alla folla in un batter d'occhi, se Mattio non l'avesse rincorso. Anzi, a dire il vero, il primo impulso del nostro montanaro fu proprio quello di acchiappare don Marco per un lembo della giacca, e di chiamarlo per nome: ma si ricordò di averlo accusato dell'omicidio della signorina Rosa Fulcis e si limitò a tenergli dietro da lontano per una serie interminabile di calli e campi, chiedendosi: «Sarà proprio lui?» Il modo di camminare, ora, gli sembrava un po' diverso e anche l'età, a ben vedere, non corrispondeva, perché dall'epoca della permanenza a Zoldo del prete tedesco erano passati nove anni e il vero don Marco doveva essere invecchiato, mentre quest'altro aveva lo stesso aspetto e la stessa età che don Marco aveva allora! «Forse è soltanto uno che gli assomiglia», pensò Mattio: ma continuò a seguire l'uomo con la borsa da chirurgo. Dopo molte giravolte, su e giú per ponti, rami, fondamenta, campi e campielli, lo sconosciuto si fermò davanti a una porta, la aprí, vi sparí dentro; allora anche Mattio si avvicinò, perché aveva visto brillare da lontano una targa d'ottone, e quanto infine ci arrivò davanti poté leggere:

MARKUS STURZ
MEDICO FISICO
GUARISCE LE MALATTIE DEL CAPO

Se ne andò pieno di dubbi e di inquietudini. Dunque – pensava – l'uomo che lui aveva seguito era proprio tedesco, com'e-

ra tedesco don Marco; si chiamava Marco, come lui; gli assomi-
gliava come una goccia d'acqua assomiglia ad un'altra goccia
d'acqua, e per giunta era anche dottore... Nei giorni che seguirono, Mattio tornò a vagabondare per Venezia, dalle prime ore
del mattino fino alla seconda e alla terza ora di notte. Salí in cima al campanile di San Marco, per vedere la città con la sua laguna, le sue isole e la sua lontana Terra Ferma, velata e quasi interamente nascosta dalle foschie. Vide i paesaggi del Vecchio e
del Nuovo Mondo attraverso le lenti del *mondo niovo* (cosmorama), sotto i portici delle Procuratie Vecchie in piazza San
Marco; assistette alla «caccia ai tori» in campo San Polo e al
gioco detto «del pallone», in Rialto Nuovo. Quella porta misteriosa, però, continuava ad attrarlo: e la prima volta che tornò a
passarci davanti, Mattio pensò che avrebbe potuto chiedere
qualche notizia sul dottor Sturz a un calzolaio che lavorava dal-
l'altra parte della calle, seduto fuori della bottega con un suo
garzone, e lavorando cantava un'*aria* («Deh sorgi amica stella»,
con tutto quello che segue) d'un melodramma rappresentato a
Venezia l'autunno precedente. «Voi che avete negozio in questa strada, – domandò Mattio al calzolaio quando lui ebbe ter-
minata la sua *aria*, – sapreste dirmi se il dottore riceve in casa gli
ammalati, ed a quale ora del giorno?»

Il calzolaio alzò gli occhi, lo guardò e poi guardò il suo aiutante, con un'espressione del viso che voleva dire: hai capito,
tu, di cosa sta parlando? L'altro rispose con una smorfia: non lo
so, e lui allora domandò a Mattio: «Quale dottore?»

«Quello che abita qui davanti, e che ha un nome straniero...» Mattio indicò la targa sulla porta di don Marco: «Il dottor Sturz!»

Il viso del calzolaio si spianò, la bocca accennò un sorriso.
«Senti, amico, – disse due volte: e i suoi occhi intanto vagavano
sui vestiti di Mattio, si fermavano in basso sulle *dàlmede*. – Senti, amico: io non so da dove vieni e cosa vuoi, posso dirti soltanto che, se sei davvero ammalato, il dottore devi andartelo a cercare da un'altra parte, perché attraverso quella porta di ammalati ne passano ogni giorno e ne passano molti, ma sono amma-

lati di un male un po' speciale, che non credo proprio sia il tuo!» Dalle *dàlmede*, gli occhi del calzolaio risalirono al viso di Mattio, lo scrutarono maliziosi e curiosi. «Di che cosa sei ammalato, montanaro? Ce lo puoi dire, o si tratta di una di quelle malattie, che si dicono soltanto al dottore, e al confessore?»

Mattio arrossí. Balbettò: «Io, ecco... avevo visto la targa... Scusatemi!» Ma al calzolaio la faccenda non doveva importare poi molto, perché subito indicò qualcosa dietro le spalle del forestiero, il ponte da dove lui era venuto. «Se vuoi sapere ciò che si fa in quella casa, – tagliò corto, – non hai che da scendere i tre gradini di quel portico prima del ponte, e da affacciarti ad una delle finestre che dànno sul canale. Ce n'è sempre qualcuna aperta». Si rimise a battere sulla sua suola e immediatamente il suo viso assunse un'espressione accorata, le sue labbra si dischiusero a un'altra *aria* («Piangi, cuor mio, che grande») di quello stesso melodramma che già stava cantando prima che arrivasse il montanaro con le *dàlmede*, a frastornarlo con le sue stupide domande! Il colloquio – si capí – era terminato.

Mattio seguí l'indicazione del calzolaio. Tornò indietro, discese gli scalini; si arrampicò sulla parte alta di un barcone che era ormeggiato nel canale e, con qualche acrobazia, riuscí a guardare dentro alla casa dei misteri attraverso una finestra socchiusa. Vide un salone con tanti tavoli, coperto ognuno d'un panno verde: i tavoli quadrati sulla sua sinistra erano quelli della «bassetta», i tavoli rettangolari sulla sua destra erano quelli del «faraone» e a tutti i tavoli si giocavano soldi, una quantità enorme di soldi; dappertutto al centro del panno verde c'erano mucchi di monete d'oro e d'argento e anche certi fogli di carta giallognola o azzurrina che Mattio non avrebbe saputo dire cosa fossero ed erano le lettere di credito e le cambiali con cui si trasferivano le somme piú grosse. I giocatori – per ciò che si vedeva – erano gente d'ogni età e d'ogni condizione: l'aristocratico, la nobildonna, il monsignore stavano seduti fianco a fianco col mercante, con la *màmola*, con l'oste, con chiunque avesse avuto voglia di giocare e denaro da mettere al centro del tavolo. Tutti tenevano la mente e gli occhi fissi sulle carte e Mattio

avrebbe potuto rimanere a guardarli per chissà quanto tempo
ancora senza che nessuno si accorgesse di lui; ma c'erano degli
uomini in livrea che vigilavano la sala; e c'era anche la possibilità che qualche barcaiolo si fermasse a chiedergli cosa stava facendo, arrampicato sulla finestra d'una casa che non era la sua;
sicché, dopo aver visto ciò che voleva vedere, il montanaro discese. Ora sapeva!

Tornò a passare di lí la sera dell'ultimo giorno della sua permanenza a Venezia. La calle, priva d'illuminazione, era completamente buia, la bottega del calzolaio era già chiusa e si vedevano muoversi delle ombre davanti alla porta del dottor Sturz, come di tre o quattro persone che si agitassero in modo scomposto, alzando e abbassando le braccia: che facevano? Al rumore
delle *dàlmede* di Mattio le ombre dileguarono e il nostro montanaro, procedendo al buio col cuore che gli batteva all'impazzata, inciampò in un uomo riverso in mezzo alla calle; si piegò su
di lui per sentire se era vivo, e l'uomo si lasciò sfuggire un'im-
precazione: era soltanto ammaccato! Allora lui lo aiutò a rimettersi in piedi e a camminare fino ad una piazzetta dove c'era un
fanale dell'illuminazione pubblica, mentre lo sconosciuto si ta-
stava in ogni parte del corpo, facendo l'inventario delle ammac-
cature, e tastandosi si lamentava: «Ohimè, il mio naso! Mi hanno fracassato una mano! Ohimè, il mio occhio!»

«Mi hanno bastonato come un somaro! Ohimè, le costole!»

Soltanto quando ebbe completato l'elenco dei danni e ne
ebbe anche verificata la gravità alla luce del fanale, lo sconosciuto ringraziò chi l'aveva soccorso. «Se non arrivavate voi,
– disse a Mattio, – quei maledetti mi ammazzavano, davvero!
Credo proprio di dovervi la vita! Come vi chiamate?»

Il bastonato aveva forse trent'anni o forse meno, era alto al-
l'incirca come il suo interlocutore e vestiva abiti da gentiluomo,
per quanto malridotti: giacca e brache di velluto, camicia di seta, scarpe di vernice con la fibbia d'argento... Aveva perso nel
trambusto la parrucca, sanguinava da un labbro, aveva il naso
rotto e uno zigomo tumefatto ma il suo viso – notò Mattio – anche cosí malconcio, conservava un'espressione aperta e cordia-

le. «Mi chiamo Mattio Lovat, – rispose alla domanda dello sconosciuto, – e vengo dalla valle di Zoldo. Sono un montanaro, in vacanza a Venezia per pochissimi giorni!»

«Montanaro o cittadino, – disse il giovane, – diamoci la mano, perché dopo quello che è successo dobbiamo essere amici!» Si presentò: «Io sono il nobile Giacomo Doglioni da Belluno e se voi venite da Zoldo può anche darsi che abbiate sentito parlare di me come di un famoso scapestrato, diseredato dai suoi genitori, scacciato dai suoi parenti, povero come Giobbe e in guerra con il mondo. Quasi tutto ciò che si dice sul mio conto risponde a verità; ma è anche vero che con questo mondo in cui viviamo non ci si può andare d'accordo. Io non ci riesco proprio!»

Mentre il giovane Doglioni gli stava parlando, Mattio lo guardava e quasi non credeva ai suoi occhi: dunque – pensava – quello era il nobile senza soldi che aveva sposato Lucia, e il destino ora aveva voluto che lui lo incontrasse a Venezia in una calle buia, e forse proprio che gli salvasse la vita! Dunque Lucia era a Venezia: ma quest'ultimo pensiero gli sembrò privo d'importanza. Dovunque fosse o non fosse, ormai, Lucia era la sposa di quell'uomo con il viso deformato dalle bastonate, e niente di ciò che la riguardava poteva interessarlo... Senza riflettere se avesse o no il diritto di porre delle domande, Mattio chiese al giovane Doglioni: «Eravate in quella casa da gioco? Cosa vi è successo?»

«È successo, – rispose l'interpellato, – che ho perso piú di quanto fossi in grado di pagare e che ho continuato a giocare, sperando, non in un miracolo, perché io non credo nei miracoli, ma in una legge matematica che avrebbe dovuto verificarsi a mio favore e invece non s'è verificata, cosa volete che vi dica! È andata proprio cosí!» Con le dita della mano destra si toccò la testa, dove dovevano esserci dei bernoccoli grandi come un uovo. Prese sottobraccio Mattio e s'avviò con lui verso le calli piú illuminate e popolate che conducevano a Rialto, e di lí a San Marco. Continuò a parlare mentre camminavano. «Vedete, amico, – disse al montanaro, – io sono un po' filosofo, e m'intendo di scienza. Da molti anni cerco di applicare al gioco del faraone, che per se stesso è un gioco stupidissimo, i principî della matematica e delle scienze esatte, e credo anche d'esserci riuscito, almeno in astratto; ma, in pratica, la faccenda è piú complicata. C'è in quel gioco un elemento irrazionale, se non proprio demoniaco, che la scienza, o, per meglio dire: la mia scienza, non è ancora riuscita a dominare compiutamente. Questo fatto, come voi stesso avete avuto modo di vedere, mi procura di tanto in tanto qualche guaio, di cui io però cerco di lamentarmi il meno possibile, perché so che tutto nella vita ha un prezzo, e che il trionfo della ragione sull'irrazionalità è lo scopo piú nobile e piú alto che un uomo può darsi: non ne siete convinto?»

Mattio era incerto e disorientato: «Non lo so! Non saprei proprio cosa dirvi, a questo proposito!» Pensò a Lucia. Domandò: «Avete perso molto?»

«Ho perso tutto, – rispose il giovane Doglioni, – ma ne valeva la pena: cercate di capirmi! Io non gioco per vizio, come fanno tanti: per me il gioco è una missione, perché è soltanto lí, sul tappeto verde, che si arriverà a cambiare il destino del mondo!» Si fermò sotto un fanale, e Mattio con lui. Indicò con un gesto tutto ciò che si vedeva: calli, rii, barche, palazzi silenziosi. «Finché la luce della scienza, – disse al montanaro, – non avrà illuminato anche i piú oscuri meccanismi del guadagno e della perdita e della cosiddetta fortuna, il mondo continuerà ad essere ciò che è ora: il trionfo della volgarità, dell'insulsaggine, della stupidità boriosa, della vanità e cioè in definitiva dell'ignoranza, che è la causa prima ed unica di tutti i vizi degli uomini; ma io lo correggerò e lo cambierò. Lo cambierò con la scienza: sissignore! La scienza è onnipotente e alla fine io riuscirò ad assoggettarle la fortuna, il caso e tutti gli altri meccanismi perversi che fino a questo momento hanno rovinato le nostre vite. È cosí, Mattio! L'era dei malvagi e dei mediocri sta per finire, perché quando io avrò messo a punto la mia scoperta la fortuna sarà soltanto piú di chi la merita! Il caso cesserà di esistere!»

Il ritorno di Mattio da Venezia a Zoldo fu una lunghissima passeggiata a piedi attraverso la campagna veneta, una passeggiata che durò parecchi giorni e che lo fece sentire felice, come lui forse non s'era mai sentito prima d'allora. Chi viaggia a piedi è per definizione un uomo libero e in quell'ormai lontano diciottesimo secolo, su quella strada da Venezia al Cadore, un viandante era anche un uomo contento se non aveva motivi suoi particolari d'infelicità: tutto ciò che vedeva attorno, e perfino gli uomini!, lo aiutava a stare bene e ad essere allegro. Ogni tanto, in cielo rimbombavano i tuoni e bisognava cercare un riparo, o capitava un contadino con un carro vuoto che diceva a Mattio di saltare su, e la passeggiata s'interrompeva; ma riprendeva dopo pochi minuti o dopo poche miglia. Passata Treviso, passato il Piave con la barca a Lovadina, Mattio si lasciò alle spalle la pianura dei «campi di polenta» e incominciò ad avvicinarsi alle montagne: tra vigne, càmpi di fave e di fagioli, fioriture d'alberi da frutta e fioriture di roseti; tra villaggi e ville e suoni di campane nel cielo chiaro dove le nubi si sfrangiavano, s'inseguivano, s'allungavano allora come adesso; tra allegri canti di lavandaie, e ragliare d'asini, e abbaiar di cani... Poi le montagne si strinsero, si chiusero intorno al viaggiatore; arrivò il lago di Santa Croce; ricomparve il Piave, e Mattio rivide i luoghi dov'era nato, e dove si era compiuta la sua fanciullezza. Passato l'*altariol* di San Giovanni in cima al Canal, Zoldo gli sembrò una piccola cosa, con i suoi mucchi di carbone ad ingombrare l'ingresso della valle, e con i fumi delle sue *fusine* a sporcare il cielo; con le sue case di legno dette *tabià* e con quelle poche altre case tutte di pietra che i montanari chiamavano pomposamente *palàz*, ma che a confronto dei palazzi veri, di Belluno o addirittura di Venezia, erano casupole insignificanti. Anche la felicità che lo aveva accompagnato per tutto quel viaggio, fino al Piave e fino all'imbocco del Canal, non appena lui rimise piede nella sua valle svaní per lasciare il posto a una grande tristezza. Era stato lontano da Zoldo pochi giorni, ma la sensazione che provò fu di ritornarci dopo un'assenza di anni. Vide la sua valle con occhi nuovi: per la prima volta, si rese conto di quant'era povera, e di quant'erano infelici quelli che ci vivevano; e poi anche si accorse di altre cose, che riguardavano la sua famiglia. Vide sua madre invecchiata e un po' ingobbita, con i capelli tutti grigi e una ragnatela di rughe sopra il visto, che prima di allora non le aveva mai visto; e provò pietà per quel pover'uomo di suo padre, che era stato il consolatore delle donne di Zoldo ed ora invece trascorreva le giornate sdraiato per terra, a pancia in giú a contare le formiche o a pancia in su a guardare le nuvole. Provò pietà anche dei suoi fratelli piú piccoli, Michiele di nove anni e Antonio di cinque. Che avvenire potevano avere in quella valle – si chiese – dove perfino i benestanti non vivevano granché meglio di come vivono gli accattoni in città, e dove tutti, o quasi tutti, sognavano di andarsene? La malattia dello *scarpèr* – pensò Mattio – aveva avuto almeno questo di positivo, che gli aveva impedito di mettere al mondo degli altri disgraziati! Soprattutto lo inteneriva Antonio, perché era il piú piccolo di tutti i Lovat e perché, guardandolo, a Mattio sembrava di rivedere se stesso: Antonio, infatti, aveva i capelli biondo-rossicci, gli occhi chiari ed era snello di corporatura, come lui; in piú, era un bambino quieto e riflessivo, che si interrogava e interrogava i familiari su certe cose tra cielo e terra e su certi problemi, piú grandi dei suoi cinque anni... Nei giorni successivi al ritorno da Venezia, Mattio incominciò ad accarezzare un suo progetto a proposito di Antonio, e a parlarne con la signora Vittoria. «Se lo zio prete volesse prenderlo con sé per farlo studiare, – le diceva, – sarebbe proprio il ragazzo adatto! È cosí giudizioso!»

Qualche volta aggiungeva: «Visto che a me non è stata data quella possibilità, vorrei che l'avesse almeno uno dei miei fratelli! Almeno l'ultimo!»

Circa la metà del mese di giugno, una domenica, Mattio accompagnò a Faín i fratelli piú piccoli perché assistessero alla consacrazione di quell'*altariol* che era stato costruito in seguito alle prediche di don Giovanni Talamini, per cancellare la vergogna delle Dame di Castelaz, e che, secondo il voto reso dalla gente di Zoldo, avrebbe dovuto essere una vera chiesa, non un *altariol*!: con le pareti interne ed esterne tutte ricoperte di affreschi. I tempi, però, erano sempre piú miseri, come anche ricordò don Bonaventura nel suo discorso di benvenuto al predicatore, tornato apposta nella valle per la circostanza; la gente era poverissima, molti mancavano del necessario per vivere e insomma s'era fatto ciò che s'era potuto. L'importante era che la cappelletta fosse stata costruita, e che fosse stata soddisfatta anche l'altra parte del voto, quella relativa agli affreschi. Un giovane pittore – non ancora famoso, ma già molto bravo! – aveva rappresentato sulla parete esterna dell'*altariol* la storia delle Dame, suddivisa in tre riquadri; nel primo riquadro – spiegò il pievano – si vedevano i luoghi del peccato, cioè la valle del Prampèr, il *tabià* con le tendine rosse alle finestre e San Floriano piangente sopra una nuvola; nel secondo riquadro si vedeva rappresentata l'impudicizia delle Dame, che, secondo le tradizioni orali della valle, d'estate usavano passeggiare con il seno scoperto. (Naturalmente, e per ragioni fin troppo comprensibili, il pittore aveva mitigato la crudezza di quella scena stendendo un velo pietoso, e quasi opaco, sulle vergogne delle Dame). Infine nell'ultimo riquadro si vedeva il *tabià* dato alle fiamme, e le Dame scacciate da Zoldo a furor di popolo: il qual fatto – ammise l'arciprete – si era verificato nella realtà soltanto in parte, e soltanto molti anni piú tardi, con la cacciata delle *zílighe*; l'artista, però, per ragioni inerenti all'arte sua e anche per ragioni di spazio, aveva voluto unificare i due episodi e ci aveva introdotto il fuoco, che come tutti sanno è l'elemento purificatore per eccellenza. L'insieme della cappelletta e degli affreschi – concluse il pievano – costituiva un'opera armoniosa e molto bella, oltre che edificante; era veramente un peccato, e tutta la valle se ne rammaricava, che don Talamini non potesse vederla! Il predicatore, infatti, nel frattempo era diventato cieco a causa di una cateratta che i medici dell'epoca non avevano saputo curargli. Camminava tenendo un bastone nella mano sinistra e appoggiava la mano destra sulla spalla d'un ragazzetto d'una diecina d'anni che lo accompagnava dovunque andasse, e che era stato preso in un Ospitale appositamente per fargli da guida. C'era poca folla per la consacrazione dell'*altariol*, forse cento persone, o forse di meno; ma don Giovanni aveva ancora nella memoria la grande moltitudine di due anni prima, che aveva giurato di cacciare le *zílighe* e di costruire la chiesa, e fu a quella moltitudine che lui si rivolse: gridando con la mano alzata e gli occhi opachi, spalancati verso il Monte Punta e verso il Castelin. (Da quando la disgrazia lo aveva colpito, le prediche di don Talamini erano diventate sempre piú apocalittiche, e il loro tema ricorrente era uno solo: l'ormai prossima fine del mondo). Esordí lodando gli zoldani per quanto avevano fatto in espiazione delle colpe dei loro padri e delle loro proprie e li esortò a perseverare sulla retta via, del pentimento e della mortificazione: anche se – disse – il riscatto dei singoli non poteva certamente allontanare l'umanità dal baratro in cui sarebbe precipitata entro breve tempo a causa della sua immoralità e della sua superbia, ma soprattutto a causa della malvagità dei framassoni. I framassoni – gridò don Talamini, puntando il dito verso Mattio e guardandolo con gli occhi bianchi dilatati – erano la negazione stessa di Dio in terra, gli apostoli del Diavolo! Il loro capo era quel Giuseppe II di Lorena, imperatore d'Austria, che traviato dalle nuove mode filosofiche e aizzato dai cattivi consiglieri, aveva osato irridere sua santità papa Pio VI, quando il pellegrino apostolico era andato a Vienna, per implorarlo di far cessare le persecuzioni contro la sua Chiesa. «Ma Dio, – gridò il predicatore alle montagne lontane, – piegherà la superbia di quell'empio e lo punirà, come puní Faraone! Il momento è prossimo!»

Abbassò la voce a un tono quasi normale. «La giustizia di Dio, – disse don Talamini, – prima o poi castiga i superbi e i peccatori incalliti, e spesso anche li castiga in modo tale, che la loro punizione serva d'esempio per gli altri. Voglio raccontarvi un fatto realmente accaduto tra le nostre montagne. L'anno scorso, trovandomi in Ampezzo Imperiale, un sacerdote mi riferí il triste caso di un governatore austriaco che aveva operato alla soppressione dei conventi e delle confraternite ordinata dal sovrano, ponendovi una speciale diligenza ed un accanimento, certamente superiore a quello che il suo ufficio gli avrebbe richiesto. Costui era – perché ora è morto – un uomo dedito ad ogni sorta di fornicazioni e di crapule. Motteggiando con i suoi compagni di gozzoviglie, soleva spesso vantarsi di non avere mai messo piede in una chiesa dopo raggiunta l'età del giudizio, e di non avere mai dato un solo quattrino in elemosina ai preti. Si vantava anche di essere framassone e ateo, e di non credere alla vita oltre la morte: se c'è, e se io morirò prima di voi – promise un giorno ad alcuni suoi compari – tornerò per dirvelo! Ebbene, Dio lo puní mentre era ancora in questo mondo, facendolo ammalare d'un male idropico per cui gli arti gli si gonfiarono: non poteva camminare, non poteva giacere, urlava notte e giorno per il gran dolore e cosí visse tra i tormenti per piú di un anno, finché morí». Arrivato a questo punto del racconto il frate fece una pausa. Alzò una mano: «Ascoltate ora ciò che avvenne, figli miei, – disse ai montanari, – e meditate sulla giustizia di Dio! Una notte, qualche settimana dopo la morte di quell'empio, uno di quei cotali a cui lui aveva fatto la terribile promessa di tornare a trovarli, rientrava a casa dai suoi soliti bagordi e sentí un passo dietro di sé, un respiro nel buio come di qualcuno che lo stesse seguendo. Arrivato al portone di casa l'uomo si fermò: si voltò per affrontare quello che credeva essere un ladro da strada e si trovò invece davanti il governatore defunto». Don Talamini abbassò la voce e la fece diventare rauca, come doveva essere la voce del fantasma. «Sono venuto per mantenere la mia promessa – disse il governatore all'amico – e per pregarti di riferire ai nostri compagni che mi trovo all'Inferno, e che le fiamme di laggiú bruciano cosí forte, che se potessi gettarmi in una vasca di vetro fuso mi rinfrescherei. La mia pena è eterna; ma perché tu non possa dubitare di avermi visto, e perché anche gli altri ti credano, voglio lasciarti un segno del mio passaggio: l'impronta della mia mano sul portone della tua casa!» Il predicatore fece un'ultima pausa, per riprendere fiato e per far crescere, tra quelli che lo ascoltavano, l'attesa della conclusione; ma la gente era già attenta e silenziosa, e gli unici rumori che si sentirono furono il ronzio delle api e degli altri insetti nei prati attorno all'*altariol*, e il cinguettio degli uccelli. «Il governatore appoggiò la mano sul portone, – gridò don Talamini ai montanari sbigottiti, – e il legno e il ferro dei bulloni si

sciolsero, l'impronta si stampò nitidissima: restò là, dove chiunque vuole può recarsi a vederla, a memoria di un evento prodigioso che Dio ha voluto rendere possibile per smentire le false
dottrine dei filosofi, e per rafforzare la fede di chi crede in lui!
Nel nome del Padre, del Figlio e dello Spirito Santo. Amen».

Capitolo sesto

I francesi

Gli anni che precedettero l'arrivo dei francesi e la fine della Serenissima furono anni di grandi attese e di grandi incertezze, nella campagna veneta come in molte altre parti d'Europa. L'impressione di tutti, anche della gente del popolo, era di vivere un tempo bloccato, una controra come quella che precede d'estate l'arrivo dei temporali: il cielo è grigio, il tuono brontola qua e là, le nuvole continuano ad ammassarsi e però ancora ci si domanda se lo sconquasso ci sarà davvero, o se alla fine la tempesta si sposterà da un'altra parte e il cielo tornerà sereno. Tutto era imminente, anzi incombente, e non accadeva nulla. In quell'atmosfera di ansia diffusa, e di generale inquietudine, il clima, definitivamente, impazzí: a un decennio di siccità e di persistente bel tempo fece seguito un intero decennio di gran freddo, di alluvioni e perfino di terremoti. Nell'inverno del 1788 il gelo spaventoso trasformò la valle di Zoldo in un castello di ghiaccio in cui gli animali morivano assiderati e gli uomini, nel tentativo di scaldarsi, bruciavano anche le panche e i rivestimenti in legno dei loro *tabià*; gli operai che tornavano a casa da Venezia raccontarono che la laguna era gelata, e che i signori l'attraversavano in carrozza. (Loro, però, l'avevano attraversata a piedi). C'erano stati anche dei festeggiamenti, per il gelo: in quella patria del lusso e dello sperpero – dicevano i montanari – ci si dava alla pazza gioia per i motivi piú incredibili, e perfino per il freddo polare! S'era ballato sulla laguna con i pattini, nonostante fosse quaresima, e s'era perfino allestito uno spettacolo teatrale, un melodramma intitolato *Le forze d'Ercole*, interamente sul ghiaccio... Con il trascorrere degli anni, però, anche le inquietudini e le paure che erano rimaste cosí a lungo sospese sopra le teste della gente, incominciarono a prendere corpo e ad avere un nome. Arrivarono le notizie delle «cose di Francia», e arrivò con quelle notizie la paura dei nuovi nemici del genere umano, i cosiddetti «giacobini»: che anche a Venezia – si diceva – complottavano per sovvertire il buon vecchio ordine sociale in cui tutti fino a quel momento erano vissuti, e che era l'unico ordine possibile! Il Leone di San Marco, ormai quasi del tutto inerme contro i nemici esterni, diventò agguerritissimo contro quelli interni, mise occhi e orecchie in ogni villaggio, in ogni cantiere, in ogni casa, in ogni luogo di studio, in ogni béttola... Iniziò la livida stagione dei complotti. Dappertutto si complottava e si tramava e dappertutto si spiava e si riferiva: anche se la faccenda, a ben vedere, era priva di senso, perché i complotti non erano veri complotti, ma vani mormorii contro «la tirannide presente» e vane farneticazioni di «far rinascere l'antica libertà», di «seguitare l'esempio di Bruto» e cose simili; mentre la repressione, come sempre in Italia, era abbastanza forte da far crescere i malumori e da esasperare gli animi, ma non era poi cosí spietata da riuscire a incutere davvero quel terrore, che avrebbe impedito ai malumori di prendere corpo. Perfino tra le montagne di Zoldo si arrivò a parlare di congiurati e di congiure – che, naturalmente, non arrivarono mai a manifestarsi alla luce del sole! – e si fecero con insistenza, nei *filò*, i nomi dei giacobini locali: tutti benestanti, per cui la gente povera della valle non provava simpatia di sorta, e delle cui idee diffidava prima ancora di conoscerle. La politica dei poveri, a quell'epoca, era raccogliersi in San Floriano a cantare messe per le cose di Francia, ascoltare i predicatori che gli raccontavano gli orrori della Rivoluzione e contribuire con un sudatissimo soldino alle collette per i preti francesi: perseguitati e braccati – si diceva dal pulpito – come i martiri cristiani al tempo degli anfiteatri e delle bestie feroci! Ogni epoca, si sa, è un groviglio di contraddizioni e di cose assurde, e però forse il groviglio non fu mai cosí intricato come nel periodo che precedette la morte di Venezia, e l'ascesa di Napoleone, e la nascita del mondo moderno. In quegli anni

folli, mentre i liberi e i sazi sognavano di spezzare catene e di ab-
battere tirannidi, chi viveva affamato e disperato riusciva ancora a privarsi di qualcosa – un anellino, un paio di orecchini, un
bagatin – per mandarlo... in Francia! Cosí ognuno a modo suo
partecipava o s'illudeva di partecipare al naturale progresso
delle cose umane; e cosí il tempo continuava a trascorrere senza
che succedessero fatti di rilievo, a Zoldo e a Venezia. Si viveva
giorno per giorno e si aspettava – come già s'è detto – qualcosa
che era nell'aria: un evento cosí grande, e cosí oscuro, che tutti,
o quasi tutti, ne erano impauriti; ma che nessuno avrebbe saputo spiegare in cosa consisteva, né da che parte, infine, si sarebbe
manifestato...

Le minute cronache zoldane di quegli anni registrano poche
cose degne di nota, e nessuna straordinaria: qualche nascita,
qualche morte, qualche matrimonio... Nel febbraio del 1788, al
tempo del gran gelo, morí la Santa di Zoldo: di cui la gente pian
piano aveva finito per dimenticarsi, nonostante lei avesse continuato a tenere attive le sue piaghe e a vivere senza mangiare (come ormai, del resto, nella valle facevano in molti). La miseria
dei montanari era cosí grande che per alleviarla non bastavano
piú i miracoli, ci sarebbero voluti proprio gli zecchini; ma la
Santa gli zecchini non li sapeva fare e nessuno veniva in pellegri-
naggio al suo *tabià*, nessuno le portava fiori o candele. Per attirare di nuovo un po' di folla doveva morire: e lei, appunto, morí. Arrivarono preti da tutt'e tre le parrocchie di Zoldo; fu alle-
stita una camera ardente senza fiori, data la stagione, con molte
candele e molti lumini ad olio; la gente ricominciò a sfilare davanti al suo letto come ai bei tempi, e tutti dicevano: «Sembra
proprio che sorrida! Sembra ancora viva! Ha perfino un poco
di colore sulle guance, lei che non ne aveva mai avuto!» Cosí,
tra una veglia funebre e l'altra, tra una processione e l'altra, trascorse una settimana: e già i genitori della Santa incominciavano a pensare che a tenersi in casa la figlia viva, o a tenerla morta,
non facesse poi quella gran differenza, e che la santità avrebbe
impedito alla salma di corrompersi; ma gli successe qualcosa,
una mattina poco dopo l'alba, per cui si dovette mettere la San-

ta dentro un telo e portarla ad essere sotterrata, in fretta e furia, come una defunta qualsiasi...

In quello stesso anno 1788, durante l'estate, morí anche lo *scarpèr* Marco Lovat, sfinito dalla *pellarina*: non parlava, non riconosceva i congiunti e non aveva piú intelletto, in sé, di quanto ne abbia un sasso, e fu trovato morto in fondo a un precipizio senza che si capisse come c'era arrivato; un vero enigma, per cui nessuno riuscí a trovare una spiegazione plausibile, né allora né in seguito. Tra le chiacchiere che si fecero in quell'occasione circolò anche una voce che parlava di suicidio: lo *scarpèr* – dicevano alcune comari, nane e zoppe – era stanco di sopportare i rimbrotti e i maltrattamenti di sua moglie Vittoria, e cosí in un momento di disperazione era fuggito di casa per andare a ammazzarsi, maledicendo ad alta voce il proprio destino! (Ma i sassi – è risaputo – non parlano e non si suicidano).

Nel maggio del 1791 si sposò il terzogenito dei Lovat, Floriano, e andò a vivere con la moglie a San Donà di Piave. La sola cosa di lui che rimase a Casal fu la *bissa de vero*, il Diavoletto che gli era stato tolto di corpo dai frati di Belluno; ma pochi giorni dopo la partenza degli sposi, anche il serpentello finí tra i rifiuti. «Tanto, – disse la signora Vittoria, – mio figlio ormai non si ricorda nemmeno piú che ci sia, questo suo Diavolo di quando era bambino, e che allora mi costò due lire!»

Anche i due fratelli piú giovani di Mattio, Antonio e Michiele, appena furono in grado di badare a se stessi abbandonarono la «valle della fame». Michiele, che sognava di vedere il mondo e di fare fortuna, andò a Venezia per arruolarsi come mozzo su una nave diretta in Oriente: s'imbarcò, e per molti anni non mandò piú notizie. Antonio, invece, entrò come novizio nel convento dei Riformati a Sant'Alvise e incominciò a studiare per diventare prete, sotto l'ala protettrice di fra Giuseppe da Zoldo; quando poi il grand'uomo, nel 1795, diventò priore di Santa Maria del Gesú a Treviso, lo seguí nel suo nuovo convento. Era alto di statura, rosso di capelli e molto studioso: e questo, in pratica, è tutto ciò che sappiamo di lui...

Arrivavano intanto tra le montagne le notizie delle cose fantastiche e terribili che accadevano nel mondo proprio in quegli anni. Si parlava sottovoce, nei *filò* di Zoldo, d'una macchina per tagliare le teste che era stata inventata in Francia e che si chiamava «ghigliottina», e poi anche si parlava di cose piú frivole: per esempio del modo di vestire delle donne francesi, che – secondo quanto scrivevano le gazzette – usavano passeggiare per strada con le braccia nude e le mammelle scoperte, proprio come avevano fatto un tempo, nella valle del Prampèr, le Dame di Castelaz! Si parlava delle meraviglie del progresso, dei nuovi farmaci che «facevano miracoli» e della macchina a vapore; si sussurrava d'un uomo artificiale, detto «il Turco», che viveva – se cosí si può dire – alla corte di Vienna, e giocava a scacchi con l'imperatrice; infine, sottovoce e con gli occhi dilati dall'orrore, si bisbigliava d'una nuova scoperta della scienza, per cui un uomo poteva entrare con la sua volontà in un altro uomo, o addirittura in un cadavere, trasformandolo in un automa! Si parlava di guerra. Le armate francesi dilagavano in Italia, guidate da un giovanotto dagli occhi freddi come il ghiaccio che aveva un nome da opera buffa: Bonaparte; le armate imperiali, con la scusa di andargli incontro per combatterle, invadevano i territori della Serenissima, aggiungendo miseria alla miseria, infelicità all'infelicità. La macchina della storia s'era messa in moto, e il mondo intero scricchiolava. Anche se il cielo era blu com'era sempre stato, sopra Zoldo, e le Cime di San Sebastiano e la Moiazza, nelle giornate limpide, scintillavano di tutta la neve di quegli anni, nella penombra delle chiese si ascoltavano prediche che annunciavano l'Anticristo e la fine del mondo, e risuonavano da tutti i pulpiti le parole dell'evangelista Matteo, quel passo che cosí comincia: «Vi sarà allora una tribolazione grande, quale mai avvenne dall'inizio del mondo fino ad ora, né mai piú ci sarà. E se quei giorni non fossero abbreviati, nessun vivente si salverebbe; ma a causa degli eletti quei giorni saranno abbreviati...»

L'evangelista Matteo era il profeta dei mutamenti e delle tribolazioni in atto allora nel mondo e Mattio Lovat, com'era partecipe del nome, cosí anche si sentiva un poco partecipe della

missione dell'apostolo: i nomi – si sa – fanno parte della personalità di chi li porta, e concorrono a determinarne il destino...
Era diventato – quasi senza accorgersene – molto pio. Teneva sul cassettone alcuni libri, nella stanza dove un tempo aveva dormito insieme ai suoi fratelli e che ora era soltanto sua: un'edizione slegata e senza copertina delle *Prediche* di San Bernardino da Siena, il *Domenicale* di Giovanni Maria Acerbis, l'*Imitazione di Cristo* dell'abate Kempis tradotta da Antonio Cesari, una *Bibbia* rilegata in pergamena e scritta in latino... In quella minuscola biblioteca messa insieme dal caso c'erano anche due opere, per cosí dire, di letteratura profana, finite chissà come nel *tabià* dei Lovat: l'*Orazione in laude dei morti nella battaglia delle Curzolari* di Paolo Peruta e la *Gerusalemme liberata* di Torquato Tasso. Ogni sera, prima d'andare a dormire, Mattio leggeva ad alta voce una pagina d'uno dei suoi libri, per se stesso e per sua madre Vittoria che lo ascoltava facendo la calza. Lavorava tutta la settimana come *scarpèr*, nella bottega che era stata di suo padre o andando attorno per i villaggi della Pieve, a caricarsi di *dàlmede* e di *zopèle* che dopo pochi giorni dal rattoppo – diceva – avrebbero avuto bisogno d'essere rattoppate di nuovo, perché ormai proprio non stavano piú insieme! A volte anche veniva chiamato dentro casa da certe donne sfrontate che avevano il marito lontano dalla valle per lavoro o intontito dalla *pellarina* e si sedevano allargando le gambe, s'alzavano le gonne sin sopra le ginocchia: volevano che Mattio gli prendesse le misure del piede e della caviglia perché – dicevano – «adesso non ho i soldi, ma quest'altr'anno mi voglio fare un paio di scarpini con i tacchi alti, come li portano le signore in città!» In quei casi lui si schermiva: «Mi chiamerete quando sarà il momento! Adesso proprio dovete scusarmi! Devo andarmene!» Batteva in ritirata e le donne, in genere, si ricomponevano, facevano finta che non fosse accaduto niente; ma ce n'erano state che l'avevano cacciato in malo modo, gridando e facendo accorrere i vicini: come se lui, Mattio, avesse cercato di approfittarsi di loro, e non loro di lui! Tutte le domeniche ascoltava la messa in San Floriano e poi nel pomeriggio ritornava alla Pieve, per fare

scuola di catechismo ai ragazzi piú grandi: molti preti, in quegli anni di miseria e di fame, avevano dovuto andarsene dalla valle di Zoldo e Mattio allora s'era preso quell'incarico, di cui andava particolarmente orgoglioso. In mezzo ai «suoi» ragazzi si sentiva felice. Li abbracciava, li baciava in fronte; indugiava con le dita, senza nemmeno accorgersene, su quelle guance bianche e rosse di salute, infiorate spesso dalla prima peluria; su quelle braccia e su quelle schiene piene d'ossi; su quelle teste arruffate. Partecipava ai loro giochi. Si sforzava di voler bene a tutti, indistintamente, come se fossero stati suoi fratelli, secondo il precetto evangelico; ma la faccenda era tutt'altro che facile. Ce n'erano alcuni che lo turbavano con il loro aspetto e piú ancora quando gli stavano vicini: quelle loro labbra rosse e carnose, quei rigonfi che s'intravvedevano nei vestiti gli procuravano un'eccitazione incontenibile, di cui lui poi si puniva durante la settimana imponendosi penitenze e sobbarcandosi fatiche, che lo lasciavano completamente sfinito. Avrebbe voluto spezzare dentro di sé, una volta per tutte!, quel maledetto meccanismo del sesso, o riuscire almeno a inceppparlo; avrebbe voluto liberarsi, a qualunque prezzo, di quei suoi desideri scellerati che si manifestavano indipendentemente dalla volontà, ed erano anzi piú forti della sua stessa volontà. (Le tentazioni lo assalivano ovunque, e perfino in chiesa: il grande Crocifisso in legno del Brustolon, cosí guizzante di muscoli sottopelle, cosí dolcemente adagiato sui chiodi, cosí... bello!, gli comunicava un'emozione, e un turbamento, che di religioso, in sé, non avevano niente).

Ogni volta che il suo mestiere di calzolaio ambulante lo riportava a Forno durante la settimana («Scarpèr, donne! È arrivato lo scarpèr!»), Mattio andava a chiedere aiuto a don Tomaso, il prete cantore; che aveva dovuto abbandonare anche l'incarico di cappellano nella parrocchia di Goima perché la sua testa, ormai, era diventata leggerissima e non c'era modo di trattenerla: volava sempre! Don Tomaso abitava in una stanzetta d'un *tabià* sul torrente Maè, di proprietà del parroco di Pieve. Era cosí grasso che stentava a entrare e a uscire dalla porta di casa; non aveva piú obblighi ecclesiastici, e avrebbe anche potuto dimenticarsi d'essere un sacerdote se non ci fosse stato quel ciabattino dai capelli rossi che veniva a chiedergli di confessarlo, di consigliarlo, di aiutarlo a risolvere i suoi stupidi problemi... L'anziano *sopranista*, sulle prime, l'aveva trattato con una certa durezza: che voleva da lui? Non c'erano abbastanza preti, nella valle di Zoldo, perché si continuasse a molestare un pover'uomo, che era stato l'usignolo del Signore finché era durata la sua buona stagione, e ora che era arrivato l'inverno doveva soltanto prepararsi a morire? Poi però, con il trascorrere del tempo, don Tomaso aveva finito per affezionarsi a Mattio e non avrebbe saputo fare a meno della sue visite. Quel pover'uomo ossessionato dal sesso, come tutti, era l'unica persona al mondo che si ricordava di lui e che lo prendeva sul serio... il suo solo amico!

La guerra, intanto, si avvicinava. Nelle valli alpine, il 1796 fu l'anno delle notizie che si rincorrevano, s'incalzavano, a volte anche si contraddicevano, portate attorno dai viaggiatori e dai fogli dei primi giornali: Bonaparte – dicevano quelle notizie – era arrivato a Milano, era a Verona; s'era impadronito di Bologna, e poi... di Roma! Dappertutto si fecero processioni per il papa, e si pregò Dio che risparmiasse il suo vicario dalla furia di quei reggimenti che marciavano – cosí dicevano i predicatori dai loro pulpiti, e cosí ripeteva la gente, sbigottita – con in testa la ghigliottina, e ovunque arrivavano compivano massacri! Mentre Venezia restava lontana e silenziosa, chiusa nelle nebbie della sua laguna come in un bozzolo di paura, calarono dai monti «gli imperiali» cioè i soldati di sua altezza imperiale Francesco II, e anche le valli di Agordo e di Zoldo furono occupate da alcuni reparti della milizia territoriale tirolese che però non fecero troppi danni, per lo meno a Zoldo: dove si limitarono a bastonare un po' di gente e a rubare tutto ciò che poteva essere rubato con qualche profitto. I soldati imperiali, infatti, pur essendo i difensori della religione, e dell'ordine, e degli antichi valori, conservavano alcune umane debolezze che li ostacolavano sulla via della santità, e gli impedivano di essere perfetti. Innanzitutto erano ladri, anzi: ladroni, che se non trovavano niente di meglio portavano via anche i campanacci delle vacche, le incudini delle *fusine*, le corde dei pozzi; e poi erano gente irascibile e intrattabile, capace di riempire di botte un pover'uomo soltanto perché non gli era piaciuto il modo come li aveva guardati incontrandoli per strada, o perché gli aveva rivolto la parola in italiano e loro invece parlavano solamente tedesco. Queste milizie territoriali tirolesi restarono a difesa di Zoldo fino al febbraio del nuovo anno, il 1797: quando arrivò la notizia da Belluno che i francesi erano arrivati a Feltre, e che stavano risalendo la valle del Piave senza incontrare altro ostacolo che la neve per strada. In men che non si dica, i difensori fecero fagotto e ripassarono le montagne carichi di madie, di fornelli, di paioli, di stoviglie, di tutto quello che i muli e i carri e le loro stesse schiene potevano trasportare e per qualche settimana non si ebbero altre novità, finché a metà marzo la cavalleria francese arrivò a Capo di Ponte, dov'erano accampate le truppe imperiali; le sorprese, le mise in rotta e proseguí per il Friuli, senza lasciare presidî e senza fare prigionieri: tanto che le valli si riempirono di sbandati e di gente che non capiva piú da che parte fosse il nemico, e dove si dovesse andare! In assenza di francesi, a Belluno ritornarono gli austriaci; a Zoldo, invece, non successe piú niente fino alla fine d'aprile, quando comparve in valle un giovane prete tirolese, chiamato dalla gente familiarmente «don Sep», che parlava un dialetto veneto abbastanza comprensibile e andava attorno per chiese e per villaggi ad infiammare gli animi dei montanari e ad incitarli alla guerriglia antifrancese, raccontandogli i fatti eroici e prodigiosi della «ragazza di Spinghes». Si seppe poi che anche ad Agordo, e anche altrove: a Livinallongo, ad Ampezzo Imperiale, in Val Badia, nel Cadore erano comparsi preti bilingui come don Sep, che raccontavano la stessa storia che raccontava lui: i francesi – dicevano quei preti – erano stati sconfitti! A Spinghes, un grappolo di case arroccato alto sopra l'imbocco della Val Pusteria, tra Schabs e Mühlbach, c'era stata qualche giorno prima una terribile battaglia, durata dalle prime ore del mattino fino a notte fonda: in seguito a quello scontro, che aveva avuto come proprio centro la piccola chiesa e il cimitero del villaggio, i francesi erano stati messi in rotta, con l'aiuto di Dio, e avevano anche dovuto subire perdite rilevantissime! A sconfiggerli, però – e in ciò consisteva la novità dell'avvenimento – non era stato l'esercito dell'imperatore, e nemmeno un reparto della milizia, ma un gruppetto di contadini e di pastori guidati da una donna, anzi da una ragazza; quella stessa ragazza, di cui già in tutte le valli del Tirolo si celebravano le gesta: la ragazza di Spinghes! L'eroica fanciulla, che in realtà si chiamava Caterina – dicevano i preti – quando i francesi avevano fatto irruzione nel suo villaggio li aveva respinti dal camposanto e dalla chiesa, da sola e armata soltanto di un forcone, e poi aveva chiamato a raccolta tutti i compaesani e li aveva condotti all'assalto: coi capelli al vento, gli occhi cerulei scintillanti d'amor patrio e stringendo sempre tra le mani quell'attrezzo agricolo, con cui aveva dato inizio agli scontri! Gli alti comandi austriaci, evidentemente, speravano in un'insurrezione popolare dei montanari contro gli invasori francesi e la storia della ragazza di Spinghes era la propaganda di guerra di quell'epoca, senza radio né televisione e con pochi giornali; una propaganda semplice e apparentemente ingenua, che però riusciva a creare veri miti, destinati a durare nel tempo. Della ragazza di Spinghes si parlò ancora nel secolo successivo e negli anni della prima guerra mondiale: quando il monumento di bronzo che la rappresenta nell'atto di scagliarsi contro i francesi, eretto sulla piazza di Livinallongo, fu trasferito a Corvara in Val Badia, perché non cadesse in mano ai nuovi nemici, che in quegli anni erano gli italiani. Come spesso capita in queste cose di propaganda, anche la leggenda dell'eroica Caterina si basava su un fatto reale, accaduto – dicono le cronache – il 2 aprile 1797, mentre Napoleone era a poche miglia da Vienna e l'armata del generale Joubert manteneva il controllo delle strade e dei valichi in Val d'Adige, in Val d'Isarco e in val Pusteria. Capitarono a Spinghes, verso le due del pomeriggio, alcuni soldati francesi avvinazzati e ladri di galline, sparando per aria numerosi colpi di fucile e cantando canzonacce. Gli abitanti del borgo, che li avevano visti e sentiti arrivare, corsero a rifugiarsi in chiesa o addirittura si nascosero tra le tombe del piccolo cimitero; ma i francesi, appena varcato il cancelletto del cimitero – è qui che nasce la leggenda! – scapparono come lepri, perché si trovarono di fronte una ragazza con i capelli rossi scarmigliati e gli occhi dilatati dalla paura, pallidissima, magrissima e vestita tutta di nero, che stringeva in mano un forcone, o una grande falce, come sua estrema difesa. Un manoscritto dell'epoca, conservato a lungo nella canonica del villaggio, riferisce due particolari di quell'episodio che inducono a riflettere. Il primo particolare è che i francesi se la diedero a gambe, gridando: «Oh, l'apparizione di quella terribile donna!»; il secondo è che anche gli abitanti di Spinghes, sulle prime, pensarono come i francesi d'avere visto uno spettro: perché l'aspetto della ragazza non era dei migliori e perché non la conoscevano. Si trattava infatti, come poi si accertò, di una forestiera. Caterina Lanz, nata nel 1771 in Val Badia, da dodici anni faceva la fantesca a Brunico e dintorni; ultimamente era venuta a Spinghes a lavorare nella stalla di un contadino, e accudiva il bestiame: sicché anche i suoi ardori patriottici nella difesa di un villaggio che non era il suo, e in cui abitava da pochi giorni, se veramente si fossero manifestati nel modo descritto dalla leggenda, sarebbero stati – come dire? – un po' eccessivi. Quando si trovò faccia a faccia coi francesi Caterina era molto pallida, perché i montanari delle valli alpine di solito hanno la pelle chiara, e se si spaventano gli diventa ancora piú bianca; inoltre – duole dirlo, ma bisogna dirlo – il suo aspetto doveva essere tale, da tener lontani anche gli uomini sobrii e da far tremare la mano di uno scrittore: le donne brutte, infatti, in letteratura sono piuttosto rare, e le orrende si contano sulle dita di una mano sola; mentre non può dirsi altrettanto degli uomini sgraziati o addirittura mostruosi, che sono invece abbastanza frequenti. Caterina Lanz – pace all'anima sua – era tanto brutta, quanto i soldati che la incontrarono erano ubriachi; e cosí nacque, un giorno d'aprile di due secoli fa, una leggenda destinata a far squillare trombe, sventolare bandiere e sorgere monumenti sulle pubbliche piazze. (Le vie dell'eroismo, dai tempi della guerra di Troia e da prima ancora, sono molto piú numerose di quanto comunemente si creda...)

Per un paio di settimane, don Sep e i suoi colleghi si prodigarono ai limiti delle loro forze nel tentativo di suscitare ardore d'emulazione tra i sudditi della Serenissima e d'infiammare gli animi contro i francesi, ma non ottennero risultati apprezzabili: perché i francesi, nelle valli laterali del Piave, ancora non s'erano visti, e perché su quest'altro versante delle Alpi la gente aveva ben altre cose a cui pensare, che a prendere le armi contro chicchessia. Il nemico vero e concreto, contro cui i montanari veneti combattevano da anni e che li stava annientando, era... la fame! La fame, a Zoldo, si vedeva camminando per strada, già molto tempo prima che arrivassero i francesi. Era presente ovunque: nelle pance gonfie e negli occhi lucidi dei bambini che giocavano tra le case, e nell'abbandono e nella desolazione dei campi che un tempo erano stati coltivati, ed ora invece erano il regno incontrastato delle ortiche e d'ogni genere di rovi. La fame era ciò che si leggeva negli occhi degli anziani che incontrando un forestiero gli tendevano la mano, con un gesto furtivo e nello stesso tempo disperato; e in quelli degli accattoni – uomini e donne – che ogni mattina s'accalcavano davanti all'Ospitale dei Battuti, sempre piú numerosi per contendersi un cibo sempre piú scarso. La fame, infine, aveva l'aspetto stralunato e attonito dei moltissimi pazzi che andavano attorno dicendo cose senza senso, o ripetevano un certo gesto all'infinito, o si mettevano in pose scultoree a fissare il sole. Non c'erano mai stati, in tutta la storia di Zoldo, tanti matti quanti ce ne furono in quegli anni, tra il 1790 e il 1800! Le *fusine* chiudevano i battenti, i pastori si ritiravano piú in alto che potevano sulle montagne e anche allevare un maiale, o un pollo, per la gente dei villaggi era diventata un'impresa eroica: perché l'allevatore doveva cedere all'allevato una parte del suo cibo, e perché tutto ciò che si poteva mangiare, cani inclusi, spariva da un giorno all'altro senza lasciare tracce! Come se queste miserie non fossero bastate, a Zoldo e in tutto il bellunese incominciarono a circolare soldi falsi: monete venete da un soldone, e monete imperiali,

che però pesavano meno delle monete vere ed erano anche rico-
noscibili – cosí, almeno, disse chi se ne intendeva – per la cattiva
qualità della lega di cui erano fatte. Incominciarono a manifestarsi dei prodigi, in tutta la campagna veneta e in tutta Italia: di
Madonne che muovevano gli occhi e che parlavano, o addirittura che comparivano per strada, in prossimità dei luoghi di culto; di Crocifissi che sanguinavano dal costato, o che chiamavano per nome chi li stava pregando...

La mattina di sabato 13 maggio 1797, tutti i roseti selvatici e
tutti i prati di Zoldo erano già fioriti e si videro due usseri a cavallo con le sciabole sguainate che inseguivano un *pollo d'India*
in mezzo ai mucchi di carbone posti all'ingresso della valle, subito dopo il cippo con il Leone di marmo. Il disgraziato *pollo
d'India* – lo si seppe in seguito – era appartenuto al prete dell'O-
spitale di San Martino, dove si ricoveravano per la notte i viandanti del Canal, ed era stato appeso alla sella di uno dei due usseri, legato per le zampe con un po' di spago: ma in capo alla salita il nodo s'era sciolto, e il pollo aveva tentato l'ultima fuga!
Dietro a quell'avanguardia di cavalleria lanciata all'assalto arrivarono poi una ventina d'altri usseri, a piedi e tenendo i cavalli
per le briglie, e un drappello di cacciatori provenzali che erano
invece truppe di fanteria: in tutto, sessanta o settanta uomini.
Non si vide, invece, nemmeno l'ombra della temuta ghigliottina: il cui trasporto sui sentieri di montagna e sulle mulattiere
doveva essere stato impedito – dissero i benpensanti – dalle
asperità del terreno, e dal folto degli alberi. Davanti alle case di
Forno, i francesi si radunarono e si schierarono: entrarono in
bell'ordine e con gran pompa, preceduti da un tamburino a piedi e da un alfiere a cavallo con la bandiera spiegata, mentre i
montanari, verdi di paura e con i chiavistelli delle porte tutti
sprangati, spiavano l'arrivo dell'Anticristo attraverso le imposte; giunsero davanti al *palàz* del Capitaniato, dove s'erano ra-
dunati in fretta e furia alcuni uomini della valle – chi disse che
erano venti, chi cinquanta – con le coccarde tricolori sul cappello e certe facce cosí liete, come se gli fosse stata appena annun-
ciata una grossa vincita al lotto! Quegli uomini – quasi tutti be-

nestanti, e quasi tutti giovani – erano i giacobini di Zoldo che finalmente potevano mostrarsi alla luce del sole e gridare a pieni
polmoni, come stavano facendo: « Viva Bonaparte liberatore!
Viva la grande Repubblica francese! Libertà, uguaglianza, fratellanza! A morte il Leone! » (Cioè il Leone di San Marco). C'e-
rano fuori del *palàz* anche alcuni funzionari del Capitaniato: il
cancelliere, il *fante* con la berretta rossa, un paio di scrivani. A
suon di tamburo, si serrarono i ranghi; l'ufficiale francese
smontò da cavallo e ordinò che si facesse venire il *capitanio*:
quando l'ebbe davanti gli comunicò – in un italiano non perfet-
to ma comprensibile – che i suoi compiti e i suoi poteri erano finiti, e che avrebbe dovuto lasciare la valle prima di notte; non
ottemperando a tale ordine – lo ammonì – sarebbe stato accusato di cospirazione contro l'Armata repubblicana e immediatamente fucilato. Il *capitanio*, tale Fabio Pagani nobiluomo bellunese, ascoltò a capo chino senza dire niente. Il mento e il labbro
inferiore gli tremavano, quasi stesse per piangere; ma l'ufficiale
francese si disinteressò immediatamente di lui, voltandogli le
spalle, e si rivolse alla piazza. «Da questo momento, – annunciò, – e fino a che non entrerà in carica la nuova Municipalità liberamente eletta dai cittadini di Zoldo, assumo i pieni poteri
nella valle, sia per la difesa militare che per l'amministrazione
civile». Impartì quindi gli ordini relativi all'acquartieramento
dei soldati, una metà dei quali – disse – sarebbe stata alloggiata
nelle case dei cittadini piú ricchi, che avrebbero anche dovuto
provvedere alla loro sussistenza; mentre l'altra metà si sarebbe
sistemata alla bell'e meglio in quello stesso edificio che era stato
per secoli la Casa del Capitaniato, e che doveva diventare entro
poche settimane la Casa della Municipalità. Infine, dopo aver
avvertito i presenti che si sarebbe subito proceduto ad una prima requisizione di generi alimentari e d'ogni altra cosa ritenuta
indispensabile per il benessere della truppa, l'ufficiale ordinò al
cancelliere Vittoria di allestire una squadra di scalpellini per togliere il Leone di pietra dalla facciata del *palàz*, e per demolire
tutti i simboli dell'antica tirannide che si trovavano nella valle e
che erano – concluse in francese, mentre i giacobini si spella-

vano le mani ad applaudirlo – «rien d'autre que de signes d'esclavage». Il cancelliere fece cenno al *fante*, un movimento degli occhi e della testa che voleva dire «provvedi tu a questa incombenza», e il *fante* Nicola Gavaz – figlio e continuatore di quell'Antonio Gavaz che aveva cacciato le *zílighe* dalla valle – si mosse per andare a cercare gli scalpellini, ma l'ufficiale lo chiamò con un gesto imperioso: «Hé, toi, le bonhomme! Viens là!»

Siccome quello esitava e non capiva, il francese fece un passo avanti e gli strappò di testa la berretta, la buttò a terra e la calpestò con il piede destro, come se fosse stata la testa di un serpe. Gridò a quelli che erano lí e lo stavano guardando: «La vostra schiavitú è finita! È finita per sempre!»

La notizia dell'arrivo dei francesi, propagatasi con la velocità del fulmine in ogni piú remota località della valle, serví a far alzare i tacchi a due disertori austriaci che si erano insediati a Zoldo Alto in casa del *marigo* di Dont e vi si trattenevano ormai da alcune settimane, trattando la moglie del *marigo* con molta familiarità come se fosse stata la loro moglie e la loro serva, e badando anche alla dispensa e alla cantina, che fossero sempre rifornite di cibo e di vino! I disertori se ne andarono in men che non si dica e arrivarono, già nelle prime ore del pomeriggio di quello stesso giorno, gli scalpellini che dovevano togliere le insegne di San Marco dalla facciata delle chiese e delle case e dovevano fare a pezzi e buttare giú i Leoni messi a guardia dei valichi alpini. Il giorno dopo, domenica, si fece *campanò* con tutte le campane di Zoldo ma i villani accorsi alla Pieve per la «messa grande» ebbero la sorpresa di trovare le porte della chiesa sbarrate, la bandiera francese issata sul campanile e le truppe d'occupazione schierate sul piazzale per una *mostra* cosí bene articolata, cosí colorita d'uniformi e scintillante di sciabole e di fucili, cosí perfetta, che il povero Zuane Besarel avrebbe pianto di rabbia e di vergogna se avesse dovuto confrontarla con le esibizioni domenicali delle sue *cernide*! Il destino, però, aveva provveduto a risparmiargli una tale umiliazione facendolo morire durante l'inverno, d'una malattia che la gente, allora, chiamava

« male di Polmonia » – quasi venisse da un paese lontano e sempre gelido, posto nel nord dell'Europa – ed era invece quella stessa polmonite che possiamo prenderci anche noi oggi. A suon di tamburo, le truppe si aprirono e si riunirono davanti agli occhi dei montanari stupefatti, che mai si sarebbero aspettati un simile spettacolo, da quei soldati e in quel luogo; compirono le loro evoluzioni secondo gli ordini che gli gridava l'ufficiale, ritto al centro della piazza con la sciabola sguainata; infine si schierarono tutti, cavalieri e fanti, tra la chiesa di San Floriano e la canonica e restarono lí come impietriti, ad aspettare qualcosa che non si capiva cosa potesse essere. Ci furono allora altri tre rulli di tamburo e si fece avanti un tale Giobatta Rizzardini da Forno, commerciante di granaglie ed ex seminarista, sospettato in passato d'essere il capo dei giacobini di Zoldo, tenendo un foglio tra le mani: indizio certo – pensarono i montanari – che doveva tenere un discorso, e che non sentendosi sicuro della sua oratoria se lo era preparato in anticipo, per poterlo leggere. Rizzardini era vestito secondo quella che lui credeva essere la nuova moda della Rivoluzione, con un paio di *braghesse* che gli arrivavano fin sotto le ascelle, una giacchetta striminzita e lunga lunga che finiva dietro con due punte, come le code delle rondini, e un cappello alto e rotondo, una specie di cilindro dalla tesa spiovente sopra le orecchie. In un'altra epoca, e in un'altra circostanza, la comparsa a Zoldo d'un uomo vestito in modo cosí ridicolo avrebbe suscitato la pubblica ilarità, che si sarebbe manifestata con pernacchie, fischi ed altre forme rumorose di dileggio; quel giorno, invece, non rise nessuno. Soltanto i soldati francesi si toccarono il gomito e si scambiarono certe occhiate, che volevano dire, pressappoco: guarda un po' chi sono i nostri sostenitori! L'oratore venne in mezzo alla piazza, si schiarí la voce e tenendo il foglio lontano quant'era lungo il braccio, perché non riusciva a leggere da vicino, gridò con tutto il fiato che aveva in corpo: « Cittadini! Cittadini di Zoldo! »

Guardò attorno con aria di trionfo: finalmente ciò che doveva avvenire era avvenuto, e ora gli zoldani erano lí che ascoltavano lui, Giobatta Rizzardini, dopo aver ascoltato le menzogne dei preti locali e perfino quelle dei preti bilingui! Declamò: «Atterrate e calpestate le insegne esecrabili della forza usurpata, dileguate le proditorie mozioni di un'autorità, misteriosa custode della colpa sanguinaria regnante, decapitato il colosso dell'orgoglio, spuntate l'armi della menzogna e del tradimento, voi direte, o cittadini, il veneto governo è sparito!» Fece una pausa per riprendere fiato e per dar tempo ai montanari di meditare su quelle prime parole. Si rispose con slancio: «Sí, egli è sparito il teatro delle oppressioni! Cesse al vasto orizzonte della libertà, ove circondato da una nazione d'eroi guerrieri e politici, spuntò finalmente il sole della verità, che scioglie, come i vapori, quella nebbiosa politica, in cui l'avvolsero i falsi oracoli dei tiranni!»

Gli zoldani, stupefatti e attoniti, ascoltavano quelle frasi reboanti senza capire né cosa significassero, né dove Rizzardini volesse andare a parare. Qualcuno anche pensò che straparlasse, e che fosse uscito di senno per l'eccitazione: ma le cose stavano in un altro modo. Quello stesso discorso che Rizzardini lesse a Zoldo, era già stato pronunciato in Cadore qualche giorno prima, e poi anche sarebbe stato fatto proprio, di lí a pochi giorni e con minime varianti, dalla Municipalità di Belluno; sicché è lecito pensare che si trattasse, non d'un'alzata d'ingegno del capo dei giacobini locali, ma d'un prodotto collettivo della genialità dei giacobini bellunesi. Che fosse il linguaggio di quell'epoca e di quella Rivoluzione, o, comunque, un suo campione molto significativo. Tutte le minoranze rivoluzionarie, da che mondo è mondo, hanno sempre parlato linguaggi fumosissimi: tanto piú ermetici, e magniloquenti, e incomprensibili alla generalità delle persone, quanto piú grandi e sinceri erano l'entusiasmo di chi parlava, e la sua fede – anzi, la sua assoluta certezza – di trovarsi dalla parte della ragione e dell'evidenza, oltreché, s'intende, dalla parte del popolo!

«La beneficenza della piú illuminata, della piú generosa, della sola inespugnabile nazione dell'universo, – continuò l'oratore infervorandosi, – t'apre, o popolo zoldano, quel giorno di beatitudine che a noi, già schiavi, era un delitto augurarsi, ma

che dal nostro coraggio e da quello dei piú tardi nepoti sarà fe-
steggiato, e vendicato col sangue se a tanta felicità ci volessero
rapir di nuovo l'inganno, o la tirannia. Entro pochi giorni, verrà
costituita con i tuoi liberi voti quella Municipalità, che si ergerà
quale baluardo della tua nuova indipendenza sulle infrante reli-
quie dell'orgoglio e del despotismo. Decorata la piazza dell'Albero trionfale, che con invidia veduto abbiamo alzarsi a Parigi,
diverrà il tempio del patriottismo. Alla grand'ara della libertà
staranno attorno i genj di Bruto, che ci armeranno di virtú e di
costanza...» A questo punto del discorso, c'erano nel foglio alcune parole cancellate e sostituite con altre parole e il buon Rizzardini, dopo aver tentato invano di decifrarle, rinunciò. Girò il
foglio, e si rivolse di slancio ai soldati francesi che lo stavano
guardando con lo stesso vivo interesse con cui avrebbero guardato qualunque altra cosa – un masso, un albero, una vacca al
pascolo – gli fosse stata messa di fronte. «Se la patria zoldana, –
gli disse, – esausta dagli avvenimenti passati, non potrà destina-
re una pompa all'augusta festività della vostra venuta, non sarà
quella men celebrata dalla vera interna riconoscenza verso l'armi francesi e dall'entusiasmo del popolo!» Gridò: «Il nome di
Libertà, il nome di Bonaparte e un core di Bruto saranno i piú
preziosi ornamenti del piú grande degli spettacoli!»

«Bravissimo! Ben detto! Bene! Bravo!» Il gruppetto dei
giacobini in prima fila si scalmanava ad applaudire, ma la gente
tutt'attorno alla piazza restava ferma e imbambolata perché
nessuno aveva capito il significato di quello sproloquio, tutti
chiedevano al vicino: «Cos'ha detto?», o, addirittura: «In che
lingua ha parlato?» Il disorientamento e lo sconcerto della folla
erano cosí evidenti che l'ufficiale francese pensò fosse giunto il
momento di levare il campo e fece cenno al tamburino. In ordine di parata, con la bandiera in testa, i soldati si avviarono per
tornare a Forno e la gente s'accalcò attorno ai giacobini, sperando di poter avere da loro qualche informazione comprensibile,
in dialetto veneto, su ciò che sarebbe successo nella valle nei
prossimi giorni; ma ci fu anche chi andò a suonare alla porta del
pievano per chiedergli di celebrare quella «messa grande» che

non aveva intenzione di perdere in nome della libertà. «Se sono libero, come ho sempre creduto di essere fino ad ora, voglio ascoltare la messa». Don Bonaventura provvide ad accontentarlo.

Nonostante l'arrivo dei francesi fosse stato annunciato come l'arrivo dell'Anticristo e l'inizio della fine del mondo, la vita a Zoldo, nei giorni che seguirono, continuò apparentemente normale e senza nemmeno troppi cambiamenti. Tolti i Leoni di pietra, aboliti i titoli nobiliari, trasformati i montanari in «cittadini», si stabilí nella valle un nuovo ordine, in cui ai guai di sempre se ne aggiungevano soltanto alcuni altri che prima non c'erano, e che erano stati portati dai nuovi padroni. Incominciò a diffondersi un'epidemia del bestiame detta *riscaldo* e bisognò macellare e seppellire tutte le vacche dichiarate infette, prima che avessero la possibilità d'infettarne altre. Incominciarono i mormorii della gente. Il *riscaldo* – si diceva a Zoldo – era arrivato nel bellunese nel mese di marzo, assieme ai primi francesi e assieme a quei ridicoli discorsi della libertà rinnovata, della tirannide calpestata, di Bonaparte e di Bruto, che in concreto non significavano un bel niente e non cambiavano niente; era arrivato assieme alle coccarde tricolori, all'obbligo di chiamarsi «cittadini», alle malattie veneree, alle requisizioni ordinarie e straordinarie di grano, carne e d'altri generi di prima necessità, per cui sempre si diceva «Non ce n'è», e veniva risposto: «Ci dev'essere»; e c'era anche chi aggiungeva che per completare il quadro bisognava metterci le ruberie nelle case e nelle chiese della valle del Piave, e le prepotenze, gli abusi, le molestie alle donne... Per placare il malcontento tra la popolazione, e per mostrare agli zoldani quale luminoso avvenire i francesi gli stavano preparando, l'ufficiale comandante il presidio di Zoldo, sentiti anche i giacobini locali, pensò di rendere pubblico l'elenco di tutte le tasse e di tutti i dazi che sarebbero stati aboliti dalla Municipalità non appena questa si fosse insediata; e di dare immediatamente l'autorizzazione perché si piantasse l'Albero della Libertà sul sagrato davanti alla chiesa della Pieve, di lí a pochi giorni e con una grande festa. Mercoledí 5 pratile (24 maggio) comparvero nelle piazze di tutti i villaggi certi manife-

sti stampati su carta giallina che recavano scritta in alto a grandi
caratteri la seguente intestazione: «Armata d'Italia. Repubblica
Francese. Libertà Virtú Eguaglianza», e poi in caratteri piú piccoli annunciavano al popolo di Zoldo che l'Albero della Libertà
– «Vessillo glorioso e trionfante dell'Umanità», eccetera – si sarebbe piantato a Pieve il giorno 9 pratile prossimo venturo, con
grandi feste; che i cittadini membri e il presidente della Municipalità sarebbero stati eletti in San Floriano da tutti i capifamiglia della valle, il 24 pratile; e che la nuova giunta, non appena
insediata, avrebbe decretato l'abolizione di ben tredici secolari
dazi e tasse della defunta Repubblica di San Marco, elencate nel
manifesto con numeri progressivi. La gente che leggeva non
credeva ai suoi occhi: tra le imposte che stavano per essere soppresse c'erano il dazio del sale, quello del tabacco, quello «della
macina, o sia del boccadego», quello delle carni, la «bolla del
pane», la «bolla panni e pellame», il dazio sul panno e sulle *ras-
se*, il dazio della legna e la tassa del «cinque per cento sull'eredità»! Qualcuno si domandava: non sarà uno scherzo? Quelle
tredici tasse, che prese tutte insieme ne formavano una sola: la
tassa sulla miseria, erano la base stessa dell'ordinamento sociale, perché facevano sí che i ricchi fossero sempre ricchi e i poveri rimanessero poveri per tutta la loro deplorevole vita; nessuno, a Zoldo, se non forse in sogno, aveva mai osato pensare di
poter vivere in un mondo rinnovato, senza piú la tassa sulla miseria! Uomini e donne s'accalcavano dubbiosi intorno ai manifesti e a chi glieli stava leggendo, domandavano: «Hai letto bene? Sei sicuro che c'è scritto proprio cosí?» C'era chi avrebbe
voluto festeggiare subito quella gran novità e chi invece raccomandava cautela: perché il decreto – diceva – ancora non era
stato emanato, e bisognava essere ben certi, prima di cantare
vittoria! Tutti però concordavano su un punto: che finalmente
ci si muoveva nella direzione giusta per venire incontro alle necessità della gente, e per far sí che nella «valle della fame» si tornasse a vivere da cristiani! «Dopo tante monàde, – proclamava-
no, – questa sí che sarebbe una Rivoluzione grandissima, la piú
grande che si sia mai fatta al mondo!» E però subito si chiede-

vano: «Sarà vera?» L'autorità della parola scritta e stampata, a quell'epoca, era ancora grande; ma ci fu ugualmente chi non credette ai manifesti dei francesi e si prese la briga d'uscire di casa con vernice e pennello, nella notte tra l'8 e il 9 pratile, per andare a scrivere su un muro del sagrato della Pieve le seguenti parole: *Attila flagellum Dei* | *I Todeschi è so Fradei* | *I Franzesi è so Zerman* | *Andè a torvelo in c... o Venezian.*

La poesiola dell'Anonimo zoldano la lessero in pochi perché venne coperta con la calce già nelle prime ore del giorno successivo 9 pratile, dichiarato festivo: era proprio lí, infatti, davanti a San Floriano, che doveva essere innalzato il simbolo della nuova Libertà, portata a Zoldo dalle armi straniere. Gli stessi operai che avevano provveduto all'imbiancatura del muro procedettero quindi alla preparazione dell'Albero, che fu issato nel centro della piazza poco dopo mezzogiorno. Era un'antenna di pino alta trenta braccia e verniciata con i colori della Rivoluzione, il blu, bianco e il rosso; in cima all'antenna c'era un copricapo di legno ricoperto di latta, il famoso «berretto frigio», mentre alla base c'erano i fasci con le scuri, e, sopra i fasci, due bandiere francesi. Nel pomeriggio si spararono alcune salve di fucileria per il divertimento dei bambini, e fu anche lanciato un «globo» tricolore che rimase sospeso a lungo sopra le teste degli spettatori, muovendosi verso il monte Civetta e verso Agordo, finché diventò un puntino cosí piccolo che nessuno piú riuscí a vedere dove fosse finito. Arrivarono sulla piazza della Pieve le botti di vino messe a disposizione dal comando di Belluno perché i patrioti di Zoldo, appagata la loro sete di libertà, non avessero a patire un'altra sete, forse meno nobile ma altrettanto molesta; arrivarono i giovanotti e le ragazze in età da marito e anche quelle che l'età l'avevano passata, le cosiddette *zitelle*: la guerra, si sa, è una lotteria che rimette in gioco le fortune e le sfortune di tutti e dà a tutti un'ultima occasione, che la pace non gli avrebbe mai dato! Arrivarono i fabbri e le tintore, e tra esse Giacoma: che poi fu vista, verso la fine della festa, allontanarsi abbracciata ad uno degli usseri, e sparire con lui nel buio. Quant'era diversa, quella nuova Giacoma, dalla ragazza selvatica e scontrosa che aveva accoltellato uno *zatèr*, tanti anni prima, nel porto di Belluno! Arrivarono da fuori valle i musicanti, e insieme ai musicanti anche molte donne del genere delle *zílighe*, che già avevano fatto la loro ricomparsa a Zoldo al seguito dei francesi, ma in poche e alla chetichella: per la festa dell'Albero, invece, giunsero a frotte, senza che si capisse chi le aveva mandate a chiamare, e da dove venivano. Arrivarono da Belluno i carrettoni del pane, scortati ciascuno da due bersaglieri con le baionette inastate; si accesero le torce già disposte per illuminare la piazza, sebbene ancora non fosse buio, e iniziarono le danze attorno all'Albero, in una sorta di girotondo sempre piú sfrenato e sempre piú ebbro, al ritmo, naturalmente, della *Carmagnole* («Dansons la Carmagnole, | Vive le son du canon!»), ma anche di altre musichette allora in voga, soprattutto *manfrine* e *furlane*. Quando il buio fu completo, le danze si interruppero. Si spararono fuochi d'artificio per piú di mezz'ora, e gli ultimi fuochi composero nel cielo una grande «B», lettera iniziale del nome di Bonaparte liberatore; poi la festa riprese, mentre le famigliole con bambini, i vecchi e tutti quelli che erano venuti sul sagrato attirati soltanto dalla distribuzione del pane se ne andavano, perché s'era fatto tardi e perché avevano capito che da quel momento la festa avrebbe preso tutt'un'altra piega, e che la loro presenza sarebbe stata fuori luogo: c'era infatti chi si spogliava, chi gridava, chi sparava colpi di fucile per aria o contro la campana grande della chiesa, la cosiddetta Floriana, per farla suonare. Il frastuono degli spari e gli schiamazzi degli avvinazzati si sentivano fino da Forno e addirittura fino dall'imboccatura della valle, là dove terminava l'ultima salita del Canal e dov'era stato per secoli quel Leoncino di pietra, che ora giaceva con le ali spezzate in fondo al greto del torrente Maè. Nel volgere di pochi minuti la festa dell'Albero diventò un'orgia cosí licenziosa, e cosí folle, come nella valle non se n'erano viste prima d'allora, e come non se ne sarebbero mai piú vedute. Un'esplosione di sesso: le donne danzavano con il petto ignudo e sollevando le sottane, fin dove potevano essere sollevate; gli uomini, al termine di ogni giro di danza, gli saltavano addosso per trascinarle dietro il muro del cimitero o dietro la chiesa mentre loro fingevano di opporre resistenza con gridolini, strilli e invocazioni d'aiuto che dovevano rendere ancora piú eccitante la sopraffazione, per chi la compiva e per chi fingeva di doverla subire. A due ore di notte, sotto l'Albero, erano rimaste soltanto le persone decise a fare baldoria fino all'alba del giorno successivo: quando comparve improvvisamente un personaggio che Dio solo sa come avesse fatto ad arrivare fin lí, perché ormai era cosí grasso che le sue gambe, muovendosi, s'intralciavano l'una con l'altra, e non reggevano il peso del corpo! Ma una forza soprannaturale doveva averlo aiutato. Don Tomaso, che i francesi avevano ribattezzato *abbé Foie-Gras* a causa della pinguedine, uscí dal buio agitando con la mano destra quel libriccino rilegato in pelle nera che portava sempre con sé, e che era il *Vangelo* secondo Matteo. Gridava, modulando la voce: «Preparate le vie del Signore, raddrizzate i suoi sentieri, perché la venuta del Figlio dell'Uomo è ormai prossima!»

Era rosso in viso per lo sforzo che aveva fatto venendo su dalla stradetta dietro San Floriano, coi *capitelli* della Via Crucis; ma la sua voce, educata ai palcoscenici dei teatri ed alle cantorie delle chiese, era tornata ad essere limpida e armoniosa, senza l'affanno dell'asma che in certi periodi dell'anno gli impediva quasi di parlare, e senza nemmeno l'affanno della salita! Intorno a lui, l'orgia s'era interrotta, la musica taceva: i musicisti, le *zílighe*, i soldati, i fabbri, le tintore, tutti erano rimasti stupefatti per quell'apparizione, fermi nell'atteggiamento in cui si trovavano quando il vecchio prete era uscito dall'ombra, e lo guardavano avanzare verso il centro della piazza e verso l'Albero come se fosse stato un essere d'un altro mondo, piovuto giú da chissà quale lontano pianeta! Erano tutti già ubriachi e molto eccitati; ma per capire fino in fondo le ragioni del loro sbalordimento, noi oggi dovremmo anche riuscire ad immaginare ciò che ormai è inimmaginabile, cioè la voce di don Tomaso: che sembrava venir fuori dalle tenebre tutt'attorno alla piazza, e che, mentre accarezzava le orecchie con la sua armonia, agghiacciava il sangue di chi l'ascoltava... «Come la folgore viene da Oriente e brilla fino a Occidente, – cantò il prete, – cosí sarà la venuta del Figlio dell'Uomo: il sole si oscurerà, la luna non darà piú la sua luce, gli astri cadranno e le potenze dei cieli saranno sconvolte! »

Lo stupore prodotto dalla sua apparizione era cosí grande, che don Tomaso poté perfino permettersi il lusso di riprendere fiato. « Allora comparirà nel cielo il segno del Figlio dell'Uomo, – seguitò a cantare, – e allora si batteranno il petto tutti gli uomini della terra, e vedranno il Figlio dell'Uomo venire sopra le nubi in tutto lo splendore della sua potenza e della sua gloria! »

« Egli manderà i suoi Angeli con una grande tromba...»

« Bravò! Bravissimò! Vive l'abbé Foie-Gras! » L'esplosione d'entusiasmo in quella parte della piazza dove si distribuiva il vino offerto ai cittadini di Zoldo dal comandante militare della regione del Piave, generale Delmas, fu liberatoria per tutti. Tutti, ormai, finito l'effetto della sorpresa, volevano continuare la loro festa senza tante storie, e senza avere tra i piedi quell'intruso con le sue lagne di trombe e di Angeli e di Figli dell'Uomo. Perciò l'applauso scoppiò fragoroso: e, con l'applauso, ci fu anche un nutrito lancio di boccali da vino, in aria e verso la testa del prete. « Vive l'abbé Foie-Gras! Vive la Carmagnole! Dansons, dansons! »

« E raduneranno tutti i suoi eletti da ogni parte del mondo...», tentò ancora di cantare don Tomaso; ma arrivarono di corsa alcuni francesi che lo trascinarono via senza far caso alle sue invettive: « Non ardite toccarmi, peccatori! La mia carne è pura! Ascoltate il Figlio dell'Uomo, la sua voce...» Purtroppo per noi, che l'avremmo anche ascoltata, la voce del Figlio dell'Uomo – o, per meglio dire, di colui che allora ne stava annunciando la venuta sulla terra – si perse fuori dalla piazza e poi anche fu coperta dalle note della *Carmagnole*, dal rumore dei piedi che battevano a tempo, dalle urla sguaiate e dalle risa degli uomini, dagli strilli e dai gridolini delle *zílighe* e delle altre donne rimaste attorno all'Albero... Dopo pochi minuti i soldati ritornarono e a chi gliene chiese notizia dissero che *le benêt*, cioè: il babbeo, era stato affidato al sacrestano della Pieve perché lo mettesse a dormire, e che già dormiva! (La faccenda, per quanto incredibile, era vera. Ogni volta che dava in escandescenze, o che faceva qualche scenata memorabile come questa dell'Albero, don Tomaso poi s'addormentava di colpo, d'un sonno cosí profondo che non lo avrebbero svegliato nemmeno le cannonate).

Il mese di pratile, e quello successivo di messidoro portarono a Zoldo la nascita d'una Municipalità presieduta dal Rizzardini, l'abolizione della tassa sulla miseria e un'improvvisa e disperata voglia di vivere, che non si capiva da dove venisse ma che era un fatto visibile e reale, soprattutto tra i giovani. Come nel resto d'Italia, e in tutta Europa, i vestiti femminili s'accorciarono, si restrinsero; le donne incominciarono a mostrare in pubblico certe porzioni del loro corpo che, secondo gli insegnamenti delle loro madri e delle loro nonne, avrebbero dovuto mostrare soltanto al marito, e nemmeno sempre! Gli uomini s'imbaldanzirono, diventarono sfrontati. Abolite l'autorità dei nobili, e le loro tasse, anche l'autorità di Dio e dei suoi comandamenti non sembrò piú cosí ineluttabile com'era stata in passato; molti presero sul serio, ed alla lettera, quelle tre parole – libertà, eguaglianza, fratellanza – che i francesi mettevano in cima ai loro manifesti e con cui iniziavano i loro proclami: e pretendevano d'alzare la voce con chiunque, e di discutere tutto con tutti! I preti, naturalmente, dall'alto dei loro pulpiti, predicavano con tutte le loro forze, e con tutta l'enfasi di cui erano capaci, contro le nuove mode di vestire e di pensare, e contro l'andazzo dei tempi; ma quei preti che avevano un pulpito, e una chiesa, e una rendita fissa su cui vivere, erano una minoranza di privilegiati contro un esercito allo sbando di preti randagi che le parrocchie di campagna e anche di città non potevano piú sfamare, e che si riversava per le vie del mondo carico di tutti gli appetiti e di tutti i vizi della razza umana in generale e di quella pretina in particolare. Del resto, la Chiesa stessa sembrava essere sul punto di scomparire, se non come tramite tra uomo e Dio, per lo meno come potenza terrena: e le vicende del papato erano tali, da autorizzare e da giustificare molti dubbi

sulle possibilità che quell'istituzione riacquistasse il suo prestigio d'un tempo, e perfino che riuscisse a sopravvivere...

Il mondo intero correva verso la catastrofe, ma la persona
che doveva salvarlo – e che forse lo salvò – era ancora inconsa-
pevole del suo compito. Mattio Lovat, quel 9 di pratile, non
partecipò alla festa dell'Albero della Libertà perché i francesi
erano Attila, cioè il Diavolo, e perché il Diavolo lo aveva «mili-
tarizzato»: gli aveva messo sul farsetto una coccarda tricolore,
lo chiamava *citoyen cordonnier* e l'obbligava a lavorare esclusivamente per lui, tutti i giorni dall'alba a notte: sicché alla sera,
quando si alzava dal deschetto, era cosí stanco che aveva un solo
desiderio, quello di andare a dormire! La militarizzazione del
calzolaio di montagna si era compiuta senza tante formalità, co-
m'era nello stile di quei nuovi padroni: una mattina, Mattio era
in bottega intento a rattoppare *dàlmede* ed era entrato un sergente degli usseri per comunicargli che il liberatore d'Italia, Bonaparte, aveva bisogno d'un numero pressoché infinito di paia
di scarpe e che lui, cittadino calzolaio, da quel momento aveva
l'onore e il privilegio d'essere arruolato nella gloriosa Armata
d'Italia con la stessa paga e con lo stesso vitto d'un soldato di
fanteria, per prestare il suo servizio a domicilio, facendo scarpe! Mattio naturalmente aveva cercato di schermirsi col dire
che non poteva, non sapeva – cioè: non sapeva fare quel genere
di scarpe che calzavano i francesi – e perfino che non voleva: era
stato tutto inutile, come se nemmeno avesse parlato, e anche
l'ultimo argomento dietro a cui aveva cercato di trincerarsi – la
mancanza di cuoio e di pellami e l'impossibilità di acquistarne
sul mercato, perché non ce n'erano – non aveva scosso l'interlocutore, abituato a risolvere ben altre difficoltà. Il giorno dopo,
un'intera pattuglia dei suoi nuovi commilitoni gli aveva portato
tanto cuoio, e tanti rotoli di spago, e tanta pelle, e tante libbre di
chiodi, e tanta pece, che nel locale al pianoterra del *tabià* dove
Mattio lavorava quella gran massa di materiali non aveva potuto
nemmeno entrarci, e i francesi ne avevano dovuta immagazzi-
nare una parte al piano di sopra, nella stanza dove lui dormiva.
Il ciabattino allora s'era seduto al suo deschetto, tenendo a por-

tata di mano un vecchio paio di stivali che gli avevano dato per modello e s'era messo a tagliare e ad inchiodare, ad incollare e a cucire come se fosse stato condannato ai lavori forzati, senza piú muoversi da lí e senza poter fare nient'altro. Due volte al giorno tutti i giorni feriali, a pranzo e a cena, gli arrivava il rancio a domicilio dentro uno speciale recipiente di ferro detto *gamelon*, portato da un soldato francese. Quel soldato – che di nome si chiamava Antoine – aveva anche a tracolla una borraccia da cui avrebbe dovuto versargli un bicchiere di vino a mezzogiorno e due bicchieri al calar del sole: ma capitava quasi sempre – per ragioni a tutt'oggi rimaste misteriose – che la borraccia risultasse vuota. Antoine allora s'incolleriva: «Ah, les salauds! Se lo sono bevuto i ladroni, il vostro vino! Mi hanno preso in giro ancora una volta, i maledetti, ma vi giuro che la pagheranno!» Bestemmiava in lingua francese e con un tale impeto, che Mattio lo scongiurava di calmarsi e di non darsi pensiero del suo vino. «Per carità, – gli diceva, – per l'amor di Dio! Se volete anche il mio cibo non avete che da prenderlo, ma lasciate stare Nostro Signore e la Santa Vergine e tutte le anime del Paradiso! Ve ne supplico!» La domenica, invece, era Mattio che doveva scendere a Forno, al *palàz* che era stato del Capitaniato, per sedersi a tavola con i suoi commilitoni dell'Armata e per mangiare con loro. In quell'ambiente, purtroppo, beffe e insulti per il *citoyen cordonnier* erano cosa abituale, e bisognava portare pazienza: ma era sempre meglio cosí – pensava il nostro calzolaio – che patire la fame!

Una sera, Mattio aveva appena finito di cenare e stava preparandosi per andare a letto, quando vennero a chiamarlo dalla Pieve: l'arciprete voleva vederlo, in fretta in fretta, per un affare urgentissimo! Mattio allora si mise il cappello, s'allacciò le *dàlmede*, prese il *feral* per illuminarsi la strada del ritorno – per scendere, c'era ancora luce – e cosí in farsetto com'era, in pochi minuti arrivò in canonica. Entrò. C'erano forse venti uomini, stretti stipati nello studiolo che già era stato del pievano Fulcis, e don Bonaventura, seduto dietro la sua scrivania, gli leggeva una lettera del vescovo, anzi del «cittadino vescovo» di Belluno, monsignor Alcaini, che gli era appena stata recapitata. Il pievano aveva compiuto da poco sessantatre anni e i suoi capelli si erano fatti tutti bianchi; nel corso della sua vita aveva dovuto affrontare molte situazioni difficili e qualcuna anche tragica, ma nessuno mai l'aveva visto piangere apertamente, come in quella circostanza! Il contenuto della lettera del vescovo era molto semplice: vi si diceva, all'incirca, che per volontà del generale d'armata Bonaparte si sarebbe proceduto entro pochi giorni alla requisizione di tutti gli ori e di tutti gli argenti delle chiese, nei villaggi e nelle città di Terra Ferma dell'ex Repubblica di San Marco. Il comandante la regione del Piave, generale Delmas, faceva quindi obbligo a «Parroci, Curati, Direttori di Parrocchie, Massari o quant'altri ne avessero ingerenza» di presentarsi di persona entro il prossimo 21 pratile – 9 giugno – a Belluno in Curia davanti al cittadino vescovo, per consegnargli l'elenco «completo e veritiero» degli oggetti preziosi di proprietà delle rispettive parrocchie, compresi quelli che si usavano ogni giorno per celebrare la santa messa e le altre funzioni. Anzi a questo proposito il cittadino vescovo si appellava al cittadino parroco o a chi altri aveva incarico dell'argenteria, perché la sua risposta fosse sollecita ed esatta, al di là di ogni dubbio! «So per certo dall'Autorità Francese, – lo ammoniva, – che si adopererà con il massimo di Rigore, verificandosi dinieghi, o dichiarazioni improprie». La pena unica prevista era la fucilazione, e questo – lasciava intendere tra le righe il vescovo di Alcaini – doveva considerarsi un prezzo troppo alto per salvare qualche ostensorio o qualche calice dalla rapacità del nuovo Attila, cioè «delle Armi Francesi e dell'incomparabile Eroe, che le ha sempre condotte in mezzo ai Trionfi». «Quieti adunque e sicuri nelle vostre Coscienze, – concludeva il vescovo, – sono certo che obbedirete volentieri e con prontezza alle Autorità che sono e saranno costituite, mentre da ciò dipende la Salute e la Felicità vostra Temporale non meno che Eterna». Parole alate, che significano in concreto: «Cerchiamo ora di salvare la pelle, amici miei, e poi, quando il rischio sarà cessato, penseremo a santificare le anime! Una cosa per volta!»

Don Bonaventura si asciugò gli occhi. Si domandò, e domandò a quanti lo ascoltavano: «Cosa devo fare?»

Ci fu un lungo, lunghissimo silenzio. Tutti pensavano al modo di nascondere gli oggetti d'oro e d'argento, e perfino al modo di ribellarsi: ma le possibilità che i montanari sconfiggessero i francesi erano pochissime, nonostante il luminoso esempio della ragazza di Spinghes! A Zoldo, dopo la cacciata delle *zílighe*, la razza degli eroi aveva incominciato a declinare, o forse proprio era scomparsa; e i presenti in canonica quella sera si sentirono cogliere dalla vertigine immaginando se stessi con il fucile imbracciato e i capelli al vento, in mezzo al fumo e al fragore di una vera battaglia... Alla fine parlò per tutti il cancelliere Vittoria, che era il saggio – o uno dei saggi – della valle. «Bisogna fare come raccomanda monsignor vescovo, – disse in tono pacato. – Non ci sono altre possibilità! Non ci sono Santi! Bisogna consegnare tutto, fino all'ultimo candeliere e all'ultima pisside: perché, comunque poi la si metta, anche l'idea di nascondere una parte degli oggetti preziosi non è praticabile. Figuratevi se i giacobini, che ora si fanno chiamare municipalisti, non stanno compilando i loro elenchi per confrontarli con i nostri! È tutta gente, lo sapete meglio di me, che s'è fatta i calli alle ginocchia a servire messe quando ancora non era di moda essere atei, e che sa perfettamente cosa c'è nelle chiese...»

Il 27 pratile – un martedí – chi si trovò a venire su per il Canal nella prima ora del mattino, salendo da Longarone e dalla valle del Piave, incontrò un mesto corteo di soldati e di muli, con un carico di due ceste per mulo. In quelle ceste, senza nemmeno un panno che li nascondesse alla vista dei passanti, tintinnavano, ammucchiati alla rinfusa, gli oggetti d'oro e d'argento delle chiese di Zoldo: non soltanto quelli delle tre chiese parrocchiali, ma anche quelli delle chiesuole di villaggio e perfino degli *altarioli*. Una ricchezza enorme! Tutto il tesoro della valle, costato ai montanari secoli di miseria e di privazioni e di durissimo lavoro: i calici, le pissidi, le patene, i turiboli, gli ostensori, le croci, i candelieri preziosi, i reliquiari, andava ora ad imbarcarsi sulle zattere per essere portato a Belluno e da lí a Venezia, e tra-

sformato in denaro: in monete d'oro e d'argento per far crescere la potenza di Bonaparte, e per affrettare la rovina del mondo.
I mulattieri, i mercanti, i boscaioli, i viandanti che s'imbatte-
rono in quei muli ed in quelle ceste, si tirarono in disparte e
si fecero il segno della croce. Molti – anche tra quelli che in
chiesa ci andavano soltanto una volta all'anno per la Pasqua, e
che non provavano simpatia per i preti – si accorsero di avere gli
occhi pieni di lacrime, e dovettero asciugarle per impedirsi di
piangere...

Capitolo settimo
L'Anticristo

Dopo pochi mesi d'occupazione, all'improvviso e senza che nessuno, in realtà, avesse avuto la forza di cacciarlo, Bonaparte se ne andò da Zoldo e dal Veneto. S'allontanò con i suoi eserciti, continuando ad incombere all'orizzonte come un uragano lontano, che stia scaricando altrove i suoi fulmini e i suoi chicchi di ghiaccio... Ricomparvero gli austriaci, non piú come invasori ma come padroni; e quella nuova sistemazione delle cose, per cui tutto tornava ad essere com'era stato al tempo della Serenissima, sotto governanti e sbirri tedeschi, era forse la piú deludente di tutte le sistemazioni possibili, ed anche la piú triste, dopo tante speranze e tanti sconquassi! Furono reimposte le vecchie tasse, e i vecchi dazi: mentre una gran parte del Veneto era ancora stretta nella morsa della fame, e le strade pullulavano di accattoni e di gente che vagava da una città all'altra, aspettando l'inverno per morire con le prime gelate. Tutto, infine, sembrava essersi compiuto; l'Aquila austriaca aveva preso il posto del malfermo Leone veneziano, le istituzioni erano ritornate solide, e però nessuno dentro di sé credeva davvero che quel nuovo assetto fosse duraturo, né a Venezia né altrove; finché Bonaparte era vivo – si diceva – la ruota del destino avrebbe continuato a girare senza mai fermarsi, e a rimescolare le cose del mondo!

Nell'aprile del 1799, una domenica pomeriggio suonarono a distesa tutte le campane di Zoldo e giunsero sul sagrato della Pieve, preceduti e seguiti da moltissimi fedeli, due frati che ritornavano nella loro valle dopo un'assenza di anni e che erano, rispettivamente, fra Giuseppe da Zoldo e suo nipote fra Marco, al secolo Antonio Lovat. Fra Giuseppe era molto invecchiato: la corona di capelli intorno alla chierica gli si era fatta candida, le guance, un tempo rosee e tonde, gli ricadevano flosce ai lati del viso; soltanto lo sguardo e il portamento – dissero le comari – erano rimasti gli stessi di sempre! Da quando era priore ed abitava a Treviso, fra Giuseppe era ancora cresciuto d'importanza, rispetto al grand'uomo che era stato e che continuava ad essere. Era diventato il Santo patrono della valle di Zoldo: quello a cui ci si rivolgeva per risolvere le situazioni veramente difficili, perché delle cose di poco conto, e delle malattie, continuava ad occuparsene San Floriano! Chi si era messo nei guai con la giustizia, o aveva bisogno di una grossa raccomandazione, o voleva ottenere del denaro in prestito, andava a Treviso a bussare alla porta del convento di Santa Maria del Gesú e implorava l'aiuto di fra Giuseppe come l'avevano implorato, per anni, i montanari emigrati a Venezia. Fra Marco, invece, nella valle non lo conosceva nessuno, perché quando era andato via era ancora un ragazzo: e mancò poco che la signora Vittoria si sentisse male, vedendosi davanti quel giovane frate grande e ossuto, coi capelli rossi, che era suo figlio! Si sapeva da tempo, però, che anche lui studiava per diventare prete, e che avrebbe fatto carriera da grand'uomo come suo zio. Era lo stesso fra Giuseppe che si incaricava di tesserne le lodi a tutti gli zoldani che andavano a trovarlo. «È ancora giovane, – gli diceva, – ma vedrete! Sarà l'orgoglio della nostra valle: non vi dico altro!»

I due frati portavano a turno un sacco di tela, bitorzoluto e – a giudicare dai loro sforzi – anche piuttosto pesante. Dentro a quel sacco, secondo ciò che era stato annunciato nei giorni e nelle settimane precedenti da tutti i pulpiti delle chiese di Zoldo, c'era un frutto della terra: un frutto nuovo e straordinario che veniva dalle Indie Occidentali, dette Americhe, era stato portato in Europa dai missionari cristiani e avrebbe salvato i contadini veneti dalla morte per fame, come la manna piovuta dal cielo, nella *Bibbia*, aveva salvato il popolo d'Israele mentre attraversava il deserto! La gente, a dire il vero, era rimasta piuttosto scettica di fronte a quelle grandi promesse, cosí come era rimasta scettica, due anni prima, di fronte alla predicazione di don Sep e alle gesta della ragazza di Spinghes. L'idea che gli potesse arrivare dall'America un cibo miracoloso, addirittura una nuova manna!, non aveva convinto nessuno, o quasi nessuno; ma c'era comunque molta curiosità attorno ai due frati, quel pomeriggio d'aprile in cui, preceduti dalle prediche dei preti locali e accompagnati dal suono delle campane, arrivarono con il loro carico misterioso in mezzo alla piazza della Pieve, piú o meno nello stesso luogo dove – al tempo dei francesi – era stato eretto l'Albero della Libertà. Fra Marco sciolse l'imboccatura del sacco e fra Giuseppe, dopo essersi fatto il segno della croce, ne tirò fuori una cosa informe e bitorzoluta, del colore stesso della terra: cosí brutta, che la gente subito ne fu delusa! (Molte bocche si aprirono in un «oh!», che non era certo d'ammirazione). Il frate, invece, sembrava orgogliosissimo di quella sorta di ciottolo fangoso che teneva tra le dita e che – pensarono i montanari – nella migliore delle ipotesi avrebbe potuto essere un alimento per porci. Lo sollevò alto sopra la sua testa, lo mostrò alla piazza come se fosse stato una reliquia; infine, e con tutta l'enfasi di cui era capace, spiegò che quell'alimento per porci si chiamava «patata» e che aveva già alleviato il problema alimentare di intere regioni, dappertutto nel mondo e anche in Italia; che era nutriente quanto la polenta, o forse di piú, e che avrebbe potuto saziare tutta la valle, se la gente avesse avuto fiducia in lui, in soli due anni! Salí in piedi sopra una panca che gli era stata portata dalla chiesa, perché tutti potessero vederlo mentre predicava. Gridò ai suoi compaesani, indicando se stesso: «Guardatemi, mi riconoscete? Sono fra Giuseppe da Zoldo, il vostro frate! E adesso ditemi: credete che io sia venuto fin qui per ingannarvi, o avete fiducia in me?»

Gli zoldani guardarono fra Giuseppe, ma pochissimi gli risposero: «Abbiamo fiducia!» Il grand'uomo, però, si mostrò soddisfatto come se la risposta fosse stata corale. «Questo frutto apparentemente umile, – esordí con molta gravità, ed anche con un certo sussiego, – viene dalle Americhe e matura sottoterra, moltiplicandosi piú di qualunque altro germoglio o seme o tubero finora conosciuto, in modo quasi prodigioso. Cercherò di darvene un'idea. Ecco, vedete? Se io prendessi questa patata che ho tra le dita e la sotterrassi cosí com'è, sotto un po' di terra nell'orto del reverendo pievano qui presente, tra un mese circa incomincerebbero a vedersene le foglie, e ne nascerebbe un piccolo cespuglio che poi fiorirebbe, e col progredire dell'estate diventerebbe vizzo senza aver prodotto frutti commestibili: a quel punto, però, basterebbe rimuovere la terra sotto il cespuglio con una zappetta o con un piccolo rastrello di ferro e ne verrebbero fuori, non piú una sola patata, ma almeno venti o trenta nuove patate, alcune grandi come questa ed altre piú piccole... Pronte per essere lessate o cotte sulla brace o cucinate in altri mille modi che voi stessi vi divertirete a scoprire. Ottime per il palato e molto nutrienti!» Tirò fuori di tasca un coltellino, lo aprí, incomincio a tagliare la patata. Disse: «Ma c'è di piú. Se io divido questo frutto come ora sto facendo, in tanti pezzi quanti sono i germogli visibili sulla sua stessa buccia, e poi li sotterro ad una certa distanza l'uno dall'altro, avrò piantato un piccolo campo di patate che mi darà, per ogni pezzettino di frutto, almeno venti nuovi frutti: avete seguito il mio ragionamento? Siete capaci di fare dei conti? Ciò che vi ho detto significa che una sola patata, opportunamente tagliata e seminata, può produrre anche duecento o trecento nuove patate, e che anzi normalmente le produce. Quale altro frutto della terra vi dà tanto, e in un tempo cosí breve? Ditemelo voi!»

Molti tra i presenti stavano lí fermi e ascoltavano il frate con la bocca aperta e gli occhi imbambolati, come se fosse stato un venditore di stoviglie, o di lunari, o di sciroppi per vivere a lungo; ma c'era anche chi dava segni d'insofferenza. «Con tutto il rispetto che vi si deve, fra Giuseppe, – disse un uomo che era il *marigo* di Zoppè, venuto a Pieve per vedere la nuova manna, – noi apprezziamo molto la vostra buona volontà e il vostro buon cuore ma non sappiamo cosa farcene di questo cibo per maiali che ci avete portato. Anche in Cadore c'è un prete come voi, che vorrebbe convincere la gente a mangiare patate e però non ci riuscirà, potete starne certo, perché noi non siamo maiali, siamo uomini! Abbiamo bisogno di granoturco e di farina gialla! »

La testa del frate si mosse due o tre volte a dire «no», i suoi occhi guardarono l'interlocutore come per domandargli: perché ti ostini a non capire ciò che ti sto dicendo? «Non si può vivere di sola polenta, – rispose fra Giuseppe: – soprattutto quando la farina scarseggia, come ora, a causa della guerra e delle annate sfavorevoli, e, se pure si trova, si trova al prezzo di trenta, trentadue e finanche trentacinque lire il sacco!» Allargò le braccia. «Avremmo potuto portarvi un sacco di farina, a spalle su per il Canal, o forse addirittura due sacchi, ma non avremmo risolto proprio niente, dando da mangiare a qualcuno di voi per qualche giorno. Una gran parte della popolazione di questa valle, e di tutta la montagna bellunese, soffre la fame!»

Fra Giuseppe s'abbassò e diede a fra Marco la patata che aveva diviso in pezzi. Ripiegò il coltellino, lo rimise in tasca; alzò la mano verso i suoi compaesani, gli promise: «Anche chi non crede alle mie parole, crederà ai fatti!» Venne giú dalla panca. Disse: «Ora andremo nell'orto del pievano a sotterrare questo frutto che ho tagliato qui davanti a voi, e poi ve ne darò uno per ogni villaggio, perché possiate iniziare la coltivazione in tutta la valle. Faremo cosí: io dirò ad alta voce i nomi dei villaggi e si farà avanti un capofamiglia a prendere in consegna la patata per conto dell'intera comunità. Ce ne sarà una per Bragarezza, una per Sommariva, una per Ciambèr, una per Campo, una per Fornesighe...»

Mattio, che era in prima fila, prese la patata di Casal e il giorno dopo andò a sotterrarla in un posto appartato, stando bene attento che nessuno dei suoi compaesani lo seguisse; ma quando poi ritornò per innaffiarla trovò che la terra era stata smossa e che la patata era sparita. Nonostante le distinzioni del *marigo* di Zoppè tra cibi per maiali e cibi per uomini, qualcuno – che a giudicare dalle impronte delle *dàlmede* lí attorno sembrava proprio essere stato un uomo – s'era mangiato anche la buccia, e addio raccolto! Si seppe poi che cosí era successo dappertutto, e che quei pochi che avevano davvero sotterrato le patate di fra

Giuseppe – i piú se le erano mangiate crude quella sera stessa per cena, con un po' di sale per vincere il disgusto – avevano trovato la sorpresa che aveva trovato Mattio: la terra smossa, e la patata sparita...

In quegli anni che seguirono la caduta della Repubblica di San Marco, mentre la carestia continuava ad affamare i montanari veneti e mentre il mondo tratteneva il fiato davanti alle imprese di Bonaparte, nella valle del Piave e nelle sue valli laterali incominciò a crescere la leggenda d'un uomo che per molto tempo era stato considerato un delinquente e che tutt'a un tratto e quasi senza rendersene conto era diventato un eroe: il Robin Hood delle Dolomiti! Il combattente per la libertà delle valli alpine, contro ogni genere d'invasori e d'oppressori! Le vie dell'eroismo – già s'è avuto modo di dirlo – sono spesso imprevedibili, e la vicenda del bandito Luserta (che i piú, allora, chiamavano «l'Userta», trasformando la prima lettera del nome in articolo), a volerla raccontare per esteso ci porterebbe un po' troppo fuori dalla nostra storia, in un'altra storia di cui lui è il protagonista e che nessuno ancora s'è preso il disturbo di scrivere. Desiderio Manfroi – cosí, in realtà, si chiamava il bandito – era nato ad Agordo in quello stesso anno 1761 in cui aveva visto la luce anche Mattio Lovat, e aveva avuto da bambino quel soprannome di «lucertola» che poi gli era rimasto, anche se lui, crescendo, era diventato piuttosto simile a un topo: aveva infatti le spalle strette e un po' incurvate in avanti, gli occhi piccoli e lucidi e il viso appuntito. Se fosse vissuto nel secolo successivo, sarebbe certamente servito all'antropologo Cesare Lombroso per dimostrare al mondo la sua teoria dell'«uomo delinquente» che è tale dalla nascita (come l'uomo genio e l'uomo poeta), e che ha scritti in viso i segni della sua inclinazione a delinquere; era stato infatti un malfattore precocissimo, e, in quanto al viso, non c'era da sbagliarsi: bastava guardarlo per capire con chi si aveva a che fare! Gli toccò invece di vivere nel Settecento e di dover recitare la parte di un eroe che portava il suo nome e che era pieno di qualità positive, anzi proprio di virtú, a lui completamente estranee: il coraggio, la magnanimità, la saggezza, l'a-

mor patrio... La sua nuova storia – cioè la storia dell'eroe – era
iniziata nel 1796 con l'arrivo delle milizie territoriali dal vicino
Tirolo, e poi era continuata con i successivi passaggi di soldati
austriaci e francesi: concorrenti sleali, agguerritissimi, e voraci
come locuste! L'Userta, fino a quel momento unico ladrone
delle valli bellunesi, si era trovato a dover contendere il bottino
a decine d'altri ladroni che rubavano e stupravano e poi anche
si fermavano a gozzovigliare nelle case delle loro vittime, perché
non gli passava nemmeno per la testa che qualcuno potesse ammazzarli nel sonno! Non sapevano, gli ingenui, che sgozzare
gente ubriaca e addormentata era proprio la specialità dell'U-
serta ed era anche l'unico modo che lui aveva di affrontare e di
derubare uomini come loro, che non avrebbe mai osato affrontare di giorno, e in condizioni normali. Ma i primi veri affari
d'oro, per il nostro bandito, erano venuti dopo la sconfitta degli
austriaci a Ponte di Piave, nel marzo del 1797: quando le tre valli
– di Agordo, di Zoldo e d'Ampezzo Imperiale – s'erano riempi-
te di sbandati e di disertori che l'Userta sgozzava di notte ad
uno ad uno, per togliergli il cavallo e le armi e tutto ciò che avevano addosso, perfino la camicia e le scarpe... Quegli uomini –
ragionava l'Userta – erano stati dati per dispersi in battaglia, e
nessuno piú avrebbe indagato sulla loro scomparsa: bisognava
solo riuscire ad ammazzarli e a spogliarli prima che si mettesse-
ro in salvo di là dalle montagne, e l'impunità era assicurata! Anche al tempo dei francesi il ladrone d'Agordo era riuscito a mettere a segno alcuni colpi che avevano mandato su tutte le furie il
maggiore Bardou, comandante la piazza di Belluno, e avevano
fatto lievitare la leggenda del nuovo Userta, vendicatore degli
afflitti e persecutore dei forti: perché lui ormai s'era reso conto
che le sole prede degne d'attenzione erano i soldati, e che le pecore e le povere suppellettili dei montanari valevano, in definitiva, cosí poco, da poter essere lasciate dov'erano o addirittura
restituite ai legittimi proprietari per assicurarsene i favori e la
complicità, se gli erano state prese dai predoni stranieri! Fu allora e nel giro di pochi mesi che l'Userta diventò l'eroe nazionale della valle del Piave, e che anche la sua leggenda – pur essen-

do fatta della stessa sostanza di cui sono fatti i sogni – incominciò ad insinuarsi nel mondo delle cose reali, e a modificare la realtà. Alcuni giovani della valle di Agordo, stanchi di patire la fame e non meno disperati di quelli della vicina valle di Zoldo, chiesero al bandito di armarli e di prenderli con sé nelle sue imprese ardimentose contro gli invasori stranieri; lui esitò, perché un simile sviluppo d'una attività che era stata – fino a quel momento – esclusivamente delinquenziale, gli sembrava eccessivo e incontrollabile; ma i tempi erano cosí confusi, gli ideali di giustizia e di libertà erano cosí strettamente intrecciati, a volerli mettere davvero in atto, con la pratica dell'ingiustizia e con ogni genere di violenze, che alla fine l'Userta si risolse a compiere il grande passo, da ladrone e assassino che era stato, a condottiero e difensore del suo popolo. In poche settimane armò una milizia di alcune diecine di uomini e incominciò ad impiegarla in operazioni che si svolgevano fuori della valle di Agordo, sulle strade che dalle altre città del Veneto portavano a Belluno. Quelle operazioni, il cui successo dipendeva piú dalla sorpresa e dalla rapidità dell'esecuzione che dall'uso della forza, consistevano nell'assaltare e svaligiare i trasporti militari fuori convoglio, rubando ciò che capitava: armi, scarpe, pane, vino, pesce salato e qualunque altra cosa si trovasse nei carri. L'Userta, naturalmente, partecipava di rado a quelle spedizioni, perché un eroe nazionale deve tenersi riguardato per il suo popolo, e perché ormai insieme a lui c'era tanta gente, pronta a combattere anche di giorno e anche a viso scoperto; si limitava a dirigerle da lontano e ad andare attorno per i villaggi della sua valle atteggiandosi come se fosse stato il re di Agordo: giudicava nelle controversie, consolava chi aveva perso un congiunto, elargiva piccole somme di denaro, componeva le liti. Prometteva a tutti quelli che incontrava, indistintamente, un avvenire migliore. S'era anche scelto una ragazza, la piú bella delle molte che avevano scoperto d'essersi follemente innamorate della sua leggenda, e le prometteva – dissero le comari – di sposarla; finché un giorno si seppe, nella valle, che l'aveva sposata davvero!

Tra le gesta favolose che composero in quegli anni l'epopea

dell'Userta, ci fu il furto d'una cassa di denaro austriaco, contenente le paghe dei soldati della guarnigione di Feltre; ci fu la liberazione d'un bandito soprannominato Zalin (giallino), in pieno giorno dal carcere di Belluno; ci fu, infine, un conflitto a fuoco coi francesi a Masaré sul lago di Alleghe, in cui i francesi, naturalmente, avevano avuto la peggio: e chissà mai com'erano nate quelle storie, e se erano vere! Il destino dell'Userta, straordinario e paradossale come già s'è detto, gli giocò anche quest'ultima beffa, di costruire sul suo nome una leggenda tutta intessuta di episodi fiabeschi, e di nascondere al mondo la sua impresa più grande, che lui compí con pochi uomini e con la complicità d'un sergente francese, e che forse avrebbe causato la sua fine, se Bonaparte in persona non avesse provveduto a salvarlo cedendo il Veneto all'Austria con il trattato di Campoformio. Quell'impresa straordinaria ha anche una data. Il 19 giugno 1797 una zattera in navigazione sul Piave, manovrata e scortata da un sergente e da un numero imprecisato di soldati francesi, incappò tra Dussoi e Salce in uno sbarramento di funi e di tronchi di larice e fu derubata di nove grandi casse che contenevano gli ori e gli argenti delle chiese di Belluno, e della valle del Piave, e delle valli di Agordo e di Zoldo: un tesoro dal valore incalcolabile, finito in mano ai banditi! L'imboscata – che i francesi non avevano alcun interesse a pubblicizzare, perché lo smacco subíto era grande quanto la perdita economica: in termini di prestigio, l'equivalente di una battaglia perduta – costò almeno tre morti: due banditi i cui corpi vennero ritrovati quella sera stessa nei pressi della zattera, e un soldato che il Piave restituí dopo pochi giorni. Il sergente responsabile del trasporto venne arrestato il 27 giugno e sottoposto a interrogatori sempre più stringenti: in seguito a quegli interrogatori si ritrovarono le casse del tesoro, naturalmente vuote, in una cava di sassi presso Bolzano. La fucilazione del sergente si compí ai primi di settembre, quando già le ricerche degli ori delle chiese si erano spostate verso la valle di Agordo; dove – dissero gli informatori – era comparso da circa un mese, ed occupava un posto di rilievo alla corte del bandito Userta, un personaggio che già ai tempi della

Repubblica veneta era stato segnalato agli inquisitori come probabile fabbricante di monete false, anche se la sua zecca non s'era trovata. Costui si chiamava Michiele De Fanti, era nato a Zoldo e risiedeva a Padova; ma mentre a Belluno il maggiore Bardou stava organizzando un'operazione in grande stile per recuperare il tesoro delle chiese e ripulire la valle di Agordo dai banditi, arrivò dal comando generale dell'Armata e personalmente da Bonaparte, un ordine perentorio: bisognava che tutti si preparassero a partire entro pochi giorni, per andare a compiere nuove imprese gloriosissime, in altre parti del mondo! L'Userta, che si era nascosto a Treviso in casa di amici, abbandonando il tesoro al suo destino, ritornò ad Agordo da vincitore: il suo nemico personale, il maggiore Bardou, stava per andarsene dall'Italia, e chiunque poi fosse venuto a Belluno dopo la partenza dei francesi, non si sarebbe piú occupato del tesoro delle chiese, e nemmeno di lui! Per tenere segreta tutta quella storia – che se si fosse risaputa in giro avrebbe anche rovinato la leggenda dell'eroe nazionale – bastava ammazzare quei pochi banditi che ne erano al corrente; e l'Userta li ammazzò tutti, ad uno ad uno e senza lasciare tracce. Nella primavera di quell'anno 1799 la faccenda era stata portata a termine cosí bene, che soltanto tre persone al mondo avrebbero potuto dire dov'erano finiti gli ori e gli argenti delle chiese bellunesi, dati per dispersi nel tumulto dei tempi. Queste erano il Luserta stesso, la sua giovane moglie e quel Michiele De Fanti, sospettato d'essere un falsario dalla polizia veneta e dall'autorità militare francese, che giust'appunto in quel periodo era ricomparso anche a Zoldo, dopo una lunga assenza, ed era perfino salito a Casal, al *tabià* dei Lovat, per informarsi della salute di Mattio. Aveva saputo da un conoscente – disse alla signora Vittoria – che Mattio era stato alcuni mesi senza lavorare, gravemente ammalato. Le domandò: «Che male ha avuto? È guarito del tutto?»

Mattio quel giorno non era in casa, perché già da un po' di tempo aveva ripreso ad andare attorno per i villaggi della Pieve, gridando il suo mestiere di *scarpèr* e cercando *dàlmede* da rattoppare, come faceva sempre: ma ciò che Michiele aveva sentito dire sul suo conto corrispondeva a verità. Era stato ammalato; l'anno precedente, verso la fine dell'estate, gli era calata addosso una gran debolezza: gli venivano dei capogiri, camminando, e poi anche la vista gli si offuscava, le gambe non lo reggevano o lo reggevano soltanto per pochi passi, i pensieri erano confusi... Fosse stato ancora al mondo don Giuseppe, il prete-medico dell'Ospitale dei Battuti che aveva curato per quasi mezzo secolo i corpi e le anime della gente di Zoldo, non avrebbe avuto esitazioni circa il modo di curare la malattia di Mattio, e sarebbe subito intervenuto con i suoi salassi: perché le infermità – amava ripetere don Giuseppe – quasi sempre risiedono nel sangue, piú sangue si toglie ad una persona e piú l'infermità si indebolisce! Ma don Giuseppe – o, per meglio dire: il suo cranio – rideva ormai con trentadue denti nella Cripta degli Ossi sotto San Floriano, e il suo posto nella valle era stato preso da un certo dottor Villalta, tanto pieno di dubbi quanto lui era stato pieno di certezze, e preoccupato soprattutto – come i medici d'oggi! – che le malattie dei suoi pazienti avessero un nome. Dovendo dunque formulare una diagnosi della malattia del nostro ciabattino, il dottor Villalta si mostrò a lungo titubante tra diverse possibilità, senza risolversi a favore dell'una anziché dell'altra e senza mai arrischiarsi a prescrivere una cura; mentre alle comari di Casal, chiamate a consulto dalla signora Vittoria, bastò un'occhiata per emettere il verdetto e per pronunciare il nome del male: *pellarina!* Il segno della malattia – dissero le comari – erano quelle macchie di color rosso vinoso, grandi quanto un tàllero, che si vedevano su tutto il corpo dell'ammalato e che entro poche settimane sarebbero scomparse senza bisogno di cure specifiche e senza che Mattio fosse veramente guarito, perché nessuno mai era guarito dalla *pellarina*. Anche lui – pronosticarono le donne, scuotendo la testa – di lí a pochi anni si sarebbe ridotto come quei disgraziati che andavano attorno per la valle a contare formiche, o che restavano fissi in faccia al sole finché diventavano ciechi; ma Mattio, quando si accorse che le sue ginocchia tornavano ad essere ferme e la sua mente lucida, pensò che la malattia avesse compiuto il suo corso, e di essere

prossimo alla guarigione. Per svagarsi, e per camminare un po',
scendeva a Pieve tutti i giorni: entrava in chiesa, si sedeva davanti all'Altare delle Anime fiocamente illuminato dalle candele
e sovrastato da quelle immagini spettrali che dicevano anche a
lui, come a tutti gli altri, *Hor tu che guardi in su, io fui come sei
tu*; restava là, in quel luogo fuori del tempo e in quella penombra, a riflettere su certe questioni che nessuno mai, da che mondo è mondo, è riuscito a risolvere. Sentiva crescere dentro di sé,
dopo la malattia, il desiderio di fare qualcosa per gli altri: qualcosa d'importante, che servisse a migliorare le condizioni di vita
dei suoi compaesani, e a renderli un po' piú felici e un po' piú
buoni; si chiedeva come potesse riuscirci, e non trovava il modo! All'inizio del nuovo anno, era già in grado di sedersi al deschetto e di fare il suo lavoro di calzolaio; ma il lavoro scarseggiava e lui allora scendeva a Forno per andare a trovare don Tomaso, murato vivo in quella sua stanza sul torrente Maè da cui
non poteva nemmeno piú uscire, perché la porta d'ingresso, ormai, era diventata troppo stretta... La grassezza di don Tomaso
era prodigiosa, confrontata con la magrezza di tutti gli altri abitanti della valle, e con la scarsa frequenza e consistenza dei suoi
pasti; ma erano anche straordinari i suoi deliri, che si ripetevano
ad ogni visita di Mattio e si alimentavano di due sole letture: il
Vangelo di San Matteo e la «Gazzetta Privilegiata Veneta», va-
riamente integrate e mescolate tra loro. Il *Vangelo* di San Matteo era quel libriccino rilegato in pelle che don Tomaso portava
sempre con sé, e che aveva anche brandito come suo vessillo davanti all'Albero della Libertà, la notte in cui s'era fatta quella
gran festa sul sagrato della Pieve. La «Gazzetta», invece, gliela
portava, vecchia di due o di tre settimane, il cancelliere Vittoria
(divenuto «regio cancelliere» in seguito all'arrivo degli austriaci) che la riceveva per abbonamento nel suo ufficio presso la
Casa del Capitaniato (anch'essa «regia»): e gli forniva sempre
nuovi stimoli, e materiale inesauribile, per quelle sue farneticazioni sull'Anticristo e sul ritorno del Figlio dell'Uomo in cui
Mattio, ogni volta che le ascoltava, finiva per smarrirsi...

Non aveva dubbi di sorta, don Tomaso, su ciò che stava ac-

cadendo in quegli anni! Era tutto semplice: dopo piú di un millennio dalla prima redenzione dell'umanità – secondo l'antica
profezia – l'Anticristo era tornato ad incarnarsi nella persona di
Bonaparte. Bonaparte aveva abbattuto il Leone di San Marco e
aveva cacciato il papa da Roma. Il papa, vicario di Cristo, era
suo prigioniero in Francia, sicché – diceva il prete castrato – le
possibilità a questo punto erano due soltanto, non ce n'era una
terza: *tertium non datur!* Se il vicario di Cristo, cioè il papa,
avesse ripreso il suo posto sulla croce, il mondo sarebbe stato
nuovamente salvo, e il Diavolo avrebbe dovuto ritornare in
quelle tenebre, da cui era riuscito a sottrarsi per la malvagità degli uomini. Ma se il sacrificio non si fosse ripetuto, e il papato e
la Chiesa fossero stati asserviti al nuovo Satana, il regno delle
forze del male sulla terra sarebbe durato mille anni esatti: non
uno di piú e non uno di meno!

Mattio ascoltava le parole di don Tomaso tenendo gli occhi
spalancati e la bocca aperta. Un giorno lo implorò: «Voi che
siete il mio padre spirituale, per favore, ditemi: cosa può fare un
pover'uomo come me, per alleviare i mali del mondo?»

«L'attesa del nuovo redentore potrebbe anche diventare
molto lunga!» rispose don Tomaso: che si rivolgeva a Mattio
come se stesse conversando con lui, ma in realtà parlava a se
stesso. Aprí il libro del *Vangelo*, lo sfogliò, trovò la pagina che
cercava. Lesse alcune parole, alzando il dito per mettere in
guardia il ciabattino che lo stava ascoltando. «Non lasciatevi ingannare! – lo ammoní. – Molti verranno nel mio nome, che di-
ranno: io sono il Cristo, e illuderanno cosí un gran numero di
persone. Sentirete poi parlare di guerre e di rumori di guerre.
Non abbiate timore: è necessario che queste cose accadano, ma
non è ancora la fine! Si solleverà popolo contro popolo e regno
contro regno; vi saranno carestie e terremoti in vari luoghi, e
tutto questo sarà solo l'inizio delle vostre tribolazioni!»

Molto spesso, però, come già s'è detto, i deliri di don Tomaso prendevano spunto anche dagli articoli che lui leggeva sulla
«Gazzetta Privilegiata» o da qualche chiacchiera che gli era
stata riferita su questioni ritenute d'attualità, e da lí poi investi-

vano il mondo, lo spiegavano, lo indirizzavano verso quell'esito finale, di cui parlava l'apostolo. Soprattutto lo mandavano in bestia le teorie di un filosofo francese – uno di quei falsi profeti cosí chiaramente descritti e preannunciati nel *Vangelo* di Matteo – che lui chiamava Satanasso, o Beelzebul, o con altri nomi di Diavoli: forse perché il nome vero non lo ricordava, o forse proprio perché non lo voleva pronunciare, considerandolo una bestemmia! Quel filosofo aveva osato sostenere, contro l'insegnamento della Chiesa e contro l'evidenza stessa delle cose, che l'uomo è buono: nasce buono – cosí, quel pazzo aveva avuto l'ardire di esprimersi! – ed è poi colpa della società se diventa malvagio... Don Tomaso quasi si strozzava: «Non è vero!» La voce gli si rompeva per l'asma, le guance gli si arrossavano, le mani gli tremavano. «L'uomo nasce malvagio, malvagissimo, e la sua malvagità cresce con lui, si sviluppa dentro di lui perché è la colpa prima di cui parla la Bibbia, è il peccato di Adamo, sissignore! Se cosí non fosse, perché Dio avrebbe mandato suo Figlio in terra, e perché si sarebbe compiuta la redenzione? Se l'uomo, come sostiene Satanasso, nasce buono, da cosa mai avrebbe dovuto redimersi, eh? Da cosa?» Gli occhi di don Tomaso in quei momenti scintillavano, il suo dito, grasso e rotondo come una *lugànega*, era puntato ad ammonire e a minacciare chi gli stava davanti: guai a te – diceva quel dito – se darai retta alle orribili menzogne di quest'epoca, ed ai suoi falsi profeti! Poi però la voce gli s'abbassava, ritornava normale. «È la razza umana, in quanto tale, che è malvagia, – diceva don Tomaso. – Perciò si è compiuta la redenzione e perciò esistiamo noi preti. Grazie a Gesú Cristo, ed un poco anche a noi, gli uomini possono salvarsi, ma soltanto individualmente. È tutto scritto!»

C'era poi la questione del sesso, inesauribile e centrale rispetto a tutte le altre questioni umane. «Finché non calpesteremo l'abito della vergogna, – gridava il *sopranista*, – e le due cose non diventeranno una sola cosa, e il maschio e la femmina non saranno piú tali, non ci sarà remissione per nessuno: l'uomo e la donna vivranno divisi nel dolore, tormentati da ogni genere di miserie materiali e morali e da ogni sorta di malattie, vittime cieche di un Diavolo che non è soltanto fuori di loro, nelle cose del mondo, ma innanzitutto è dentro di loro!» Si considerava prescelto da Dio e privilegiato tra tutti gli uomini per aver subito la castrazione integrale: quella vera, che negli anni in cui s'era compiuta la sua fanciullezza veniva ancora praticata e che poi, purtroppo, era caduta in disuso; e si scagliava contro i cantanti alla moda o ritenuti tali, i Guadagni, i Marchesi, i Farinelli, che per essere impotenti a generare ma non a fornicare non potevano dirsi castrati, anzi, al contrario! Rappresentavano il prodotto ultimo della depravazione umana, il progresso chirurgico e scientifico messo a disposizione del vizio, l'infamia divenuta persona! A questo punto, generalmente, don Tomaso alzava le braccia e gli occhi al cielo, si chiedeva angosciato: «Dove andremo a finire, e quanto ancora è lontano il fondo dell'abisso? Dovremo forse vedere aggirarsi tra di noi questi nuovi uomini artificiali di cui si favoleggia, dovremo vedere il cielo solcato dalle macchine volanti, dovremo assistere al rovesciamento di tutte le leggi della natura, prima che il Figlio dell'Uomo torni a mostrarsi nel fulgore della sua gloria, alto sopra le nubi del cielo come dice l'apostolo?» Tirava fuori di tasca il suo solito libriccino, ne leggeva alcune parole, alzando il dito. «Quando vedrete queste cose, – declamava, – sappiate che egli è proprio alle porte. In verità vi dico: non passerà questa generazione prima che tutto questo accada. Il cielo e la terra passeranno, ma le mie parole non passeranno!»

Si sentivano un po' dovunque, in quella primavera del 1799, perfino tra le montagne bellunesi e perfino a Zoldo, certi discorsi che soltanto qualche mese prima sarebbero stati impensabili in bocca a contadini e ad uomini del popolo: di giustizia, di libertà dall'oppressione, di necessità di porre fine allo sfruttamento delle campagne da parte delle città, e dei contadini da parte dei nobili... Tutti s'erano stancati di patire e incominciavano a dire apertamente la loro stanchezza («Avanti cosí, non si può piú andare!»); tutti si stavano pian piano persuadendo – e in ciò, forse, era la vera novità dei tempi – che l'infelicità dei poveri e la beatitudine dei ricchi non fanno parte della natura delle cose come il giorno e la notte, il caldo e il freddo, il sole e la pioggia; e che le vicende umane possono cambiare, e cambiare in meglio! Poi però quando bisognava pensare a un modo concreto per far finire la carestia e le tribolazioni e per ritornare a vivere, non già nell'abbondanza, che i contadini e i pastori bellunesi non avevano mai conosciuto, ma in quelle ristrettezze di una volta che confrontate con la miseria presente sembravano benessere, tutti finivano per ripetere le stesse parole altisonanti e innocue che erano echeggiate nelle piazze al tempo dei francesi: e una via d'uscita non si trovava! Del resto, cosa mai avrebbero potuto fare, i contadini, per cambiare quel mondo in cui erano nati e in cui vivevano, al solo scopo di zapparlo e di tenerlo ordinato? Anche l'idea di una ribellione aperta e violenta, che già aveva incominciato ad insinuarsi in qualche testa piú calda delle altre, e che si sarebbe diffusa in un batter d'occhi, se gli stomachi fossero stati un po' piú pieni – a pancia vuota non si fa niente, nemmeno la Rivoluzione! – non era poi tanto facile da attuare, per la disparità delle forze in campo ed anche per altri motivi, banali fin che si vuole ma reali: per esempio, non era nemmeno chiaro chi fosse il nemico, e contro chi si sarebbe dovuto combattere. Una rivolta dei «territoriali», cioè degli abitanti delle campagne – lo sapevano tutti – avrebbe provocato l'intervento dei soldati austriaci, che l'avrebbero spenta nel sangue; ma chi opprimeva i contadini – anche questo era risaputo – non era l'imperatore, e non era Vienna, cosí come in passato non era stata Venezia: era Belluno! Erano gli aristocratici bellunesi che gli imponevano tasse e dazi, oltre ogni umana possibilità di sopportarli e oltre ogni limite ragionevole: per impedirgli di scaldarsi d'inverno, e di mangiare, e di condurre un'esistenza accettabile... A poco a poco, incominciò a farsi largo nelle teste di molti una nuova idea, che la via per uscire dagli stenti, e dalla miseria, fosse quella di abolire le tasse, come s'era fatto durante il breve periodo dell'occupazione francese; e che ci si potesse arrivare in modo pacifico, senza ribellarsi all'imperatore ma anzi proprio rivolgendosi a lui come suoi sudditi obbedienti e devoti, per chiedergli d'essere difesi dai soprusi dei nobili! Quell'idea di appellarsi all'imperatore ed al suo governo per avere giustizia era però causa di forti contrasti: perché molti, al contrario, sostenevano che non si deve illudere la gente con vane speranze, e che se i poveri potessero davvero far valere le loro ragioni davanti ai Tribunali, i ricchi non sarebbero ricchi, come invece sono. O non si fa niente di niente – affermavano questi altri – o, se si vuole ottenere qualche risultato concreto, bisogna armarsi e marciare su Belluno; e ripetevano che in nessuna parte del mondo, e in nessun tempo, la nobiltà aveva perduto un solo privilegio, che non le fosse stato tolto con la forza, o quanto meno con lo spavento. Anche i fatti di Francia, freschi freschi, stavano lí a dimostrare – se mai ce ne fosse stato bisogno – che per *far la fritagia* (frittata), *bisogna romper i ovi*!

Il luogo, a Zoldo, dove si discuteva ogni sera fino ad ora tarda delle cose che dovevano essere fatte perché la miseria cessasse, e perché anche ai poveri fosse riconosciuto il diritto d'avere un'esistenza dignitosa, era l'osteria di Pietro Pra, poco lontana dalla Casa del Capitaniato; e anche Mattio – che fino ad allora non aveva mai frequentato un'osteria, nemmeno quella di Casal – incominciò ad andarci quasi tutti i giorni, dopo finito il lavoro. Si sedeva sempre allo stesso posto, un po' in disparte, e ascoltava quei gran discorsi di giustizia, di fratellanza, di uguaglianza tra gli uomini, intervenendo di tanto in tanto a dire la sua: s'era convinto – e lo ripeteva ogni volta – che le sofferenze dei territoriali bellunesi sarebbero cessate, se un uomo di Chiesa e un predicatore come fra Giuseppe fosse stato ammesso al cospetto dell'imperatore e avesse potuto rappresentargli lo stato di miseria delle loro contrade, con la sua viva eloquenza! (Quel sovrano che c'era ora a Vienna – assicurava Mattio – non era un framassone come il suo predecessore: era un buon cristiano, che si sarebbe mosso a pietà per le sofferenze dei suoi sudditi e sarebbe intervenuto a soccorrerli, con paterna sollecitudine). L'oste Pietro Pra, invece, quando prendeva la parola, diceva che i nobili dovevano essere aiutati a superare i loro egoismi, e a guardare lontano, nel loro stesso interesse: perché se avessero continuato ad opprimere i contadini come stavano facendo, le campagne in poco tempo si sarebbero spopolate e nessuno piú avrebbe pagato quelle tasse, che erano la base della loro ricchezza... Tutti dicevano liberamente quello che pensavano; e capitava anche che prendessero la parola certi Tizi, ben noti in tutta la valle, che predicavano la violenza: i contadini – dicevano costoro – erano sempre stati disgraziati e avrebbero continuato ad esserlo, finché non si fossero liberati dei nobili e dei preti che gli succhiavano il sangue! Bisognava armarsi e fare piazza pulita, incominciando dalla valle di Zoldo; ma quel genere di argomentazioni, nell'osteria di Pietro Pra, non trovava seguaci, e lo scalmanato di turno, dopo un po' che parlava, veniva invitato a tacere e a lasciar parlare anche gli altri, oppure, se proprio non voleva chetarsi, ad andare... in Francia: visto che le cose di laggiú, e la ghigliottina, gli piacevano tanto!

Dopo tante dispute, tante chiacchiere, tanti racconti di quello che si stava facendo ad Alpago e in altri luoghi, dove i contadini già avevano incominciato ad organizzarsi, anche a Zoldo, infine, accadde qualcosa. Una domenica di giugno, nella scuola della Pieve davanti a San Floriano si riuní in gran segreto il «parlamento» dei villaggi, che avrebbe dovuto eleggere i rappresentanti della valle nel consiglio generale dei territoriali. Per presiedere quella prima assemblea e per dare qualche indicazione agli zoldani su ciò che ci si attendeva da loro, arrivò dal borgo di Tisoi vicino a Belluno un gigante rosso di barba e di capelli che si chiamava Antonio Da Rold, faceva il fabbro ed era stato uno dei primi, nella valle del Piave, a sostenere la necessità di abolire i dazi. Dopo aver esortato i presenti – che chiamò «fratelli» – a rimanere uniti tra loro e con gli altri contadini bellunesi, il Da Rold li invitò a scegliersi due delegati, e a sceglierli bene: perché – si sentí in dovere di spiegargli – quegli uomini sarebbero stati i loro rappresentanti e i loro capi, e non li attendeva certo un compito facile! Bisognava che sapessero leggere e scrivere e parlare in pubblico; inoltre, dovevano essere persone note nella valle non per i loro vizi ma per le virtú: l'onestà, l'operosità, l'altruismo, la lealtà, il buon senso. Non si poteva eleggere chi aveva fama di rissoso; chi, appena ne aveva l'occasione, si ubriacava; chi aveva subíto condanne per frode, o per contrabbando, o per aver molestato i vicini... Mentre Da Rold parlava, gli zoldani si guardavano sgomenti: quanti erano gli uomini rimasti nella valle che rispondevano a quei requisiti? E, soprattutto: ce n'erano? Quando poi si trattò di proporre i candidati, tutti senza eccezione fecero il nome di Pietro Pra, ma sul momento non ne trovarono un altro da affiancargli, d'uno di loro che avesse le virtú richieste: Tizio – dicevano – era una persona per bene, ma non sapeva leggere; Caio era dotato di una parlantina irresistibile, ma aveva il vizio di ubriacarsi e di battere la moglie; e cosí via. Alla fine qualcuno si ricordò del calzolaio di Casal, Mattio Lovat: che sapeva leggere e scrivere, era onesto e faceva perfino scuola di catechismo ai ragazzi della Pieve; e cosí, con una candidatura a sorpresa e una votazione unanime, Mattio e Pietro vennero eletti a rappresentare il popolo della loro valle nel parlamento dei territoriali bellunesi. Il desiderio lungamente accarezzato dal nostro ciabattino, di poter fare qualcosa di importante per i suoi compaesani, era stato esaudito!

Giovedí 4 luglio, sotto un cielo di nuvoloni bianchi e grigi che si rincorrevano e con il tuono che brontolava tra i monti dietro le loro spalle, i delegati di Zoldo scesero a Belluno per la loro prima missione ufficiale. In tasca avevano le *fedi*, cioè le dichiarazioni giurate dei parroci della valle, e dovevano consegnarle a un uomo dal cognome tedesco, un certo Sprecher: di cui sapevano soltanto che era l'avvocato dei territoriali, venuto apposta da Venezia per patrocinare la causa dell'abolizione dei dazi, e che alloggiava all'Osteria di Mezzaterra. Arrivarono a Borgo Piave, al porto delle zattere, mentre il campanile del Duomo sopra le loro teste stava battendo tredici colpi, corrispondenti alla nostre dieci di mattina; vennero su per la strada di Sottocastello, ridente d'orti e di vigne e con i muri a secco tutti fioriti di sassifraghe, ed entrarono in città da Porta Pusterla. Mattio non era piú stato a Belluno da prima che incominciasse tutto quel gran trambusto di Bonaparte e degli austriaci e della fine della Repubblica, e s'aspettava di vedere qualche segno di povertà e qualche distruzione anche tra le strade lastricate e i palazzi di pietra della città dei signori: perché aveva sentito dire, e sapeva per certo, che sia i francesi che gli imperiali c'erano passati, e non una sola volta, ma parecchie volte! Vide invece la Belluno di sempre. Le botteghe rigurgitavano di merci: di stoviglie, di stoffe, di cappelli, di scarpe, di oggetti di ferro battuto e d'altro ancora; i caffè eleganti, le osterie, tutti i locali pubblici erano affollati di gente rumorosa e allegra, che conversava e scherzava e si faceva i fatti suoi come se la guerra non fosse mai passata di lí, e come se la miseria e la carestia delle campagne fossero state a mille miglia di distanza, anziché subito fuori porta! Anche le persone che si vedevano per strada erano le stesse d'un tempo, soltanto il loro modo di vestire era un po' cambiato, nel senso proprio che era piú allegro. Le donne avevano braccia nude e scollature vistose, che gli lasciavano scoperte le spalle e una buona parte del seno; si facevano aria con dei bellissimi ventagli, si riparavano dal sole che era tornato ad affacciarsi sulla valle del Piave con degli ombrellini di seta a colori vivaci, e se gli fosse capitata l'occasione – pensò Mattio – di umiliare per strada una poveretta che faceva rumore con le zoccole, certamente non se la sarebbero lasciata scappare! Gli uomini, invece, avevano calze e brache aderentissime, che gli mettevano in evidenza ogni dettaglio anatomico, per la gioia del gentil sesso; tenevano le camicie di seta aperte sui petti villosi e guardavano con fastidio i montanari come lui, che s'azzardavano a camminare tra le loro belle case di pietra. Tutta quella gente che si vedeva per strada – nobiluomini, dame, bottegai, popolani, preti – era bianca e rossa di salute e ben vestita; perfino i *pitocchi* che s'accalcavano intorno alle porte delle chiese erano meglio nutriti – pensò Mattio – e probabilmente anche meno poveri, di tanti suoi compaesani che non avevano mai chiesto l'elemosina e ancora si sforzavano di sopravvivere con dignità, lassú all'ombra del campanile di San Floriano...

L'Osteria di Mezzaterra, nella contrada omonima, si trovava piú o meno dove oggi ci sono una farmacia e una libreria, e i nostri montanari salirono al primo piano, si fermarono davanti ad una porta con attaccato un biglietto da visita. Bussarono. Una voce gridò: «Avanti!», e loro entrarono in una stanza piena zeppa di libri e di scartafacci che ingombravano la scrivania, le sedie, il davanzale della finestra e perfino una parte del pavimento. Sopra il tavolino al centro della stanza c'erano invece alcuni oggetti che con la professione d'avvocato sembravano non avere a che fare: un grosso erbario, un cannocchiale d'ottone, un vaso di vetro con un cervello conservato sott'alcol... Alcune vetrine appese al muro contenevano farfalle ed altri insetti; in una di queste, un po' piú grande delle altre, c'era una raccolta di soli ragni. Non si vedevano persone, in quella prima stanza; ma una tenda dietro la scrivania, mezzo tirata, s'apriva su un'altra stanza, probabilmente una camera da letto, e da lí la voce si fece sentire di nuovo: «Vengo subito!»

L'avvocato indossava una veste da camera di color rosso scuro che doveva essersi messo quando i montanari avevano bussato, perché ancora stava annodando la cintura. Era un uomo sui trentacinque anni, con il viso rasato, i capelli un po' brizzolati sulle tempie e due occhi grigi mobilissimi, che esaminarono i visitatori in una frazione di secondo. Stando in piedi tra le due camere domandò: «Chi siete?»

Mattio e Pietro lo guardarono sbalorditi, come se avessero visto un fantasma. Mattio disse: «Ma voi... siete don Marco!»

L'uomo in vestaglia sorrise, in un certo modo che a Mattio sembrò di ricordare bene. («È proprio lui!») «Effettivamente, – assentí, senza scomporsi e parlando con accento tedesco, – il mio nome è Markus, ma qui a Belluno tutti mi chiamano avvocato, o, al massimo, avvocato Sprecher. Posso sapere chi siete, e chi vi manda?»

«Siamo i rappresentanti dei territoriali di Zoldo», disse Pietro Pra: che da uomo dotato di senso pratico, qual era, aveva fatto una rapida riflessione, qualche calcolo e si era convinto di essersi imbattuto in un caso di somiglianza tra due uomini, sorprendente ma in definitiva abbastanza normale. (Aveva pensato: «Forse sono parenti... Va a sapere!») «Vi abbiamo portato le fedi dei parroci della nostra valle, perché ne facciate l'uso che riterrete opportuno...» Si slacciò il farsetto, ne tirò fuori alcuni fogli arrotolati e legati con un nastro, li porse all'avvocato: «Eccole!»

L'avvocato prese sulla scrivania un paio di occhiali e se li mise sul naso. Disse con tono di condiscendenza: «Già, le fedi... Giust'appunto, mi mancavano quelle di Zoldo!» Slegò il nastro, si avvicinò alla finestra. Lesse ad alta voce il primo foglio, dell'arciprete di Pieve: «Io sottoscritto... faccio piena e giurata fede che questa mia parrocchia situata fra monti sassosi e sterili e composta di individui duemilaseicentottanta circa e che questi miei parrocchiani sono di povera e restrittissima condizione perché l'annuo prodotto di questi terreni infelici appena è sufficiente pel loro mantenimento per la quarta parte dell'anno...» Commentò: «È piuttosto sgrammaticato, il reverendo!»

Mentre l'avvocato leggeva le *fedi*, Mattio lanciò un'occhiata a Pietro Pra che gli rispose con un cenno del viso: lascia perdere! Non è l'uomo che pensi tu! È soltanto uno che gli assomiglia! Ma il ciabattino non ne era convinto. «Scusatemi, illustrissimo, – disse all'avvocato, – vorrei farvi una domanda: me lo consentite?»

«Naturalmente, giovanotto. Se posso essere utile in qualcosa, a voi e alla causa dei territoriali, sono qua apposta!»

«Siete mai stato a Zoldo?»

L'avvocato Sprecher sorrise. Scosse il capo: «Purtroppo, – disse, – devo deludervi: non ho mai messo piede nella vostra valle!»

Posò le *fedi* sul tavolo, tra l'erbario e il cervello sott'alcol. «A parte gli errori di grammatica, – osservò, rivolto ai montanari, – le dichiarazioni vanno bene. Ma può essere di qualche utilità che io conosca anche il vostro punto di vista, oltre a quello dei parroci. C'è qualcosa che manca in queste fedi, e che voi invece vorreste che io sappia? Ditemelo con franchezza!»

«La gente, a Zoldo, muore di fame, – rispose Pietro Pra. – Se le condizioni di vita non miglioreranno, e se i dazi non verranno aboliti, qualcuno prima o poi penserà di farsi giustizia da solo, perché la disperazione è una cattiva consigliera».

Mentre Pietro parlava, l'avvocato lo guardava e continuava a sorridere facendo dei grandi cenni d'assenso, come se fosse stata proprio quella la risposta che s'aspettava da lui. «Cosí è anche nelle altre valli!, – confermò alla fine. – Ma per far valere le proprie ragioni senza ricorrere alla forza bisogna prima dimostrare che sono giuste, e io per questo sto lavorando!» Tirò fuori da un cassetto della scrivania un fascicolo di fogli manoscritti, ci batté sopra con la mano. «Eccolo qua, – disse ai montanari che lo guardavano un po' intimiditi, – lo strumento che spezzerà le vostre catene!» Abbassò la voce. «Questa, – gli spiegò, come se gli stesse confidando chissà quale segreto, – è la bozza di una supplica rivolta all'imperial regio governo di Venezia, perché si degni di abolire immediatamente il piú illegale dei molti dazi che vi affamano, quello sulla compravendita degli animali da macello e da latte: un'imposta iniqua, che già al tempo della Serenissima era stata soppressa in tutte le province venete, e che soltanto a Belluno è rimasta in vigore per un arbitrio dell'aristocrazia locale, contro ogni principio di giustizia e di umanità, ed anche proprio contro la legge!» Mise giú il fascicolo e si tolse gli occhiali. «Mi ci è voluto del tempo, – continuò: e dal modo come parlava si capí che era molto soddisfatto di quel suo lavoro, – per studiare a fondo la materia e per individuare il punto debole nel sistema fiscale che vi opprime; ma ora che l'ho scoperto intendo fare breccia proprio su quello, per far crollare dalle fondamenta l'intero edificio!»

«Perché sostenete la nostra causa?», chiese Pietro Pra.

L'avvocato rise, divertito: «Per denaro! Il denaro, amico mio, unitamente all'amore per la giustizia, è ciò che spinge noi avvocati a patrocinare le cause che ci vengono affidate». Andò alla porta, l'aprí per congedare i due montanari e si trovò davanti una signora vestita di nero, con il viso velato, che aveva la mano già alzata per bussare e che rimase un istante ferma in quel gesto. Era... Lucia!

Mattio si chiese se stava sognando. In meno di mezz'ora aveva incontrato, o creduto di incontrare, due persone che non vedeva da moltissimo tempo, e che erano uscite dalla sua vita sen-

za alcuna possibilità di rientrarci... Ma se anche l'avvocato
Sprecher – come mostrava di credere Pietro Pra – non era don
Marco, Lucia era proprio Lucia, su questo non c'erano dubbi,
ed era piú bella che mai: era cosí bella, che Mattio si sentí tremare le ginocchia, come quella volta che l'aveva incontrata vicino alla fontana, e le aveva tolto di mano il secchio dell'acqua...
Si domandò: devo salutarla? Sono passati tanti anni!

Anche Lucia era imbarazzata. «Non sapevo che aveste visite, – disse all'avvocato. – Scusatemi, tornerò domani!» Fece
l'atto di andarsene ma lui la trattenne prendendola per la vita,
l'attirò a sé con un gesto che a Mattio sembrò scandaloso. (Come si permetteva – pensò – quel mascalzone, di trattare cosí familiarmente una donna sposata, e per giunta sposata ad un nobile?) Le bisbigliò nell'orecchio, sorridendole in un certo modo
che il ciabattino si sentí rivoltare il sangue: «Eccola qua, la nostra vedovella! Figuriamoci se me la lascio scappare, ora che finalmente è tornata a cercarmi!»

Le indicò Pietro e Mattio. «Questi giovanotti, – le disse: e
naturalmente non si riferiva all'età anagrafica dei due, ormai
quasi quarantenni, ma al fatto che i poveri sono sempre giovani,
degli eterni ragazzi!, – stavano uscendo nel momento in cui siete arrivata; ora che vi hanno incontrata, però, credo che voglia-
no salutarvi, perché vengono dalla vostra valle, la valle di Zoldo,
e perché anche voi, forse, li avrete riconosciuti».

«Sí, – disse Lucia, – li ho riconosciuti». Si liberò dal braccio
dell'avvocato, si tolse il velo dal viso e Mattio capí che aveva
pianto perché i suoi occhi erano arrossati, e che perciò s'era velata. «Sono Mattio Lovat da Casal e Pietro Pra da Forno». Domandò ai due che aveva nominato: «Come state?»

I «giovanotti» ritornarono a Zoldo quella sera stessa, in silenzio e con la testa piena di pensieri; e poi ancora nelle settimane successive continuarono a rimuginare – ognuno per suo conto – sulle persone che avevano incontrate, e sulle parole che
avevano ascoltate quel giorno a Belluno. Soprattutto Mattio,
stando dietro al suo deschetto, si chiedeva perché quel misterioso avvocato Sprecher avesse chiamato vedova Lucia («L'uo-

mo che ho conosciuto a Venezia, è forse morto?») e perché lei fosse andata a cercarlo in quell'albergo, e con gli occhi ancora gonfi di pianto! Si chiedeva chi fosse l'avvocato Sprecher, e chi l'avesse incaricato di difendere la causa dei territoriali («Come può una giusta causa, – mormorava indignato, – essere difesa da un uomo simile?»); infine, si chiedeva se l'avvocato Sprecher, prima di diventare tale, non fosse stato quel dottor Sturz, specialista in «malattie del capo», che lui aveva visto e seguito a Venezia, e quel misterioso don Marco, che gli aveva insegnato i nomi delle erbe e delle pietre e delle stelle del cielo... Una mattina di settembre, Mattio stava gridando il suo mestiere per le strade di Forno («Scarpèr, donne! È arrivato lo scarpèr!») e improvvisamente incontrò Michiele: «Sani! Sani!» Si abbracciarono, si sedettero su un muricciolo che era lí a pochi passi. Si guardarono. Michiele era vestito con abiti da città, molto eleganti; aveva i capelli tenuti lunghi sulla nuca secondo la moda di quegli anni, ma le sue scarpine con la fibbia d'argento mostravano di essere state messe a dura prova dai sassi della strada del Canal, e anche la giubba era impolverata. Mattio invece era male in arnese, come sempre, e Michiele se ne dispiacque: «Povero Mattio! Quanto poco si guadagna, a rattoppare dàlmede!»

Attorno a loro splendeva l'autunno: era uno di quei giorni dorati della valle di Zoldo in cui ogni singolo elemento del paesaggio, il Bosconero, gli Spiz di Mezzodí, le nuvole bianche nel blu del cielo, tutto sembra risplendere di luce propria, e anche gli alberi, i *tabià*, perfino i ciottoli nelle strade diventano luminosi. Mattio avrebbe voluto chiedere all'amico di raccontargli qualcosa di sé: dove viveva, e cosa aveva fatto in tutti quegli anni? Ma poi pensò che forse, anzi certamente, l'avrebbe messo in imbarazzo, e non gli chiese nulla.

«Ho saputo, – disse Michiele cambiando discorso, – che sei stato eletto rappresentante del popolo di Zoldo nel comitato per l'abolizione dei dazi. Ne sono proprio contento: è una giusta causa, anche se non credo che porterà i risultati sperati. Era comunque necessario che si cominciasse a fare qualcosa per questi nostri compaesani, per cercare almeno di attenuare la lo-

ro miseria: era necessario che qualcuno gli insegnasse ad organizzarsi sull'esempio della Francia, e che si facesse venire a Belluno quell'avvocato Sprecher, che anche tu hai avuto modo di
conoscere...»

Mattio spalancò gli occhi. «Come fai a sapere che ho conosciuto l'avvocato Sprecher?»

«Me l'ha detto Lucia: so che vi siete incontrati!»

Michele, allora, senza che Mattio gli chiedesse nulla, raccontò all'amico la storia di Lucia e di suo marito, il defunto conte Giacomo Doglioni: che – disse – era stato l'uomo piú irragio-
nevole, e piú illuso, che mai fosse vissuto, e aveva trascinato sua
moglie con sé nella sua rovina; ma lei gli aveva voluto bene nonostante tutto, come si può voler bene a un figlio scapestrato; e
anche lui, Michele, che aveva conosciuto il Doglioni a Padova
nell'inverno del 1792, aveva poi continuato ad aiutarlo perché
era pieno di sogni e di entusiasmi, e candido come un bambino!
Farneticava d'essere il precursore e l'inventore di una nuova società, governata dalla filosofia e dalle scienze esatte; e sperpera-
va al tavolo da gioco tutto ciò che riusciva a farsi dare dagli amici e dagli strozzini, spostandosi continuamente da una città al-
l'altra, perché era ricercato dai creditori in ogni parte d'Italia.
Un giorno era sparito: e quando ormai tutti pensavano che si
fosse buttato in un fiume con una pietra al collo, o che qualcuno
l'avesse ammazzato per fargli pagare un debito in quel modo,
era ricomparso in Francia, da dove aveva incominciato a scrivere alla moglie certe lettere in cui le parlava della Rivoluzione, e
di ciò che la Rivoluzione avrebbe cambiato nei destini dell'umanità, con tali slanci di entusiasmo e di fervore, che davvero, leg-
gendole, era difficile non esserne contagiati; ma Lucia allora viveva d'elemosine, perseguitata dovunque andasse dai creditori
del marito, e aveva altro a cui pensare che l'avvenire del mondo!
Quando poi Bonaparte era venuto in Italia – raccontò Michele
– Giacomo Doglioni era corso ad arruolarsi nell'Armata francese; era stato a Milano e poi a Venezia, dov'era tornato da trion-
fatore, vestito con la divisa verde a viste rosse dei dragoni francesi, e con il grado di ufficiale: i suoi debiti, le traversie che ave-

va avuto con la giustizia, tutto sembrava essere stato spazzato via dal vento impetuoso della Rivoluzione! L'amore con Lucia era rifiorito, il demone del gioco – almeno per il momento – era stato accantonato, la fede nella filosofia e nelle scienze esatte era tornata ad essere ciò che avrebbe dovuto essere sempre: una scelta ideale, senza conseguenze nella vita d'ogni giorno; ma quando poi s'era saputo, dopo pochi mesi, che Bonaparte aveva ceduto il Veneto all'Austria, e che l'aristocrazia sarebbe tornata al potere sotto un governo straniero, quella breve illusione di felicità era finita in tragedia. Giacomo Doglioni – disse Michele: e Mattio, ascoltando le sue parole, trasalí – era stato trovato cadavere nel parco di una villa sul Brenta, ucciso con un colpo di pistola in circostanze che non si erano potute chiarire, né allora né in seguito. Delle molte voci che erano circolate in quei giorni ce n'era una che lo voleva suicida a causa della fortissima delusione che gli aveva dato Bonaparte; un'altra, piú insistente e forse anche piú verosimile, parlava di un duello alla pistola con un ufficiale francese, che il Doglioni, irritato contro tutti i francesi, aveva offeso; una terza, infine, attribuiva la sua morte a cause antiche, e alla vendetta tardiva di qualcuno, che s'era rovinato per causa sua. I francesi se ne erano andati; erano venuti gli austriaci, e avevano ripristinato l'ordine di sempre. Per far fronte agli strozzini che avevano prestato denaro a suo marito, e a tutti gli altri creditori – disse Michele – la vedova Lucia Doglioni aveva dovuto affidarsi a un avvocato che avesse esperienza dei due sistemi giudiziari, quello veneto e quello imperiale, e qualcuno le aveva consigliato di rivolgersi allo Sprecher; la scelta, però, si era rivelata sbagliata, perché lo Sprecher – un avvocato straordinario, secondo Michele, ma anche un uomo privo di scrupoli e malvagio – s'era approfittato della debolezza di carattere di Lucia, e delle difficoltà in cui lei allora si trovava, per tiranneggiarla fino a diventarne il padrone. L'aveva costretta a frequentare soltanto le persone che voleva lui, a seguirlo dovunque lui andasse – ultimamente, a Belluno – e, in pratica, ad obbedirlo in tutto e per tutto. Né, del resto, Lucia aveva mai tentato davvero di ribellarsi. Era una donna strana – rifletté Michiele – che aveva accettato le pazzie del marito senza contrastarle, come se fossero state dei comportamenti normali; una donna di grande intelligenza e sensibilità, che però aveva quel difetto imperdonabile, d'essere priva di volontà propria... «Tu che l'hai conosciuta quando ancora era una ragazza, – domandò a Mattio, – pensi che potremmo fare qualcosa per indurla a liberarsi di quell'uomo, che si serve di lei come d'uno strumento, per ogni genere d'intrighi? Mi fa tanta pena!»

Mattio sorrise, scuotendo la testa. «Io non ho mai conosciuto Lucia, – disse all'amico. – Io l'ho solo... sognata: questa è la verità!»

Improvvisamente, la quiete luminosa del paesaggio intorno a loro fu rotta dal suono di una campana. Era l'orologio di San Floriano che batteva le ore e Mattio si alzò, raccolse la sacca delle *dàlmede*, se la mise in spalla. «La prossima volta che ci incontreremo, – disse a Michele, – vorrei che tu mi parlassi di te: dove sei stato, cos'hai visto e anche cos'hai fatto in questi anni lontano da Zoldo, se ti andrà di raccontarmelo! Ora però devo salutarti, perché è mezzogiorno e devo fare ancora molte consegne». Si abbracciarono nuovamente: «Sani! Sani!»

Il consiglio generale dei territoriali bellunesi si riuní per la prima volta in una cava di pietre a poche miglia dalla città, nella notte tra il 15 e il 16 dicembre 1799. C'era luna piena; le valli del Piave e dei suoi confluenti erano strette in una morsa di gelo e Mattio, attraversando con Pietro Pra la campagna deserta, ripensò a quel sogno che aveva fatto tanti anni prima, quando era morto di vaiolo e da morto aveva visto un paesaggio non diverso da questo in cui ora stava camminando: un paesaggio lunare, addormentato, pieno di arabeschi e di stalattiti di ghiaccio. La cava era un buco nero sul fianco della montagna, vigilato all'esterno da alcuni uomini vestiti da cacciatori e i nostri amici, dopo aver pronunciato la parola d'ordine, ebbero un momento di esitazione prima di tuffarsi in quel buio. Soprattutto Mattio: si domandò se per far trionfare la causa della giustizia fosse davvero necessario andare a complottare sottoterra come banditi; non sarebbe stato piú giusto e piú opportuno che tutto si

compisse alla luce del sole? Dentro alla grotta, il buio era pieno
di echi e di ombre evocate dalle loro lanterne, e grosse gocce di
acqua gelata cadevano dall'alto sulle loro teste e sui loro vestiti;
procedendo, però, le pareti si allontanavano l'una dall'altra, le
gocce d'acqua si diradavano, il rumore dei passi acquistava una
nuova sonorità. Infine, dopo un'ultima svolta, Mattio e Pietro si
trovarono in una caverna grandissima, grande quasi quanto la
chiesa della Pieve di Zoldo ed alta in proporzione, rischiarata
da almeno venti torce e riscaldata da due bracieri, attorno a cui
si stringevano, nella penombra, i rappresentanti dei territoriali:
erano arrivati!

C'erano forse trenta uomini là sotto, e ascoltavano un tale
Rubbi, cittadino bellunese d'idee democratiche, che li informava sull'andamento della causa portata avanti all'imperial regio
governo di Venezia dall'eccellentissimo avvocato Markus Sprecher, per l'abolizione del dazio sulla compravendita del bestiame. La città di Belluno – stava dicendo il Rubbi – aveva fatto
consegnare dal suo nunzio una risposta, in cui s'ammetteva lo
stato di miseria delle plebi rurali, negando però che tale stato
dipendesse dalle tasse o dalla rapacità degli amministratori.
Tutt'al contrario, sostenevano i nobili: era la città che manteneva in vita i contadini, per spirito filantropico e perché le campagne non si spopolassero, tornando ad essere come nelle epoche
antiche dominio d'orsi, di lupi e d'ogni genere d'animali feroci;
ma si trattava d'una beneficenza volontaria, che per nessun motivo e mai avrebbe potuto essere reclamata come un diritto da
parte dei beneficati, e come un obbligo dei nobili! La conclusione della replica del nunzio, che il Rubbi lesse tra le bestemmie, i fischi e le imprecazioni di molti tra i presenti, diceva te-
stualmente: «Questi poveri villici sono condannati dall'angu-
stia del territorio, e dalle sevizie del clima a restar sempre miseri, e senza sussistenza, se non fossero alimentati per sei mesi al-
l'anno dai loro padroni». S'attendeva ora – spiegò il Rubbi –
che il governo si esprimesse a favore dell'una o dell'altra delle
parti in causa: ma, per ciò che se ne sentiva dire in quei palazzi
bellunesi dove di solito si era bene informati su quanto poi sa-

rebbe accaduto a Venezia, la sentenza – se davvero si fosse arrivati a pronunciarla! – non sarebbe certo stata favorevole ai territoriali...

Parlò Antonio Da Rold, che Mattio e Pietro già conoscevano. Con il consiglio dei nobili bellunesi – disse il fabbro di Tisoi – non erano possibili trattative né accordi: era composto di gente gretta, meschinissima, che aveva dimostrato in molte occasioni di essere tale, e incapace di vedere il suo interesse piú vero e piú duraturo; se il governo veneto avesse rigettato la supplica dei territoriali, il ricorso alla forza sarebbe stato inevitabile, già nei prossimi mesi. Dopo il Da Rold prese la parola un prete, che esordí: «Quali tremende parole ho appena udito, dei fratelli che s'armano contro i fratelli!», ma fu sonoramente fischiato e fatto tacere. Molte voci gridarono: «Che s'aspetta? Ci siamo stancati d'ascoltare le chiacchiere dei preti! Questa volta si farà ciò che deve essere fatto!» Venne allora avanti un certo Antonio De Mio di Canale d'Agordo, che lesse con molta enfasi la formula del giuramento di fedeltà alla causa dei territoriali («Noi rappresentanti i corpi territoriali bellunesi, del Piano, di Agordo e di Zoldo, devoti sempre a Dio onnipotente e fedelissimi all'augusta maestà del nostro sovrano imperatore, giuriamo di soccorrerci vicendevolmente come fratelli, e di restare uniti contro qualsiasi avversità, e contro qualsivoglia nemico si frapponga tra noi e il conseguimento di quella vera terrena giustizia, che da gran tempo ci è stata promessa, e mai elargita, finché il torto subito non sarà stato riparato», eccetera; fino alla chiusa rituale «nel nome del Padre, del Figlio e dello Spirito Santo»). I delegati la ripeterono parola per parola, stando in piedi a capo scoperto, e poi procedettero all'elezione di un capo militare e di un capo politico: che a cose fatte risultarono essere, rispettivamente, un certo Florio Bertoldi, mulattiere, e un certo Lazzaro Andriolo, oste. La riunione a questo punto avrebbe dovuto concludersi con il discorso d'investitura dell'Andriolo; ma si sentirono delle voci e dei rumori da quella parte della caverna che comunicava con il mondo esterno, e ci fu anche un attimo di spavento tra i presenti, quando fecero irruzione nella cava alcuni uomini armati che si disposero da una parte e dall'altra dell'ingresso: tutti pensarono che ci fosse stato un traditore, e che quegli uomini fossero sbirri! Dopo gli armati, però, entrarono quattro donne vestite con il costume di Agordo e ognuna di loro reggeva una *paniera* che doveva contenere un cibo appena cucinato; un cibo caldo, a giudicare dal profumo che riempí tutta la cava e che a molti tra i convenuti strappò un nome, sonoro come un applauso: «Il bacalà!»

Mattio già aveva visto il pesce-legno a Venezia, al mercato di Rialto, ma non sapeva che si chiamasse *bacalà* e forse non se ne ricordava nemmeno: sicché proprio non capí cosa potesse essere, quel cibo che mandava in estasi la gente nella cava e che aveva un odore cosí stuzzicante! «È pesce, amico mio, – gli spiegò un vicino. – Pesce salato che si fa cuocere in umido... Buonissimo! Con la polenta, poi, è una vera leccornia!» Le sorprese, però, non erano ancora finite. Entrarono uno dopo l'altro due facchini, carichi ciascuno d'un barilotto di vino, e finalmente fece il suo ingresso un uomo piccolo di statura, piuttosto striminzito ma con un notevole rigonfio all'altezza della pancia e un viso che faceva subito pensare al muso d'un topo per via degli occhi scuri, molto piccoli, dei baffetti brizzolati e del mento sfuggente... Qualcuno disse: «L'Userta! È stato lui a mandarci il bacalà!», e l'ometto allora si fece avanti tutto impettito, alzò un braccio per chiedere silenzio. «Io, – disse, – sono il famoso bandito Userta, che tutti certamente avete già sentito nominare, ma sono anche un figlio di questo territorio, come voi, e quindi un vostro fratello». Dalla lentezza con cui l'Userta pronunciò quelle parole si capí che doveva essersele preparate con cura e studiate ad una ad una, e anche che cercava di dare a quel discorso, striminzito come lui, un tono di grande solennità. «Mentre vengo a mettere la mia spada al servizio della vostra causa, che è la causa della vera giustizia e della liberazione degli oppressi, – continuò il bandito, – vi porto in segno di fratellanza, e mi compiaccio di offrirvi, una refezione di polenta, bacalà e vino: da fratello a fratello!»

Capitolo ottavo

La Rivoluzione

Don Tomaso esalò l'ultimo respiro il 2 gennaio del 1800, nelle prime ore del giorno: Mattio s'era addormentato dopo aver trascorso la notte al suo capezzale, e quando infine si ridestò, verso le nove di mattina, il vecchio prete era già morto da alcune ore. Anzi a proposito di ore è necessario aprire una parentesi davanti all'estinto per spiegare che in quegli anni tra i due secoli, mentre le cose del mondo si trasformavano vorticosamente e nulla, o quasi nulla, dell'epoca ormai trascorsa sembrava destinato a sopravvivere nel nuovo secolo, era cambiato anche il modo di dividere le giornate e di calcolare il tempo; e che quel fatto – apparentemente secondario – aveva contribuito a contristare gli ultimi giorni di vita di don Tomaso, e a confermarlo nella sua convinzione che il regno dell'Anticristo sulla terra fosse già iniziato, e che si stesse manifestando in ogni cosa, perfino nel funzionamento degli orologi! Quella piccola Rivoluzione nella Rivoluzione per cui i campanili non battevano piú le ore secondo l'uso italiano, dal tramonto del sole, ma secondo l'uso tedesco, partendo dalla mezzanotte e dal mezzogiorno come ancora le calcoliamo noi oggi, fu vissuta dal vecchio prete come una tragedia che riassumeva in sé tutte le altre tragedie. Soprattutto negli ultimi giorni, dopo essere diventato completamente cieco, don Tomaso credette piú volte d'impazzire; perché ad esempio i sette rintocchi che, da quando lui era nato e da prima ancora, a dicembre significavano mezzanotte, col nuovo modo di calcolare le ore erano l'inizio del mattino, e insomma non ci si capiva piú niente: il giorno era diventato notte, la notte era diventata giorno e il tempo non era piú una dimensione umana, era un flusso insensato e inarrestabile che nessuno piú avrebbe potuto governare, era un autentico castigo di Dio!

Don Tomaso morí disperato. Si sentiva, e lo disse anche a Mattio qualche giorno prima di andarsene, come un uomo che abbia fatto un bellissimo viaggio su una bella nave, e poi improvvisamente sia stato scaraventato da una tempesta in mezzo ai gelidi flutti dell'oceano: la sua nave è affondata e i suoi compagni sono tutti morti, soltanto lui continua a nuotare su quell'abisso popolato di mostri e a desiderare con tutte le sue forze che la tempesta finisca, che riappaia il sole, che si torni a vedere la terra! Si sentiva un naufrago. Mattio era l'unico amico che gli fosse rimasto ed era anche l'unica persona a cui lui potesse rivolgersi, da quando la sua vista aveva incominciato ad offuscarsi, per farsi leggere la «Gazzetta Privilegiata Veneta» e per farsi raccontare le notizie del mondo. Tutti i suoi pensieri e i suoi deliri d'un tempo ormai s'erano concentrati lí, sulle notizie del mondo: ma le voci che riferivano i viaggiatori e i mulattieri quando tornavano dalle fiere, e che Mattio ripeteva a don Tomaso, non erano certamente tali da dargli conforto, o da indurlo a sperare che si sarebbe infine ritornati alla normalità d'una volta. Bonaparte – dicevano quelle voci – continuava a espandersi, a Oriente come a Occidente; cresceva ovunque come un tumore maligno e dappertutto dove arrivavano le sue armate crollava il mondo di don Tomaso: il mondo antico, in cui i bambini venivano castrati perché potessero cantare piú dolcemente le lodi di Dio, e in cui gli orologi battevano le ore secondo la tradizione, calcolandole dal tramonto del sole! Già un'istituzione ritenuta inespugnabile, il Papato, era stata travolta. Pio VI, prigioniero in Francia, era morto alla fine d'agosto di quell'anno e anche a Zoldo si era fatto *campanò* e si erano dette molte messe di suffragio, a cui aveva assistito moltissima gente; ma ciò che don Tomaso proprio non si rassegnava a credere, era che la morte del buon Pio VI non avesse dato luogo a quello scontro di titani tra il rappresentante di Dio in terra e l'Anticristo, che, secondo il prete castrato, l'umanità avrebbe avuto il diritto di attendersi; e che il papa non fosse stato crocifisso, per la salvezza del genere umano! Soprattutto su quest'ultimo punto don Tomaso non si dava pace, per quanto Mattio cercasse di calmarlo: dubitava d'essere stato ingannato, e che fosse stato ordito un complotto – un grande complotto della massoneria mondiale! – per tenere la gente all'oscuro della verità. A volte, proprio, dava in ismanie: voleva alzarsi dal letto, uscire di casa per andare a parlare della mancata crocifissione del defunto pontefice con la massima autorità religiosa della valle, cioè con l'arciprete Bonaventura Pellegrini, o addirittura con il vescovo di Belluno: ma la porta d'ingresso era troppo stretta perché lui potesse varcarla, e, del resto, le sue condizioni erano tali, che non sarebbe stato nemmeno in grado di scendere le scale! Mattio, allora, correva a chiamare don Bonaventura e dopo un po' il pievano arrivava, trafelato: benediva l'infermo stando sulla porta della stanza e poi veniva a sedersi accanto al suo letto. Restava lí per un quarto d'ora o una mezz'ora, ad ascoltare i suoi sproloqui e a cercare di rispondere a quelle sue domande sul destino del mondo, e della Chiesa, a cui Dio solo avrebbe potuto dare delle vere risposte! Se Pio VI non era stato crocifisso – gli chiedeva, angosciato, don Tomaso – e se la verità sulla sua morte non era stata taciuta, ciò significava che l'Anticristo aveva vinto e che il suo regno sarebbe durato mille anni: cosa avrebbe fatto, la Chiesa, per combatterlo?

Posto di fronte a domande di tale peso, e di tale portata, don Bonaventura alzava gli occhi e le mani al cielo, quasi volesse significare: Dio ci aiuterà! E poi diceva che, ecco, lui era un povero arciprete di montagna e non s'intendeva granché di profezie, però di una cosa era certo: che la Chiesa e i preti avrebbero continuato a lottare contro i mali del mondo come avevano sempre fatto, guidati da un nuovo papa; da quel papa, che avrebbe preso il posto del defunto Pio VI! Morto un papa se ne fa un altro, lo dice anche il proverbio; ma era proprio su quella faccenda – l'elezione del nuovo papa – che don Tomaso non si sentiva tranquillo. Bonaparte – diceva il vecchio prete – poteva pretendere che il conclave si tenesse in Francia, e che eleggesse un papa francese; e se anche i cardinali avessero eletto un vero papa,

cioè un papa italiano, lui poteva sempre contrapporgli un anti-
papa, per provocare uno scisma! Il pievano impallidiva, balbettava: «Lasciate stare, lasciate stare, don Tomaso! Queste cose
non sono affare vostro e nemmeno mio, ringraziando il cielo! Ci
penserà la Provvidenza!»; e se ne andava, scuotendo la testa e
muovendo le mani in un certo modo, che voleva dire: soltanto
Dio, ormai, potrebbe illuminare i suoi pensieri, e restuirgli l'intelletto perduto! Ma le notizie che arrivavano tra le montagne
di Zoldo sembravano fatte per eccitare don Tomaso, anziché
per aiutarlo a calmarsi. All'inizio dell'autunno si era sparsa in
tutto il bellunese una diceria, portata attorno da quelli che erano andati a Feltre alla fiera di San Matteo, che lí per lí era sem-
brata una burla: il conclave si sarebbe svolto a Venezia! La
«Gazzetta», però, l'aveva confermata e poi anche aveva incominciato a dare notizia dei cardinali che arrivavano in città, in
certi resoconti minuziosi e enfatici che mandavano don Tomaso
fuori dei gangheri: bastava leggerli con un poco d'attenzione –
strepitava – per distinguere la retorica dalle cose concrete, e per
capire cosa stava accadendo! La realtà dei fatti – s'infervorava il
vecchio prete – era che i cardinali arrivavano alla chetichella,
senza che ci fossero ad attenderli delle vere folle e venivano subito mandati fuori della città, in un'antica e scomoda abbazia
sull'isoletta di San Giorgio Maggiore: perché la corrotta e vizio-
sissima Venezia non sapeva che farsene della loro presenza, ed
era del tutto indifferente all'esito della loro riunione! (Gridava:
«Io la conosco quella città! Ci sono vissuto a lungo!») Alla fine
tutti i cardinali erano arrivati, e si erano chiusi in conclave. Don
Tomaso, ormai rantolante, ogni volta che Mattio rimetteva piede nella sua stanza gli chiedeva perché non suonavano le campane, e perché non s'annunciava al mondo il nuovo papa; ma le
settimane passavano, una dopo l'altra, e il papa, per chissà quale intrigo dei framassoni, non veniva eletto...

Due giorni prima di morire, il prete cantore fece segno a
Mattio che si avvicinasse, perché doveva rivelargli un segreto.
C'erano loro due soli, in quella stanza, e nessuno poteva ascol-
tare i loro discorsi; Mattio, comunque, obbedí, e don Tomaso,

con la voce rotta dall'asma, gli bisbigliò nell'orecchio alcune parole, che lasciarono il calzolaio sbalordito. Domandò: «Ne siete proprio sicuro? Stento a credervi!»

«Io ti darò il modo e la forza per farlo!, – promise don Tomaso. – Non chiedermi come, ma sarò al tuo fianco!»

Per far uscire la salma dalla casa, si dovette mandare a chiamare un muratore che allargasse la porta. Il rito funebre fu officiato in San Floriano: l'arciprete, ricordando l'estinto, ne parlò come d'un uomo buono e pio e d'un sacerdote esemplare, e disse anche che con la morte di don Tomaso si era veramente chiuso un secolo, il Settecento, in cui la voce umana aveva raggiunto il massimo della sua armonia e delle sue possibilità espressive. «Quest'altro secolo che ci sta di fronte, e che molti tra noi vedranno solo di sfuggita, – cosí don Bonaventura concluse il suo panegirico, – avrà certamente tante cose buone e belle per chi ci vivrà, ma, forse, non avrà piú una voce come la sua: che noi abbiamo udito risuonare in questa stessa chiesa, e in altre chiese della valle di Zoldo, e che ogni volta ci lasciava attoniti, come di fronte al manifestarsi di un evento soprannaturale. Quella voce, ora, s'è unita in Paradiso ai cori degli Angeli che cantano le lodi del Signore: e non è certo la meno armoniosa. Addio, don Tomaso: noi che siamo vissuti insieme a te in un'altra epoca, sotto il Leone di San Marco, non ti dimenticheremo mai!»

La fine del vecchio secolo, a Belluno, venne celebrata con moltissime feste, molti fuochi d'artificio e con una vendita straordinaria di lunari, quale mai s'era verificata prima d'allora: oltre allo *Schieson trevisan* e allo *Strolic*, che erano i due almanacchi piú conosciuti e piú diffusi in questa parte del Veneto, si vendettero per la circostanza anche la *Galleria delle stelle*, la *Zingara indovina*, la *Truffaldina*, l'*Indovinello inglese*... Si parlò a lungo di lune e di pianeti e si fecero moltissimi oroscopi per propiziare il secolo a venire, e per conoscerne i fatti in anticipo. Il giorno 13 marzo, era un giovedí e i bellunesi s'erano ormai convinti di stare dentro all'Ottocento da piú di due mesi, e di starci bene, quando il nuovo secolo si presentò davanti alle porte della loro città all'ora della siesta: e aveva l'aspetto spaventoso di un popolo in armi che reclama per sé e per i suoi figli il diritto a un'esistenza un po' meno infelice. Improvvisamente e senza che nessuno li aspettasse – secondo quanto poi riferí un cronista dell'epoca, il Bazolle – si videro comparire davanti alla Porta Reniera «800 Vilici armati con Florio Bertoldi alla Testa come fossero soldati, davanti li Tamburi con li capi e ordinati a due a due in schiera. Erano li primi da Bolzan, Vezan, Tisoi, da Sedico, Salce. Ognuno aveva la sua arma cioè Fucile, Pistole, Lancie Antiche, Spade vecchie, Sable, Bastoni con Bajolette, Aste guerriere antiche, Manere, Forche, Mai da molle». La notizia corse di casa in casa con la velocità d'un lampo, e produsse uno spavento indescrivibile, ben superiore a quello provocato tre anni prima dall'arrivo dell'esercito francese: il quale esercito francese – pensavano i cittadini di Belluno – se anche si era messo al servizio della Rivoluzione e delle idee sovversive, era pur sempre un esercito governato dalle leggi della gerarchia, della disciplina e dell'onore militare; mentre questi che si presentavano cosí armati erano soltanto un'accozzaglia di ubriaconi, senza disciplina e senza onore; un'orda di lupi, che si sarebbe dovuta in qualche modo tenere a freno fino all'arrivo dei soldati imperiali, perché altrimenti avrebbe commesso tali atrocità, da far impallidire davvero il ricordo di Attila! Belluno, nel marzo del 1800, era un borgo di circa quattromila abitanti, di cui forse duemila erano gli aristocratici e gli altri duemila erano le persone che li accudivano e li servivano e in qualche misura partecipavano dei loro privilegi: una piccola comunità chiusa in se stessa e attenta solo alle proprie vicende, anche in quell'epoca di grandi scónquassi; un'isola felice, nel gran mare del mondo; un mondo a sé, ordinato con leggi sue proprie. E quel borgo cosí pulito e cosí quieto veniva ora invaso da una turba di straccioni in armi, che non si sapeva nemmeno cosa volessero! Gli artigiani serrarono le botteghe, i sacrestani sbarrarono le porte delle chiese, i domestici sprangarono i portoni e le imposte dei palazzi, la città intera si chiuse a riccio su se stessa, tenendo il fiato sospeso. I consoli, presi alla sprovvista e con il boccone ancora in gola perché s'erano appena alzati da tavola, non seppero fare niente di meglio che mandare a parlamentare con gli insorti l'avvocato Mario Doglioni, un buontempone che cercò d'impedirgli di entrare in città dicendogli le solite cose che si dicono in queste circostanze: cosa state facendo brava gente, pensate alle vostre mogli e ai vostri figli, siete stati mal consigliati ed altre frasi del genere, del tutto inefficaci. I territoriali entrarono e si disposero nella piazza grande dei mercati, che allora si chiamava Campitello e oggi si chiama piazza Martiri. Barricati nei loro palazzi, mezzi morti di paura, i nobili intanto s'interrogavano sui motivi di quella rivolta, che gli sembrava insensata: non l'avevano ancora capito, i contadini, che il loro destino era segnato dalla nascita e che non avrebbero potuto cambiarlo in nessun modo, nemmeno ribellandosi? (L'unica cosa che potevano fare, era combinare disastri!) Vennero mandati in avanscoperta alcuni preti, cui fu risposto rudemente dagli insorti che «gli affari per cui erano venuti in Città non appartenevano ai Preti, e che se ne andassero per i fatti suoi». E intanto il numero dei territoriali cresceva di ora in ora: arrivavano dalla Pieve di Pedemonte, con in testa il fabbro Antonio Da Rold; arrivavano dalla Pieve d'Oltrardo, e da Castion, armati con un armamentario molto eterogeneo, ma non perciò meno temibile; arrivavano con le vesti stracciate, con le barbe lunghe, e camminando tutti insieme per le vie del centro producevano con le loro *dàlmede* un fragore assordante, non meno forte del fragore del tuono. Si sistemarono nell'ex convento dei Gesuiti e nelle stesse chiese sconsacrate dov'erano stati acquartierati i francesi; misero sentinelle a tutte le porte e a tutti gli incroci delle strade e mandarono a dire ai consoli che il popolo in armi aveva necessità d'essere rifornito di cibarie, di vino, di candele e di legna per riscaldarsi durante la notte; che provvedessero con sollecitudine, altrimenti... (La minaccia di dare l'assalto ai palazzi dei nobili e di saccheggiarli, pur non essendo stata pronunciata da nessuno era nell'aria, e semplificava ogni trattativa). Alle otto di sera era già buio e arrivarono «due flotte di pagotti» cioè due schiere armate di contadini della Pieve d'Alpago, che si illuminavano il cammino con molte torce. Ci furono resse attorno alle osterie per procurarsi da bere, canti e grida di ubriachi e qualche sparo. Nessuna violenza; ma certamente ben pochi bellunesi, soprattutto tra i nobili, quella notte riuscirono a prendere sonno, dopo essersi girati e rigirati a lungo tra le lenzuola...

Il giorno successivo incominciò com'era finito il giorno precedente, con un gran frastuono di *dàlmede*. C'erano sentinelle ad ogni angolo di strada e nessuno poteva spostarsi da un luogo all'altro della città senza il permesso scritto d'uno di quei capi che portavano un nastro rosso sul cappello per farsi riconoscere, e che i cittadini chiusi nelle loro case spiavano attraverso le imposte, cercando di stabilirne la gerarchia in base alla grandezza della corporatura. Particolarmente quotati erano il fabbro Da Rold, alto sei piedi e robusto in proporzione, e Florio Bertoldi, «di figura atletica, mulattiere di mestiere, avvezzo alle risse»; mentre passò del tutto inosservato il vero capo della rivolta, quell'oste Lazzaro Andriolo che i territoriali avevano eletto perché lo consideravano dotato di mente volpina e capace di condurre a buon fine una trattativa anche difficile, ma che era piccolo, calvo e con un po' di pancia: un omino assolutamente insignificante, come nel mondo ce ne sono milioni! (L'unica paura che i cittadini avevano dei territoriali era la paura fisica, e tolta quella c'era solo disprezzo). Il 15 marzo, sabato, arrivarono «cinque mila uomini della Pieve di Lavazzo e Frusseda», stando a ciò che ne scrisse in un suo diario un certo Antonio Tommaso Catullo, cittadino bellunese e testimone dei fatti: «e rissoluti inoltravansi verso la città che parevano Demonj sortiti dal Abisso; sforzorono le persone civili a seguitarli». Ormai tutta la città, le sue piazze e le sue strade brulicavano di uomini d'aspetto miserabile e terribile, e però ancora non si era incominciato a trattare la questione dei dazi e delle tasse, perché i nobili del Consiglio sostenevano di non poter fare concessioni in una materia, il cui controllo spettava esclusivamente al governo centrale: si negoziavano soltanto gli approvvigionamenti. I contadini, aumentando di numero ogni giorno, chiedevano sempre piú farina di mais, sempre piú sopresse e forme di pecorino e naturalmente anche sempre piú vino, e i nobili, atterriti, un po' cedevano e un po' tergiversavano, per prendere tempo. Alla sera, poi, la paura dei cittadini, e soprattutto degli aristocratici, cresceva con il buio fino a diventare terrore. I nobiluomini e le nobildonne bellunesi, rincantucciati nei loro letti o aggrappati a quelle persiane che gli consentivano di vedere senza essere visti ciò che accadeva fuori dei loro palazzi, ascoltavano il canto dei territoriali seduti intorno al fuoco, in Campitello e nelle altre piazze della città, a cuocersi la polenta. Era un canto pieno di forza e di tristezza, di speranza e di autentica follia; una melodia antica come il cielo e come le montagne s'intrecciava ad un sogno nuovo e smisurato, il piú gran sogno di quegli anni di fame:

> *Se i mare fusse tocio*
> *e i monti de puenta*
> *oi mama che tociada*
> *oi mama che tociada...*

(« Se il mare fosse intingolo, e i monti di polenta, o mamma che miscuglio di intingolo e di polenta, o mamma che miscuglio...»)

«Sí, sí! Aspetta che arrivino gli imperiali e gli daranno tutto l'intingolo che si meritano!, – borbottavano alle loro mogli, a denti stretti, certi grand'uomini in berretta e camicia da notte, che in tutta la loro vita non avevano provato tanta paura, quanta ne stavano provando in quelle ore, e in ogni minuto di quelle terribili giornate. – Glielo serviranno bello caldo, a colpi di cannone! Gli faranno passare la voglia, te lo dico io!»

«Si sbrigassero infine ad arrivare, questi benedetti imperiali!», sospiravano le consorti. (Molte fra loro, se non proprio tutte, avevano già passato in rassegna con la fantasia tutti i possibili sviluppi di quella situazione; e avevano finito col decidere che, sí, se la salvezza del marito e degli altri congiunti lo avesse richiesto, loro si sarebbero sacrificate: soggiacendo alle basse voglie del Bertoldi, del Da Rold o di un altro capo dei territoriali di pari prestanza. Avrebbero subito l'ultimo oltraggio come gli antichi martiri cristiani subivano il martirio, recitando preghiere, e poi avrebbero detto all'oltraggiatore, in segno di disprezzo: «Hai avuto il mio corpo, non avrai mai la mia anima!») Ma quel canto si ripeteva, nella notte, con minime variazioni: rimbalzava contro le montagne lontane, s'allungava nella valle buia del Piave facendo correre un brivido nella schiena ai grand'uomini nudi e indifesi dentro ai loro palazzi di pietra, e alle loro consorti in ansia di martirio:

> *Se i mare fusse tocio*
> *e i monti de puenta*
> *oi mama che tociada*
> *... puenta e bacalà!*

Anche quella notte, però, trascorse senza incidenti. La mattina del giorno successivo, era domenica e arrivò a spron battuto da Venezia dove stava a darsi buon tempo in veste di «sindaco del territorio» cioè di rappresentante dei contadini bellunesi – una carica simbolica, con prerogative e compiti altrettanto simbolici – il nobiluomo Francesco Frigimelica: notissimo, a Belluno, come framassone ed ex giacobino, e per aver ordito complotti da burla contro la Repubblica di San Marco, prima che arrivasse Bonaparte a farla cadere davvero. Bell'uomo, molto elegante e molto amato dal gentil sesso, il Frigimelica riuní in piazza i suoi patrocinati e li arringò con queste parole concitate, che qualcuno allora si prese la briga di trascrivere: «Popolo mio sventurato come mai sconsigliato andate in simili eccessi: tutto è perduto: immenso numero di soldati imperiali se ne vengono alla volta di Belluno, e minacciano rovina ed esterminio di voi e della Città. Miseri voi: non perdete un momento di tempo, andatevene alle case vostre ed io mi prostrerò ai piedi di quel generale, implorerò per voi il perdono, altrimenti non vi è piú speranza per voi, mentre con molti cannoni si abbatterà Città e Ville non risparmiando né età né sesso; tale è lo scandalo che avete dato che merita simil castigo ed esempio universale: ed io stesso sono spettator occular, io sono il vostro Sindico che partito da Venezia al momento che vi era per trattare e vincere senza dubbio la lite sopra il Dazio Bestiame, all'avviso di sí orribile tragedia sollecito mi partii: anzi mi riuscí a forza di prieghi a piedi di quel Generale in Treviso: di sospendere la marcia fino a nuovo ordine». Il discorso del nobiluomo era drammatico perfino nell'ordine e nella struttura delle frasi, con molte immagini spaventose sparse qua e là; non risulta però che abbia avuto alcun effetto sull'andamento della rivolta, o che qualcuno tra i capi dei territoriali abbia pensato di dover dare una risposta alle angosce del Frigimelica. (Già dovevano immaginarselo da soli, che qualcosa intorno a loro si stava muovendo!) Come nei giorni precedenti, le strade di Belluno continuarono a risuonare fino a notte inoltrata di quell'immenso e insopportabile frastuono di *dàlmede*, che per i nobili prigionieri nei loro palazzi era diventato un incubo: gli insorti, infatti, non facevano nient'altro dall'alba a notte che andare attorno a cercare del cibo per trangugiarne quanto piú potevano, piú e piú volte in un giorno. Quasi tutti erano convinti, e lo dicevano apertamente, che comunque poi fosse finita la Rivoluzione, bisognava almeno approfittare delle circostanze per mangiare a crepapelle a spese dei nobili! A tre ore di notte, cioè alle ventidue secondo il nuovo modo di calcolare le ore, arrivarono gli uomini del Capitaniato di Zoldo, in numero di circa quattromila; erano guidati dall'oste Pietro Pra e da uno sconosciuto con i capelli rossi, e dormirono sdraiati sopra un poco di paglia, dentro la chiesa sconsacrata di San Rocco e in altri edifici pubblici.

La mattina di lunedí 17 marzo i capi degli insorti decisero che ormai s'era temporeggiato abbastanza e mandarono ai consoli un messaggio, che iniziava con queste parole: «Sempre piú il Popolo si rende furibondo di Sue deliberazioni. Siamo negli ultimi affanni per calmarlo. Un complesso di ragioni lo guida alla vendetta ed il riparo di questa sarà l'unico espediente; sarà l'accordare quanto il Popolo richiede, in via tranquilla di base ragionevole». Quasi contemporaneamente e per altre vie, i consoli ebbero notizia che anche i territoriali piú numerosi e piú temuti, quelli della valle di Agordo, si stavano muovendo; un'avanguardia comandata personalmente dal famoso bandito Userta – cosí, almeno, dicevano gli informatori – s'era attestata al Peron sopra Belluno e attendeva il segnale di calare in città, per dare inizio al saccheggio. La truppa che l'avrebbe seguita era forte d'almeno settemila uomini: e gli imperiali non arrivavano! Nel tentativo di guadagnare ancora un po' di tempo, i consoli accettarono d'incontrarsi con i capi degli insorti «circa le Ave Maria», cioè all'ora del tramonto, nello storico Palazzo dei Rettori. L'incontro fu breve. I rappresentanti dell'aristocrazia cittadina chiesero che la trattativa vera e propria venisse rinviata al giorno successivo; i capi degli insorti risposero che la folla esasperata chiedeva giustizia, e che, se non si fosse giunti subito a stipulare un accordo, la città di Belluno sarebbe stata messa a ferro e fuoco quella sera stessa, e il saccheggio sarebbe continuato per tutta la notte. Esibirono quindi i capitoli con le loro richieste: i consoli, non potendo fare altro, li firmarono. Esplose il giubilo della folla; sotto il Palazzo dei Rettori, in Campitello, in ogni parte della città si gridò: «Viva la pace!» Si suonarono a distesa tutte le campane delle chiese e si andarono a cercare nelle loro case gli operai tipografi, perché provvedessero immediatamente a stampare il testo dell'accordo: tale e tanta era la fede di quell'epoca, nella carta scritta e stampata! Tornò a risuonare in ogni strada, e in ogni piazza, quel canto della polenta che era arrivato a Belluno quattro giorni prima, portato forse dai territoriali della Pieve d'Alpago, ed era poi diventato il simbolo della Rivoluzione dei contadini bellunesi: una Rivoluzione che negli anni a venire sarebbe stata ricordata da tutti come un sogno, bello o brutto a seconda di chi lo aveva sognato, e che davvero fu piú prossima al mondo dei sogni che a quello delle cose reali, con le sue montagne di polenta e il suo mare d'intingolo...

A Mattio Lovat, che entrò in città nella tarda serata di domenica, quel tentativo dei contadini di farsi giustizia, e di cambiare il mondo, sembrò un sogno già mentre accadeva: un brutto sogno, uno di quegli incubi in bianco e nero che precedono di poco il risveglio e proiettano un'ombra d'inquietudine sulla giornata che deve ancora iniziare. Anche lui, come la maggior parte degli zoldani in armi, trascorse la notte nella chiesa sconsacrata di San Rocco, piena zeppa di uomini che russavano e si lamentavano nel sonno, perché i vicini li stavano schiacciando o perché gli mancava l'aria per respirare... Il giorno successivo, mentre i suoi compaesani correvano da un luogo all'altro della città, dovunque si distribuisse del cibo, Mattio ebbe modo di seguire l'andamento della trattativa dal quartier generale degli insorti, che era l'Osteria dell'Aquila Nera vicino alla Porta Dogliona. Conobbe l'Andriolo, il Bertoldi e gli altri capi dei territoriali, e ne fu deluso: gli sembrarono persone del tutto ordinarie, e comunque inadeguate a rappresentare quegli ideali di giustizia, di libertà e di uguaglianza tra gli uomini, che avrebbero dovuto trionfare nel mondo anche grazie alla loro Rivoluzione! Soprattutto gli dispiacque l'Andriolo, che infiorava ogni suo discorso di doppi sensi e di allusioni furbesche, e aveva anche l'abitudine, mentre parlava, di toccare l'interlocutore sulle braccia, sulle costole e perfino in viso. A sera, poi, ci fu l'incontro con i consoli, e quasi subito si gridò dal balcone del Palazzo dei Rettori che i capitoli dei territoriali erano stati accettati, e che la Rivoluzione aveva vinto! L'entusiasmo della folla era indescrivibile: in Campitello si tornò a ballare la *Carmagnole* come al tempo dei francesi, e si spararono molti colpi d'arma da fuoco per festeggiare quella giornata memorabile, in cui le ragioni del despotismo e del diritto di casta avevano dovuto piegarsi davanti alla volontà del popolo in armi. Tutte le piazze e le strade di Belluno rigurgitavano di gente che si dava alla pazza gioia e c'era ovunque una ressa incredibile: ma ancora fino a quel momento non erano successi incidenti e si sperava che non se ne sarebbero verificati proprio allora, dopo l'annuncio della pace! A due ore di notte, la festa era al culmine e arrivò all'Aquila Nera la notizia che una turba di scalmanati, con in testa i territoriali di Lavazzo e di Zoldo, aveva forzato i picchetti di guardia alla Porta Pusterla e si era riversata giú per la discesa di Sottocastello, verso il Piave e verso la valle del Piave: attirata – dissero gli informatori – dai *ferali* di innumerevoli prostitute che si muovevano laggiú nell'oscurità, come lucciole fuori stagione. Una seconda notizia, arrivata subito dopo la prima, parlava già d'un fatto di sangue. Un tale detto Tison, di professione fabbro, respinto da una di quelle donne-lucciole perché privo di soldi, aveva voluto prenderla con la forza; ma la donna, prima di soccombere alla violenza del bruto, era riuscita ad accoltellarlo ad un fianco. Pietro Pra mandò a cercare l'Andriolo ed il Bertoldi, che non si trovarono perché erano andati in gran segreto ad incontrare l'Userta; e poi subito, con Mattio e con gli altri che erano insieme a lui, corse a Porta Pusterla e a Borgo Piave, sperando di riportare alla ragione i fuoriusciti e di indurli a ritornare in città; ma quando arrivò in riva al fiume e vide con i suoi occhi ciò che stava succedendo, si rese conto che la situazione, laggiú, era ormai ingovernabile. C'erano fuochi dappertutto, nella campagna dietro l'Osteria dei Quattro Venti; si ballava al ritmo di certe *manfrine* indiavolate che non s'erano piú sentite dal tempo dei francesi, e le donne-lucciole, venute fuori dal nulla e dalla notte, ballando con i contadini facevano pazzie: ruotavano la lingua, s'alzavano le gonne fino sul viso o si piegavano e le sollevavano da dietro, per mostrare il bianco delle natiche nude. Pietro Pra provò un momento di vertigine al pensiero che quelle disgraziate erano accorse da ogni parte del Veneto perché credevano davvero che la città sarebbe stata saccheggiata, e che quei contadini con cui stavano ballando, ancora piú miserabili e disperati di loro, per un giorno sarebbero stati ricchi, anzi ricchissimi! Mattio, invece, in quel brulichio di corpi scomposti nella danza, in quel viavai di ombre rese spettrali dalle luci dei fuochi, credette di vedere l'Inferno, anzi: fu certo di esserci arrivato. Parlando ad alta voce con se stesso, esclamò: «Che delusione! Come ho potuto pensare che questa gente sarebbe diventata migliore e piú felice, se soltanto avesse avuto un po' piú di cibo? Che follia!»

Dalla città di Belluno, alta sopra le loro teste, arrivavano, con il fragore degli spari, parole e frasi dell'inno alla *puenta* ed echi lontani di acclamazioni alla vittoria, alla pace, all'abolizione dei dazi... Assorto nei suoi pensieri, Mattio continuò a camminare finché si accorse di essere rimasto solo in mezzo all'Inferno. Si fermò. Dov'era andato a finire Pietro Pra? E dov'era-

no le altre persone che gli avevano parlato di quella rivolta come
di un atto necessario, buono e santo, che avrebbe posto fine a
un'oppressione durata per secoli e avrebbe riportato un po' di
giustizia, in un mondo ingiusto? Per far trionfare la giustizia – si
chiese – erano necessarie le orge? Proseguí. Oltre la folla e oltre
il bosco c'era il Piave, se ne sentiva il rumore; ma uscendo fuori
dalla luce dei fuochi e dal frastuono, Mattio si rese conto che
non si usciva dall'Inferno, anzi, al contrario!: si arrivava proprio nel luogo dove l'orgia toccava il suo culmine. Era lí che
quelle orribili donne con la faccia dipinta trascinavano le loro
prede, quando erano ben sicure che possedessero quel pezzettino di metallo, necessario all'infame mercato! Era lí che si nascondevano le coppie sciagurate e se ne sentivano i guaiti, i gemiti, se ne intravvedevano le ombre appoggiate contro i tronchi
degli alberi o avvinghiate sulla nuda terra, mentre si dibatteva-
no per dare un momentaneo sollievo a quel tormento della carne, a quell'istinto – pensò Mattio – che è la rovina del mondo! E
non era tutto: in quell'Inferno oltre l'Inferno, dove lui si trovava, s'aggiravano altre ombre, di sciagurati che per essere privi di
denaro erano costretti ad appagarsi da soli, spiando l'appagamento degli altri... Bisognava fuggire: e Mattio, appunto, stava
cercando di tornare verso la città, quando una donna uscita dal
buio lo abbracciò, lo costrinse a fermarsi. Gli sussurrò in un
orecchio: «Dove scappi? Se hai una moneta da due soldi, ti farò
contento!»

Aveva le labbra e le guance pitturate di rosso e lo baciò sulla
bocca. Mattio era paralizzato: il mento e il labbro gli tremavano, la voce non gli usciva, perfino il respiro gli si era fermato in
gola! Gli sembrava di soffocare: tanto piú che quella spudorata,
approfittandosi della sua sorpresa, gli aveva messo la lingua
proprio tra le labbra; ma lo salvarono due fratelli di Astragal, tali Nicolò e Giacomo Calchera, che senza tante storie gli tolsero
la ragazza di dosso e la portarono di peso verso il buio, tenendo-
la per le ascelle. Le dicevano, e Mattio li sentí benissimo: «Cosa
credevi di farci, con quel tipo? Quello insegna il catechismo ai

ragazzini, lo sanno tutti che è un cuëatòn! – (Un omosessuale). – Vieni con noi!»

«Dovete darmi due soldi a testa! – strillava la ragazza. – State attenti a cosa fate e mettetemi giú, perché li voglio in anticipo! Non scherzo!»

Martedí 18 marzo, di buon'ora, i territoriali incominciarono ad andarsene da Belluno. Partirono per primi gli zoldani, che avevano fatto baldoria fino alle prime luci dell'alba e sembravano un po' trasognati e anche un po' increduli, d'aver partecipato davvero ad una Rivoluzione! Partirono i contadini di Lavazzo e di Frusseda, quasi altrettanto provati dalla veglia e dai bagordi, e poi quelli d'Alpago e delle altre Pievi, incolonnati per due e preceduti dai tamburi. Fu data a ciascuno un'ultima fetta di polenta e un bicchiere di vino, e tutti, mentre uscivano dalla città, si fecero il segno della croce, tutti giurarono che sarebbero ritornati in armi se gli aristocratici non avessero tenuto fede alla parola data. Restò a Belluno a vigilare sulla pace un corpo scelto di quattrocento contadini, messo insieme prendendo da ogni Pieve i venti uomini piú coraggiosi e meglio armati: quest'ultimo gruppo di territoriali, secondo gli accordi, se ne sarebbe andato entro la mattina del giorno successivo, quando l'abolizione dei dazi e delle altre tasse fosse stata ratificata e sottoscritta dal Consiglio dei nobili. Allora soltanto si sarebbero tolte le guardie dalle porte e dagli incroci delle strade, e si sarebbe anche ritirata dal Peron – dicevano i cittadini bellunesi, sfiniti dalle notti insonni e dagli spaventi – quell'armata mista di banditi e di territoriali di Agordo, comandata personalmente dall'Userta, che incombeva da due giorni sulle loro teste come la famosa spada di Damocle! Il rimbombo delle *dàlmede* sarebbe finalmente cessato e Belluno, liberata dai villani in armi, sarebbe tornata ad essere la città ricca e felice che era sempre stata: la città dei signori...

Verso le quattro del pomeriggio di quello stesso giorno, quando ormai nessuno – o quasi nessuno – li aspettava piú, arrivarono i soldati imperiali. Non erano l'«immenso numero» di cui aveva fantasticato il Frigimelica, e non avevano con sé quei «molti cannoni» con cui avrebbero spianato – secondo la previsione del nobile bellunese – ogni ostacolo sul loro cammino. Erano circa duecento soldati di fanteria, impolverati e visibilmente stanchi per la lunga marcia; entrarono in città da Porta Dogliona e si misero a loro agio in Campitello, togliendosi di dosso le armi e sedendosi per terra sotto il porticato, mentre i contadini schierati dall'altra parte della piazza gli puntavano addosso i fucili. «Gli Austriaci, – annotò il Catullo, – depositarono l'Armi, e a piedi del Palazzo del Crotta si giettarono e riposarono senza nepur badare agli villici armati che erano venuti ad incontrare il suo arrivo. A tal vista il comandante de' villici comandò ai suoi, che depositassero l'armi anch'essi ove le era piú comodo, per ogni occorrenza, che potea succedere». Meglio di cosí – vien fatto di dire – le cose proprio non potevano mettersi! Arrivò di corsa l'Andriolo, che ordinò ai suoi uomini di gridare: «Viva il sovrano imperatore! Viva l'esercito di sua maestà!», e poi, avvicinatosi con il Bertoldi ai soldati imperiali, gli domandò con molta buona grazia di essere accompagnato dal loro comandante; come infatti avvenne. Il capitano austriaco mandato a reprimere la sommossa era un certo conte di Mayerle, che a Belluno non s'era mai sentito nominare prima di quel giorno: un uomo di grande corporatura, con i capelli già tutti bianchi e il viso accuratamente sbarbato. Andò incontro ai capi dei territoriali a braccia spalancate e con tanto impeto che l'Andriolo, sorpreso, cercò di scansarsi: li abbracciò entrambi, stringendoseli sul petto con molta forza. Gli parlò poi con alate parole e in buon eloquio italiano, soltanto un poco inasprito dalla pronuncia tedesca. «Io sono spedito dal generale, – gli disse, – per essere mediatore tra voi e la città: ma ritrovando le genti che sen tornano alle loro case contenti: trovai la città che ben si gloriava della vostra condotta, non essendo accaduto nessun disordine. Ho il dispiacere di essere inutile: ma ho compiacenza di esser spettatore al suggello della pace, e di poter assistere alla solenne messa di ringraziamento, che dimani intesi ordinata». Gli rivolse poi alcune domande mentre passeggiavano avanti e indietro nella piazza, tra i soldati che parlavano di cose senza importanza, fumando tranquillamente le loro pipe, o guardavano il paesaggio verso la valle del Piave. Gli domandò, col tono di chi si informa perché è animato da un sincero desiderio di capire, e per fini disinteressati, come si fosse arrivati a quell'insurrezione del territorio contro la città, e chi avesse ideato quel modo di condurre in porto tutta la faccenda, che aveva consentito ai contadini di vincere la controversia con i nobili, senza né morti né feriti! L'Andriolo gli rispose di non essere autorizzato a fare nomi e il Mayerle allora, cambiando discorso, lodò i territoriali per non essersi compromessi con il famigerato Desiderio Manfroi soprannominato Userta, che – disse – era un brigante da strada e un assassino, ricercato dalla giustizia imperiale: un alleato come quello non avrebbe certamente giovato alla loro causa, anzi l'avrebbe screditata agli occhi del mondo! Infine, dopo aver passeggiato in lungo e in largo e dopo aver parlato dell'accordo ormai raggiunto sull'abolizione dei dazi, il conte di Mayerle e i capi della sommossa si lasciarono con molti sorrisi, molti inchini e molte vicendevoli promesse di ritrovarsi la mattina del giorno successivo, in Duomo, per la messa di ringraziamento. Il Bertoldi e l'Andriolo, contenti come Pasque, ritornarono all'Osteria dell'Aquila Nera e riferirono l'esito dell'incontro ai pochi rappresentanti dei territoriali che erano rimasti in città. (Mattio e Pietro, a quell'ora, erano già a casa, e cosí anche la maggior parte degli altri delegati). Quando poi venne notte, si ritirarono nelle loro stanze e con ogni probabilità si addormentarono; ma non poterono dormire a lungo, perché furono svegliati prima dell'alba da un messo del Mayerle, che li convocava a palazzo. Erano giunti da Venezia – disse il messo – dei dispacci che testimoniavano il persistere laggiú di un malinteso sui fatti di Belluno; s'erano voluti mobilitare, ed erano in marcia, Dio solo sa quanti reggimenti d'artiglieria, e bisognava fermarli finché si era in tempo; perciò – e forse anche per altri motivi di cui il messo non era stato informato – sua eccellenza il conte li mandava a chiamare a quell'ora di notte. I due, scortati da dodici contadini in armi, attraversarono la città illuminata da una bellissima luna piena senza notare niente di sospetto: le sentinelle dei territoriali erano tutte ai loro posti e gli austriaci evidentemente dormivano, perché in strada non se ne vedeva nemmeno uno! Salirono al primo piano del Palazzo dei Rettori dove il Mayerle, già sbarbato e di buonissimo umore, li sommerse di chiacchiere e di frottole e volle anche offrirgli una cioccolata calda: per farsi perdonare – disse – tutti i disagi che gli stava procurando con la sua venuta! Mentre i babbei bevevano la cioccolata del Mayerle, gli austriaci in pochi minuti occuparono i punti strategici della città, togliendo di mezzo le sentinelle col sistema classico della «botta in testa»; si sbarazzarono senza troppo strepito della scorta dei capi e si prepararono a ricevere il Bertoldi e l'Andriolo: che il Mayerle – con quella sua cura un po' maniacale dei dettagli, di cui già abbiamo avuto modo di accorgerci – accompagnò fino allo scalone, non limitandosi a salutarli con un semplice inchino, come sarebbe stato sufficiente, ma facendogli anche il piú bel colpo di tacchi che mai fosse risuonato in quel palazzo nei suoi tre secoli di storia. Congedati con gli onori militari, i citrulli arrivarono al piano terra e – prima ancora d'avere il tempo di dire «ah» – si trovarono, secondo ciò che ne scrisse il Catullo nei suoi diari, «caricati di un enorme peso di Cattene», «imbacucati perché non potessero fare alcun motto» e buttati in un calesse che era lí ad aspettarli e che partí a spron battuto verso Treviso; dove furono visti quella sera stessa esposti davanti al Palazzo dei Trecento con le teste e le mani strette nei ceppi, e sotto a loro un cartello diceva: *Andriolo Lazzaro. Bertoldi Florio. Suscitatori e caporioni dei moti di Belluno.*

Trascorsero un paio d'ore. Circa le sette di mattina, bellunesi e territoriali si svegliarono in una città che improvvisamente sembrava essersi trasformata in una caserma: le strade, le piazze risuonavano delle voci gutturali dei sergenti austriaci, e dei passi cadenzati dei soldati che le percorrevano. I contadini rimasti a vigilare sulla pace guardavano e non capivano: cos'era successo? Tutte le loro sentinelle erano scomparse, e nessuno sapeva dire dove fossero finite; al loro posto e dappertutto c'erano gli austriaci, che però nel frattempo si erano trasformati, erano di-

ventati tanto altezzosi ed intrattabili quanto il giorno precedente erano sembrati miti e quasi cordiali. C'era un cannone in
Campitello: dunque – pensarono i territoriali – i soldati s'erano
portati anche l'artiglieria, e l'avevano nascosta prima di entrare
in città! Si videro perduti: i loro capi se l'erano svignata o erano
stati arrestati durante la notte e non c'era piú nessuno in grado
di dare ordini, e di dirgli cosa dovessero fare. Erano in trappola;
ma poi incominciò a circolare una voce, che gli uomini disarma-
ti venivano lasciati liberi di andare dove volevano, e che i soldati
di guardia alle porte controllavano soltanto chi entrava: sicché
nel giro di un'ora, alla chetichella, sparirono tutti. Alle dieci di
mattina non era rimasto a Belluno un solo territoriale e arrivò la
notizia – portata forse da un buontempone, o da chissà chi – che
dalla Pieve di Sedico, e da Agordo, briganti e contadini in armi
stavano muovendo verso la città, guidati dal famoso bandito
Userta: erano cosí numerosi che la polvere sollevata dalle loro
dàlmede si vedeva a piú di un miglio di distanza, e avevano giurato di mettere Belluno a ferro e fuoco, o di morire combattendo fino all'ultimo uomo! Il conte di Mayerle, che già prima di
entrare in città era stato informato della presenza di uomini armati all'imbocco della valle di Agordo, quando gli dissero che
l'Userta s'era mosso restò incredulo e dubbioso: se la notizia era
vera – rifletté – le capacità militari del bandito erano state sotto-
valutate, e la partita ancora non poteva considerarsi vinta! Bisognava prepararsi a combattere: perciò, dopo aver schierato i
suoi uomini a ridosso delle difese esterne della città, e dopo aver
fatto piazzare il cannone in posizione di sparo, il capitano mandò a chiamare i consoli e gli disse che – vista la gravità della situazione – autorizzava i cittadini ad armarsi con le armi abbandonate dagli insorti o con armi proprie, e a costituire una guardia civica a difesa delle loro famiglie e delle loro case. Si vide allora di quali eroismi siano capaci i bellunesi, e gli italiani in genere, contro un nemico già vinto e tenuto a bada da un av-
versario piú forte di lui; oppure – come in questo caso – contro
un nemico inesistente. «In meno di venti minuti, – riferisce il
Catullo, – tutta la Città era messa sul Armi. Fu composto un

Corpo di Cittadini nobili ed artegiani, li quali gridavano di continuo al Armi, al Armi. Non si può esprimere quanto mai grande sia stata la solevazione de Cittadini risoluti ad incontrar gli villici a archibugi inarcati, e spezialmente negli artegiani sempre costanti per la difesa della loro Patria». Tanto valore, purtroppo, era destinato ad andare sprecato, perché l'esercito dell'Userta, quando finalmente arrivò in vista della città, risultò essere un convoglio composto di due mulattieri, d'una quindicina di muli carichi di fascine e di un certo numero di pecore. Fermato e perquisito il convoglio, pecore comprese, tenuti i mulattieri sotto tiro di schioppo e interrogati da uomini con la faccia feroce, risposero, spaventatissimi, che per la festa di San Giuseppe patrono di Sedico erano stati sparati alcuni colpi di fucile davanti alla chiesa, senza fare danno né a cose, né a persone; e che la situazione della loro Pieve era tranquillissima perché gli uomini erano ritornati alle loro case la mattina del giorno precedente, tutti fino all'ultimo, e avevano già ripreso le loro occupazioni abituali...

Tra allarmi a vuoto ed esercitazioni in Campitello della guardia civica, anche quel giorno finí. La mattina del giorno successivo, di buon'ora, aristocratici e plebei stavano recuperando nei loro letti un poco del sonno perduto durante la rivolta e s'incominciò in tutte le chiese di Belluno a fare un *campanò* dei piú indiavolati: con che spavento della popolazione, ognuno che abbia seguito fin qui questa nostra storia può immaginarlo da solo. La gente svegliata di soprassalto pensò la prima cosa che si sarebbe potuta pensare in quelle circostanze: e cioè che l'Userta, con il favore delle tenebre, fosse arrivato fino davanti alla città e che stesse per sferrare l'ultimo assalto, alla testa di quelle migliaia di banditi e di territoriali agordini assetati di sangue che molti cittadini bellunesi dovevano essersi sognati proprio quella notte. Chi volle avere notizie, corse in strada: ma vedendo che tutto era tranquillo e che i soldati non si preparavano a combattere entrò nelle chiese e le trovò risplendenti di candele, con i preti sui pulpiti che annunciavano l'avvenuta elezione del nuovo papa e leggevano la lettera pastorale rivolta «ai dilettissimi nostri figli il popolo di Belluno, e suo Territorio» da sua eccellenza il vescovo, monsignor Sebastiano Alcaini. Cosí, dunque, era stato eletto il nuovo papa! I cittadini bellunesi, e il mondo intero, s'erano ormai dimenticati di quello strano conclave che era continuato per tutto l'inverno, laggiú nelle nebbie e nel gelo di un'isoletta della laguna, ed anche un po' del vescovo Alcaini, che dall'autunno precedente s'era trasferito a Venezia dopo aver lodato e benedetto tutto e tutti, nel corso degli ultimi anni: il Leone di San Marco, i francesi che lo avevano abbattuto e s'erano anche presi gli ori e gli argenti delle chiese, gli austriaci che avevano riportato l'ordine antico, sicché infine, a forza di benedire, era diventato un distributore automatico di benedizioni, una presenza cosí evanescente, e cosí innocua, com'era evanescente e innocuo il suo aspetto fisico; ma ora il vescovo e il papa ritornavano in scena, insieme e con quel po' po' di fracasso! Presi ancora una volta alla sprovvista – dopo gli spaventi di una settimana di occupazione armata e con l'Userta alle porte – i bellunesi erano piú frastornati che lieti per l'avvenuta elezione del nuovo papa, e qualcuno anche si domandò cos'altro ancora sarebbe potuto succedere, in quei giorni; quali altre ragioni di giubilo o di tragedia avrebbero potuto manifestarsi tra cielo e terra, per tenere il mondo e loro personalmente in perenne fermento. Ma i preti avevano la loro buona novella da annunciare e intendevano annunciarla nel piú fragoroso dei modi. Tanto piú – dicevano – che per causa delle bizze dei territoriali, e della loro stupida Rivoluzione, la buona novella arrivava con molti giorni di ritardo. Gregorio Barnaba Chiaramonti vescovo di Imola era stato scelto come successore del defunto Pio VI il 14 marzo e monsignor Alcaini era subito partito da Venezia per tornare nella sua diocesi ad organizzare i solenni festeggiamenti; strada facendo, però, aveva avuto notizia dei tumulti e si era dovuto trattenere a Feltre fino alla mattina del giorno 18, in cui gli austriaci erano entrati in città: sarebbe stato davvero il colmo, per un vescovo, dover lodare e benedire anche i contadini in armi! Da lí, cioè da Feltre, era poi venuto a Belluno e aveva subito preso carta e penna per rivolgere ai suoi «dilettissimi figli» quella paternale – destinata soprattutto ai figli ribelli – in cui lo sdegno e la riprovazione per i fatti degli ultimi giorni si mescolavano al rimpianto per la bella festa sfumata, o comunque rovinata. «Io veniva a voi, miei cari, – diceva la lettera del vescovo che i sacerdoti gridavano da tutti i pulpiti, – esultante, per recarvi in persona la piú lieta notizia, e la piú consolante, per tutti i veri e buoni cristiani! Il Dio delle misericordie, e delle consolazioni ha donato alla sua diletta sposa Chiesa santa un degno successore dell'immortale, e veramente santo Pio VI, un supremo visibile capo dotato di tutte le piú luminose virtú necessarie per sostenerla, istruirla, difenderla. Io veniva a voi apportatore della sua apostolica benedizione; ma, oh Dio!, quanto mai venne amareggiata la mia, la comune allegrezza per sí fausto avvenimento, nell'udire i scismi, le divisioni, i tumulti, che con tanto pregiudizio delle vostre anime, con tanta offesa dell'ottimo vostro sovrano, e vero padre Francesco II imperatore, e re, e con tanto pericolo della pubblica, e privata quiete, e sicurezza scoppiarono fatalmente tra di voi ne scorsi giorni! Chi mai vi ha sedotto, dilettissimi miei, ad un passo cosí contrario allo spirito della santa nostra religione, e cosí pregiudizievole ai vostri veri temporali interessi? Qualunque sieno i vostri bisogni, le vostre ragioni, voi non avete che esporle con filiale rassegnazione, e confidenza a' piedi del sovrano, e vi sarà sicuramente da lui fatta giustizia, e prestato soccorso»: e chissà poi – vien fatto di chiedersi – se monsignor Alcaini ci credeva davvero, nelle sciocchezze che scriveva! Probabilmente sí. «Vi esorto dunque in nome di quell'uomo Dio, – concludeva il vescovo, suggellando il suo sermone con due memorabili strafalcioni, – che patindo, morindo, e risorgendo da morte ha portato in terra il prezioso dono della vera pace, vi esorto di restar tutti tranquilli nelle vostre case in seno alle vostre famiglie, per attender ivi pacificamente all'anima vostra». Un buon consiglio: rivolto a gente che non avrebbe mai osato sognare di liberarsi della tassa sulla miseria e dell'oppressione dei ricchi – cosí, almeno, pensava il vescovo Alcaini, e cosí pensavano i preti di quell'epoca – se non fosse stata traviata dall'empietà allora dilagante, e non avesse prestato orecchio alle lusinghe delle «cose di Francia»...

Ma la Rivoluzione, ancora, non era finita. Gli agordini erano in armi; e il conte di Mayerle, che non era uomo da lasciare le cose fatte a metà, mentre la città di Belluno risuonava di *campanò* e di messe cantate, studiò a fondo la situazione. Ascoltò anche con interesse un certo Moro, addetto al trasporto e alla distribuzione della posta nella valle di Agordo, che gli parlò dell'Userta, anzi: del «capitano Userta»; perché da qualche settimana o da qualche mese il bandito s'era promosso capitano e tutti, ormai, gli riconoscevano quel grado. Il capitano Userta – raccontò il Moro al conte di Mayerle – aveva assunto il comando dei territoriali di Agordo fino dal primo giorno della sommossa e teneva molti uomini in armi, parte nel Canale, parte nei villaggi; s'era fatto adattare una divisa d'un ufficiale dei dragoni francesi, rubata chissà dove e chissà a chi, e andava attorno per la valle cosí impettito che sembrava Bonaparte in persona, ad istruire e a rincuorare le sue truppe, come se davvero si stesse preparando ad una grande battaglia. Il Mayerle ascoltò le parole del Moro con molta attenzione, rifletté a lungo su tutto ciò che si sapeva dell'Userta e si persuase, infine, che se fosse stato messo alle strette avrebbe combattuto davvero: per quanto i rapporti di polizia, fino dai tempi della Serenissima, lo descrivessero come un assassino a tradimento e un predone che agiva soltanto con il favore delle tenebre e della sorpresa. L'Userta – pensò il conte di Mayerle, passeggiando avanti e indietro in quella saletta del Palazzo dei Rettori che era diventata il suo quartier generale bellunese – aveva commesso un errore che gli uomini commettono quasi sempre quando gliene si offre l'opportunità, e che quasi sempre gli è fatale: si era lasciato attrarre da un palcoscenico troppo grande per lui e ci era salito, per recitare una parte di commedia tanto lontana dal suo vero personaggio, quanto il sole è lontano dagli abissi del mare! Ora però non avrebbe potuto ritirarsi, perché l'eroe che interpretava e che tutti vedevano in lui, nei panni del ladrone non ci entrava piú, e non c'erano altri panni in cui nascondersi, non c'erano vie di scampo! «La vita è un grande spettacolo, – disse ad alta voce il conte di Mayerle, che tra le sue molte virtú aveva anche quella d'essere un poco filosofo, – e un eroe divenuto tale per caso non è meno temibile di un eroe vero; spesso anzi è piú temibile, perché è piú disperato. Bisognerà muoversi con molta cautela, con l'Userta! Lasciar passare del tempo: due o tre settimane, o addirittura un mese, finché i contadini non si saranno resi conto che, qualunque cosa loro facciano o non facciano, il mondo non cambia, e saranno ritornati tutti alle loro case. L'Userta allora resterà solo con i suoi banditi e io lo prenderò, perché cosí vuole la mia parte nella commedia: ma, per prenderlo, non andrò certamente ad affrontarlo come lui adesso vorrebbe essere affrontato, sul suo palcoscenico da eroe; se l'amico pensa di poter manovrare le cose in questo modo, si sta facendo delle illusioni! Ci scambieremo i ruoli: visto che lui s'è messo a fare il capitano, e a comandare eserciti, io farò il bandito e lo prenderò di notte a tradimento, e magari anche riempirò di soldi qualche suo compagno, perché mi aiuti ad acchiapparlo senza spargere sangue. Se un po' di denaro può evitare che scorra del sangue, è sempre meglio versare il denaro: i soldi, in un modo o nell'altro, si recuperano, il sangue non si recupera piú...»

Il conte di Mayerle usava spesso parlare da solo ad alta voce, per considerare il pro e il contro di una situazione e per consigliarsi con se stesso su ciò che sarebbe stato piú opportuno fare o non fare; ma i suoi monologhi avevano poi questa particolarità, che si avveravano quasi sempre fino nei dettagli: e cosí accadde anche nel caso dell'Userta. Trentun giorni esatti dopo il monologo bellunese del Mayerle, nella notte tra il 19 e il 20 aprile dell'anno del Signore 1800, tutti i pastori e i contadini di Agordo stavano dormendo il sonno dei giusti nelle loro case e almeno cento uomini armati fino ai denti, tra soldati e sbirri, si materializzarono nella valle, guidati da persone bene informate e pratiche dei luoghi: molti banditi furono presi mentre ancora dormivano, altri che tentarono una disperata resistenza vennero uccisi. Nel villaggio di Agordo due pattuglie di imperiali circondarono il *tabià* dell'Userta e – secondo una versione epica dell'avvenimento, che circolò a lungo tra le montagne intorno al Piave – gli intimarono di arrendersi: scatenando quella furibonda battaglia di cui ci parla in una sua ballata il poeta ottocentesco Luigi Carrer, che fu per il bandito bellunese ciò che Omero fu per Achille, o Virgilio per Enea. L'Userta del Carrer è un eroe romantico ed un precursore di quell'insurrezione popolare contro gli austriaci che sarebbe poi stata la molla del Risorgimento italiano: e cosí anche sua moglie, la signora Userta, essendo rimasta impavida al suo fianco per ricaricargli il fucile durante l'ultima battaglia, prefigura molti personaggi femminili di molte successive epopee patriottiche e banditesche, della letteratura e del cinema. («La consorte orante'e mesta | È compagna al fero gioco, | E la carica tien presta | Perché mai non cessi il fuoco: | Tuono e lampo, lampo e tuono | Dal balcone alterni sono»). L'epico scontro, stando al racconto del Carrer, si concluse poi con uno stratagemma degli imperiali, che si calarono dal tetto e riuscirono a sorprendere il bandito colpendolo alle spalle; ma questa versione della morte del Robin Hood delle Dolomiti è certamente fantastica. Sappiamo infatti dalle memorie del Bazolle, e dal *Libro dei Morti* della cattedrale di Belluno, che il cadavere dell'Userta arrivò in città affumicato come quei salumi che si tenevano un tempo – e si tengono tuttora – appesi d'inverno dentro alle cappe dei camini; e che aveva una sola ferita mortale, in pieno petto, d'un colpo d'arma da fuoco sparato da breve distanza. Tutto ciò induce a pensare ad un altro epilogo, piú realistico e coerente con l'abituale prudenza del conte di Mayerle, ed anzi proprio con il suo stile. Secondo tale epilogo, meno epico ma piú pratico, la battaglia assolutamente non ci fu, perché gli austriaci, anziché chiamare a gran voce l'Userta nella notte, per adeguarsi alle atmosfere romantiche della poesia del Carrer («È mezzanotte; tutto si giace; | Dietro le nubi passa la luna; | Un grido s'ode, splende una face...») si limitarono a dare fuoco al suo *tabià*, ottenendo cosí con un solo gesto ben due risultati, quello di far uscire il bandito e quello di tenere illuminata tutta la scena. L'Userta, sorpreso nel sonno e mezzo soffocato dal fumo, cercò di scappare: ma fu «sauciatus sclopi explosio-

ne» – secondo il barbaro latino del *Libro dei Morti* – cioè ferito
a morte da quella fucilata nel petto di cui già s'è parlato. Dal
momento della fucilata in poi, i fatti sono tutti noti e documen-
tati. L'Userta – dicono le cronache – fu confessato e gli fu som-
ministrato l'olio santo: si sarebbe anche voluto dargli la comu-
nione, ma il buco nel petto era cosí grosso che l'ostia forse sarebbe uscita da lí, sicché non se ne fece niente. Morí sul mulo a
cui l'avevano legato per portarlo in città e fu esposto al pubblico
il giorno 22 nella chiesa di Santa Giuliana in Castel: «Era nero e
puzzolente, – dice il Bazolle, – e l'ufficio della sanità lo adiman-
dò per seppellirlo e fu sepolto alle ore due a San Biasio». Già il
giorno prima in Campitello, come allora si usava, erano stati
mostrati alla folla i suoi compagni, con le teste e le mani strette
nei ceppi. E cosí finalmente, dopo piú di un mese, quella Rivoluzione che aveva tenuto tutto il Veneto con il fiato sospeso poté considerarsi domata. Il Mayerle, e i nobili bellunesi, avevano
vinto!

Si preannunciava intanto una nuova siccità, dopo un inverno asciutto e gelato e una primavera brevissima, senza vere
piogge. Arrivò l'estate e le campagne erano riarse: i fiumi erano
quasi del tutto privi d'acqua e anche le montagne piú alte e piú
bianche mostravano la nuda roccia là dove abitualmente c'era
invece la neve. La mattina di venerdí 18 luglio arrivò a Forno, al-
l'osteria di Pietro Pra, uno strano viaggiatore: alto, barbuto,
con un cappello di foggia tirolese e un bastone con la punta ferrata. Il forestiero – che nel pomeriggio andò a presentarsi alla
Casa del Capitaniato, e parlò a lungo con il regio *capitanio*, conte Francesco Doglioni – disse di essere stato incaricato dal governo di Vienna di studiare l'ubicazione, il funzionamento e la
possibilità di recupero delle *fusine* di Zoldo: che avevano chiuso i battenti, quasi tutte, già al tempo della Serenissima. L'antica industria del ferro – spiegò l'uomo, parlando con forte accento tedesco – costituiva per la valle e per il Veneto una risorsa
di prim'ordine, e doveva essere ripristinata! Sua maestà l'imperatore si era interessato al progetto, e il barone von Eccher, ora
a Venezia, aveva pensato di mandare un esperto nella valle, per-

ché studiasse il problema. Lo straniero, che sul registro della locanda s'era firmato «Karl Viktor Mitterhofer, ingeniere minerario», incominciò a visitare le *fusine*, ad una ad una: non soltanto le poche che ancora erano attive e lavoravano come botteghe di fabbro, ma anche le molte che erano chiuse e andavano in rovina, perché i padroni erano lontani o perché non se ne curavano piú. In ogni *fusina* prendeva nota delle lavorazioni che vi si erano fatte, dei nomi dei fabbri che erano stati addetti a quelle lavorazioni e dei motivi per cui l'officina s'era dovuta chiudere. Ascoltava anche due o tre volte in un giorno, senza dar segni di fastidio e anzi con apparente partecipazione, la litania di tutti i mali di una valle dove non si produceva piú niente, non si seminava piú niente, tutto veniva rubato e la gente scappava o moriva di fame. A volte perfino si riscaldava, s'indignava. «Nessuno, a Vienna, è informato di questo!, – sosteneva. – Se sua maestà sapesse come vivono i suoi sudditi zoldani, avrebbe già trovato il rimedio!» Altre volte, invece, capitava che qualcuno, parlando delle miserie d'un tempo e di quelle presenti, facesse riferimento alla rivolta dei contadini contro la città e Mitterhofer s'incuriosiva, domandava ai suoi interlocutori: «Voi c'eravate, a Belluno, in quei giorni? Cosa avete visto?» I montanari, però, s'accorgevano subito di aver toccato un tasto sbagliato e correvano ai ripari: tergiversavano, negavano, dicevano che loro, a Belluno, non ci andavano dall'anno precedente, e precisamente dalla fiera di San Martino; che non conoscevano nemmeno uno zoldano che aveva partecipato a quella sommossa; che non sapevano niente di niente! Circolava con insistenza nella valle, fino dal giorno in cui Mitterhofer ci aveva messo piede, la voce che quello strano viaggiatore fosse in realtà un ispettore dell'imperial regia polizia mandato ad indagare sui moti di marzo, e che bisognasse stare attenti, molto attenti!, a tutto ciò che si diceva parlando con lui. Ma qualcuno – basandosi sull'interesse dello straniero per quelle *fusine* che non si capiva come potessero stare a cuore a sua maestà, o al barone von Eccher, o a chicchessia – s'era persuaso che Mitterhofer fosse venuto a Zoldo per cercarvi la fabbrica di monete false di cui si favoleggiava da anni, e che secondo molti era appartenuta all'Userta. (Soltanto cosí – sostenevano i montanari – si poteva spiegare la ricchezza del bandito negli ultimi anni, quando lui era diventato il re di Agordo; e si potevano spiegare anche le grosse somme di denaro che aveva dato senza chiedere niente in cambio, per la causa dei territoriali e per la loro Rivoluzione). L'Userta – si diceva a Zoldo dopo la sua morte – non aveva piú messo a segno una rapina dall'epoca dei francesi, ma tra le ceneri del suo *tabià* s'era trovata un'autentica fortuna in lingotti d'argento e in lingotti d'oro: un tesoro immenso, che gli austriaci s'erano affrettati a spedire a Vienna, senza essere riusciti a spiegarne la provenienza! Come aveva fatto il bandito – si chiedevano un po' tutti – ad accumulare una simile ricchezza? Quale segreto era stato sepolto insieme a lui, nella chiesa di San Biagio a Belluno, e chi era il proprietario legittimo di quell'oro?

Un pomeriggio d'agosto, Mattio stava nella sua bottega e il forestiero entrò, curvandosi per non battere la testa contro lo stipite della porta, gli disse che aveva bisogno d'aver applicate quattro *broche* sulle suole degli scarponi. Si sedette; e mentre il ciabattino attaccava le *broche*, gli chiese se conosceva un certo Michele De Fanti e se sapeva dove si trovasse in quel momento; quando l'aveva visto per l'ultima volta. Mattio rispose che sí, la persona in questione lui la conosceva, ma che non la vedeva da quasi un anno; che si rivolgesse ai familiari, per aver notizie! Mitterhofer non insistette. Al momento di pagare, però, invece del mezzo soldo che Mattio gli aveva domandato, gli mise in mano una moneta d'argento da due lire. «Te ne darò altre cinquanta, – disse allo *scarpèr* che lo guardava incredulo e scuoteva il capo, a significare: non ho il resto!, – se mi aiuterai a ritrovare il mio vecchio amico Michele De Fanti. Venendo a Zoldo speravo tanto di avere sue notizie, e invece, qui, nessuno mi sa dire dov'è, nemmeno i suoi genitori!»

Capitolo nono
La passione

Nell'inverno del 1801, e poi ancora nei primi mesi del 1802, Mattio subí nuovamente, e con piú forza, l'assalto della *pellarina*. Soprattutto nelle ore serali: vedeva ombre di persone che non c'erano, e parlava con interlocutori che soltanto lui poteva ascoltare. La pelle di tutto il corpo e anche quella del viso ricominciò ad arrossarsi e a staccarsi; i denti si annerirono e si guastarono, le forze vennero meno: stava seduto per ore davanti al suo deschetto, e non riusciva nemmeno a piantare un chiodo! La signora Vittoria, vedendo il figlio in quelle condizioni, non sapeva piú a che Santo votarsi: aveva provato a curarlo con le erbe, aveva chiesto l'intervento divino, in molti modi, aveva perfino interpellato – lei sorella d'un prete! – un uomo che nella valle aveva fama d'essere uno stregone, perché guarisse Mattio con le sue arti diaboliche. Nessun rimedio, però, si era rivelato efficace e purtroppo non c'erano rimedi, lo dicevano le comari di Casal e anche il dottor Villalta continuava a ripeterlo: bisognava soltanto avere pazienza, e aspettare che l'accesso passasse! In tutta Zoldo, e in tutto il bellunese, i casi di persone colpite da *pellarina* ormai erano innumerevoli, anche se i medici ancora stentavano a metterli in rapporto tra di loro e a studiarli in modo ordinato, per la straordinaria molteplicità dei sintomi con cui la malattia si presentava. Non era una sola malattia, la *pellarina*: era un universo di malattie, fisiche e psichiche, che potevano anche produrre effetti tali, da sembrare miracoli, o da far comunque pensare all'intervento di una forza capace di sovvertire le leggi della natura. Per esempio l'insensibilità al dolore. A Zoldo, nell'inverno precedente, s'era molto parlato d'un pover'uomo di Gavaz, che per togliersi il freddo dalle ossa s'era seduto dentro al camino, cosí vicino alla brace da prendere fuoco, ed era morto carbonizzato senza nemmeno accorgersene: era morto sorridendo, perché finalmente gli sembrava di sentire un po' di calore! Gli ammalati di *pellarina* – già s'è avuto modo di parlarne – si mettevano spesso nelle pose piú strane, fermi come statue in mezzo a un prato o a un sentiero, o appollaiati su un albero: ridevano e dondolavano la testa, mostrando aperte le bocche sdentate. Dappertutto nella valle di Zoldo, e nelle altre valli laterali del Piave, s'incontravano per strada uomini e donne che fissavano qualcosa: una farfalla che volava, una formica, una nuvola... Nessuno, allora, lo sapeva o se ne rendeva conto, ma quegli uomini e quelle donne che tutti compiangevano in realtà erano felici, molto piú felici di quanto possa esserlo una persona normale: perché il male misterioso che li aveva colpiti, li rendeva immuni al dolore fisico e faceva naufragare il loro pensiero in un sogno infinito, in un'ultima sconfinata avventura – grande quanto l'immaginazione di ciascuno di loro! – in cui loro stessi erano i protagonisti. Nella fase estrema della malattia, infine, anche l'immaginazione veniva a mancare: i sogni si dissolvevano, i ricordi del passato diventavano echi lontani e l'uomo e la donna, senza piú rendersi conto d'esser tali e di avere un corpo, incominciavano a muovere i primi passi sopra un altro pianeta, ignoto e bellissimo; vedevano forme e colori che non avevano mai visto prima d'allora, ascoltavano musiche che non avevano mai udito e se avessero potuto essere raggiunti dalla banalità di una domanda, «come stai?», avrebbero risposto tutti allo stesso modo, «dove» stavano: stavano in Paradiso! (Ma nessuna voce umana e nessuna domanda potevano piú raggiungerli. Anche se loro, apparentemente, erano là, fermi in mezzo al sentiero o appollaiati su un albero).

Mattio, allora, era ancora all'inizio della malattia e il suo secondo viaggio attraverso la *pellarina* fu soltanto un lunghissimo delirio in cui tornarono ad apparirgli, piú e piú volte, persone e luoghi ed episodi della sua vita passata. Rivide il prete tedesco, quel don Marco che gli aveva insegnato a leggere la volta celeste come si legge un libro, e che lui poi, divenuto adulto, aveva creduto di riconoscere a Venezia nel dottor Sturz, e a Belluno nell'avvocato Sprecher... Rivide la capanna sul Bosconero dove aveva subito e respinto l'assalto del Diavolo, e dove anche aveva fatto a Dio quella promessa, che non aveva poi mantenuta. Rivide don Tomaso, il prete castrato: gonfio come un otre sul suo letto di morte, che gli faceva cenno d'avvicinarsi e gli parlava nell'orecchio, gli sussurrava quelle terribili parole che dai giorni della rivolta dei territoriali erano tornate a rimbombargli nel pensiero, non lo lasciavano dormire la notte... Lui, Mattio Lovat, doveva salvare il mondo! Don Tomaso, su ciò, non aveva dubbi, e glielo aveva ripetuto finché ne aveva avuta la possibilità, con la voce ormai rantolante: che bisognava che lui salisse sulla croce, per espiare i peccati degli uomini! Visto che il vecchio papa era morto di morte naturale, e che nessun altro si sarebbe fatto avanti per prenderne il posto. Dopo il falegname palestinese, nella storia infinita della redenzione ci sarebbe stato il calzolaio veneto; e non aveva importanza – gli aveva detto, ansimando, il *sopranista* – che lui non fosse sacerdote, perché nemmeno il suo predecessore lo era stato! Erano entrambi figli del Padre, cioè di Dio, come tutti gli uomini; soffrivano, come tutti gli uomini, dell'impurità della carne, che era il piú grande ostacolo per il compimento della loro missione. Gesú di Nazareth, secondo il *Vangelo* di Matteo, si era liberato di quell'impurità digiunando e pregando per quaranta giorni e combattendo col Diavolo nel deserto: ma le indicazioni dell'apostolo erano vaghe, e non potevano essere seguite alla lettera. La liberazione di Mattio si sarebbe compiuta in un altro modo e però il risultato sarebbe stato lo stesso, il suo corpo sarebbe tornato ad essere puro come al momento del battesimo: dopo Gesú Cristo ci sarebbe stato Mattio Cristo e Bonaparte si sarebbe dileguato, l'antico Nemico sarebbe stato sconfitto, le miserie degli uomini, che non erano soltanto miserie materiali, da potersi risolvere abolendo qualche tassa!, sarebbero finite, la salvezza – ancora una volta – sarebbe stata possibile...

Il ritorno delle forze, per Mattio, coincise con il risveglio della natura dopo il lungo sonno invernale, e con la primavera. Fu come se i prati e i boschi di Zoldo, che lui vedeva dalla finestra della sua stanza, e le montagne, il cielo, le nuvole lontane, tutto ciò che componeva il paesaggio della sua valle volesse dargli un cenno di assenso e di conferma, che il mondo, infine, sarebbe cambiato! A marzo, Mattio era già in grado di andare attorno per la Pieve suonando il corno e caricandosi di quei lavori di rattoppo che i montanari non gli portavano loro stessi a Casal perché «era piú la strada, – dicevano, – che la spesa!» Ad aprile, poi, verso la fine del mese, accadde un fatto imprevisto. I Lovat ricevettero una lettera di fra Giuseppe che diceva a Mattio di mettersi subito in viaggio: suo fratello fra Marco, divenuto prete, avrebbe celebrato la prima messa di lí a pochi giorni, nella piccola chiesa del convento di Santa Maria del Gesú, e dopo la messa sarebbe partito per le Americhe, dove doveva recarsi a causa di un voto! Mattio, dunque, s'imbarcò a Codissago nel pomeriggio di domenica 9 maggio e arrivò a Treviso al convento dei frati Riformati martedí sera dopo il tòcco dell'Angelus. La mattina del giorno successivo, di buon'ora, assistette alla funzione religiosa celebrata dal fratello e durante la funzione ascoltò la predica del reverendo priore, fra Giuseppe da Zoldo: che parlò di suo nipote come di un erede e continuatore dello spirito missionario di San Francesco d'Assisi, e raccontò anche la storia del voto. Quella promessa di annunciare la parola di Dio in terre lontane – disse fra Giuseppe – era stata fatta alcuni anni prima, nel Canale di Zoldo: quando loro due fraticelli avevano portato un grosso sacco di patate ai montanari sfiniti dalla carestia, perché le seminassero. «Se la coltivazione della patata si diffonderà, – aveva detto in quella circostanza fra Marco, – e se noi poveri frati riusciremo davvero ad alleviare la fame dei nostri compaesani, io faccio voto, non appena sarò diventato sacerdote, di andare a compiere la mia missione in quelle terre di là dall'oceano, da dove si dice che le patate provengono!» (Ascoltando il sermone di fra Giuseppe, appassionato come sempre ed anche molto commovente, Mattio provò l'impulso di alzarsi per dire a suo fratello di restare a Treviso, perché la coltivazione delle patate, a Zoldo, non era mai incominciata; ma poi capí che se l'avesse fatto si sarebbe esposto al ridicolo, e che il racconto del predicatore era una parabola, come ce ne sono nei *Vangeli* e nelle Sacre Scritture, da non prendere alla lettera... Si domandò quale fosse il motivo – quello vero – per cui Antonio andava in America. Forse – si disse – suo fratello aveva avvertito lo stesso desiderio di viaggiare e di vedere il mondo che aveva spinto il giovane Michiele Lovat ad arruolarsi come mozzo su una nave diretta in Levante, e che anche lui, Mattio, aveva conosciuto da giovane; forse voleva soltanto allontanarsi il piú possibile da Treviso, e dallo zio grand'uomo...) Finita la messa, fra Marco prese congedo da tutte le persone che erano in chiesa e regalò a Mattio una bisaccia di cuoio quasi nuova, che era stata la sua bisaccia da frate. «Per andare in America, – gli spiegò, – ho dovuto procurarmi una sacca piú grande, e vorrei che tu tenessi questa come mio ricordo». Gli mostrò anche ciò che aveva messo dentro la bisaccia: una lettera per la madre, un calamaio e alcune immagini benedette. Sulla porta del convento c'era il frate che doveva accompagnare il giovane missionario fino a Venezia, dove lui si sarebbe imbarcato; il priore allora sventolò il fazzoletto verso il nipote – nonostante questi fosse a pochi passi di distanza – e tutti quelli che erano lí attorno lo imitarono, tutti dissero al confratello che stava uscendo dalla loro comunità e dalla loro vita: «Addio, fra Marco! Ricordatevi di noi! Fate buon viaggio!»

Per volontà di suo zio, e perché non se la sentiva di rimettersi subito sulla strada del ritorno, Mattio rimase qualche giorno a Treviso, dormendo nella cella che era stata di Antonio e facendo la stessa vita dei frati: pregò insieme a loro, mangiò alla loro tavola, lavorò con loro. C'era il frate ortolano, fra Taddeo, che quando gli altri non potevano vederlo lo guardava a lungo e con intenzione, come se s'aspettasse qualcosa da lui o come se volesse chiedergli qualcosa. Fra Taddeo aveva due grandi occhi neri, dolci e profondi come sono gli occhi di certe donne durante la gravidanza, ma i suoi tratti non erano affatto femminei: il suo corpo – per ciò che se ne indovinava attraverso la tonaca – era il corpo di un giovane uomo vigoroso e temprato dalle fatiche, in cui ogni muscolo aveva il giusto rilievo; la pelle del viso, lasciata esposta ai raggi del sole, accentuava l'asperità e la scabrosità di tutti i suoi lineamenti e lo faceva assomigliare a un Santo di legno. Nonostante i suoi occhi languidi, però, fra Taddeo era un uomo di Chiesa e Mattio a Treviso si sentiva tranquillo; finché una notte, inaspettatamente, fece un sogno, che lo mise in allarme: bisognava fuggire! In quel sogno, cosí minuzioso e cosí veritiero che avrebbe anche potuto essere scambiato per la realtà, fra Taddeo entrava nella cella di Mattio mentre lui era a letto, reggendo una lanterna velata che metteva sullo scrittoio. Si voltava verso di lui, si toglieva la tonaca e restava nudo: ma il suo corpo, bello e armonioso come una scultura del Brustolon, era tutto tempestato di macchioline rosse, era... il Crocifisso di San Floriano! (Con un piccolo sforzo, Mattio ricordava anche la voce di quell'uomo, entrato in sogno nella sua cella. Una voce sommessa, bassa e rauca, gli bisbigliava all'orecchio: «Non avere paura di queste macchie... È pellarina, una malattia che non dà contagio! Toccami, Mattio!»)

La mattina del 18 maggio 1802, dopo aver ascoltato la messa nella chiesuola del convento, Mattio prese congedo dallo zio priore. Aveva a tracolla la bisaccia di fra Marco piena zeppa di pecorino, di pane, di tutto ciò che i frati gli avevano dato per il viaggio e fra Giuseppe lo trattenne stringendogli forte una mano. «Perché non resti con noi, – gli domandò, – e non prendi i voti? La cella di tuo fratello è vuota, e la vita che facciamo non dovrebbe spiacerti!»

«Mi fermerei volentieri, – disse il calzolaio, – ma ho qualcosa da fare che me lo impedisce: una missione, di cui non posso parlare con nessuno e nemmeno con voi... Se mi raccomanderete a Dio nelle vostre preghiere, forse riuscirò a portarla a termine!»

Arrivò al Piave che erano passate da poco le undici. Era una bella giornata, di sole pallido e di orizzonti velati; l'acqua del fiume aveva in sé quel riflesso un poco torbido che le dà la neve quando si scioglie; le montagne lontane, evanescenti, si confondevano col cielo. Seduto nel traghetto insieme agli altri viaggiatori, Mattio non poté fare a meno di confrontare la bellezza del paesaggio che aveva di fronte – i greti immensi, le isole, i voli dei gabbiani e degli aironi sulle isole, la sinfonia dei colori primaverili – con l'aspetto miserevole degli uomini e delle donne che erano con lui e che, pur essendo stati messi insieme dal caso, costituivano un campionario abbastanza rappresentativo di tipi umani di quei luoghi e di quell'epoca, e dei loro problemi. C'erano due scalpellini che ritornavano ai loro paesi con in spalla gli attrezzi del loro mestiere e guardavano con sospetto chiunque gli si avvicinasse, perché avevano nascosti da qualche parte dentro ai vestiti i soldi guadagnati in città. C'era una *màmola*, con un abito cosí scollato che le lasciava il seno quasi tutto scoperto; i suoi occhi, quando la barca s'era staccata dal molo di Lovadina, avevano passato in rassegna i viaggiatori maschi senza trovarne nemmeno uno su cui valesse la pena di soffermarsi, e ora guardavano l'altra riva e l'orizzonte lontano. C'era un prete: con la tonaca rattoppata e gli occhi lucidi, sembrava riassumere nella sua persona il travaglio della Chiesa di quell'epoca, in cui gli unici religiosi che stavano bene erano quelli dei conventi, mentre il clero secolare, numerosissimo e affamato, era in gran parte ridotto allo sbando. C'era un mercante di spugne e di perline di vetro, con il fagotto della mercanzia stretto tra le ginocchia; c'era una pastorella magra e scalza, dagli occhi impertinenti, che portava di là dal Piave una capretta legata con un pezzo di spago; c'era, infine, uno *scritturale* – cosí, allora, si chiamavano gli impiegati – con la penna d'oca infilata sopra l'orecchio e la giacca logora e lucida sui gomiti, ma ancora priva di toppe. Costui sembrava essere il personaggio piú ragguardevole del gruppo e si permetteva anche il lusso di fumare la pipa, scrutando le nuvolette di fumo che ne uscivano, con atteggiamento assorto e meditativo. Quando tutti furono sbarcati sull'altra riva venne un doganiere ad ispezionare i bagagli e Mattio si accorse che la bisaccia di fra Marco aveva un aspetto fin troppo allettante, per quei tempi e in mezzo ai fagotti sdruciti dei suoi compagni di viaggio! Cercò di tenerla in modo da non dare nell'occhio; ma davanti al posto di guardia dei soldati austriaci, un graduato con l'aquila d'oro sul cappello gli fece cenno di avvicinarsi e di consegnargli il bagaglio: lo aprí, e dopo avere visto cosa c'era dentro, lo portò nella baracca dov'era alloggiato il presidio. Mattio allora fece l'atto di seguirlo e fu trattenuto dai compagni di viaggio. «Per l'amor del cielo, – gli disse il prete, – non fate pazzie! Quella è gente che non scherza, lo sapete meglio di me: prima sparano, e poi vi chiedono cosa volevate.... Abbiate pazienza! Tra un minuto vi ridaranno la vostra bisaccia, e se ci mancherà qualcosa, rassegnatevi: sarà sempre meglio cosí che farvi bastonare, o addirittura uccidere!»

I soldati, intanto, tiravano i capelli alla pastorella e lei gli mostrava la lingua. Anche lo *scritturale*, con l'autorità che gli veniva dalla pipa e dalla piuma d'oca sopra l'orecchio, intervenne a calmare Mattio: «È un normale controllo, – assicurò. – Fanno sempre cosí, ma di solito non prendono niente!»

Il graduato riapparve. Non aveva la bisaccia e gridò ai soldati alcune parole gutturali, un ordine che quelli immediatamente eseguirono smettendo di molestare la ragazza con la capra e facendo segno a tutti di proseguire per la loro strada. («Via, via! 'Raus! Lasciate libero il passaggio!») Mattio, allora, provò una sensazione nuova e strana, come se il sangue di tutto il corpo gli affluisse al viso. Disse, e quasi gridò, rivolto ai soldati: «Nossignore, non me ne vado! No e poi no! Se vorrete tenere la mia bisaccia dovrete ammazzarmi, perché io da qui non mi muoverò nemmeno se mi bastonerete!»

I viaggiatori se ne andarono come gli era stato ordinato, voltandosi di tanto in tanto per vedere cosa succedeva. Arrivarono altri viaggiatori, d'un altro traghetto: c'erano una donna con una cesta piena di pulcini, due contadini che ritornavano dal mercato, un cacciatore di talpe con le pelli infilate su una canna, un mendicante con una benda su un occhio, un fabbro con i ferri in spalla... Mattio si diresse verso la baracca del presidio e un soldato lo respinse mettendogli il fucile sul petto, gli gridò alcune parole incomprensibili ma certamente minacciose. Lui cercò di parlargli, gli spiegò: «Devo riavere il mio bagaglio! È roba mia!», e il soldato allora prese il fucile per la canna, lo ruotò come se fosse stato una clava e lo abbatté sopra il ginocchio di Mattio, che crollò a terra. Nessun dolore: soltanto, la gamba era rimasta paralizzata e non c'era piú modo di muoverla. Il ciabattino cercò di rimettersi in piedi facendo forza sull'altra gamba, il soldato lo colpí di nuovo sulla testa e lui cadde lungo disteso a faccia in giú, perse i sensi ma non completamente. Come in sogno, sentí che gli frugavano nelle tasche e poi anche che lo sollevavano tenendolo per le caviglie e per le ascelle, che lo trasportavano chissà dove. Non sentí piú niente.

Aprí gli occhi ed era in un prato, a qualche diecina di metri di distanza dal presidio degli austriaci. Anche i nuovi viaggiatori erano andati via e si vedevano soltanto due soldati che fumavano la pipa, ritti all'ingresso della loro baracca. Con uno sforzo, Mattio riuscí a sollevarsi sulle braccia: la testa non gli faceva male e il ginocchio nemmeno, ma la gamba sinistra – chissà poi perché! – non reggeva il peso del corpo e lui poteva muoversi in un modo soltanto, trascinandosi carponi sulle mani e facendo leva sul ginocchio sano. Si rivolse ai soldati: «Ehi voi, ascoltatemi!» Incominciò a strisciare verso di loro, fermandosi di tanto in tanto per riprendere fiato e continuando a parlargli per convincerli delle sue buone ragioni. «Vi prego! – gli diceva: – vi scongiuro! Del cibo e delle altre cose che c'erano nella bisaccia non mi importa niente, ma la lettera di mio fratello dovete ridarmela, perché lui ora è già partito per le Americhe e nostra madre forse non lo rivedrà mai piú!» Gli chiedeva: «Non avete un poco di cuore? Non credete in Dio?»

I soldati guardavano Mattio che veniva avanti e si guardavano tra loro: di ciò che lui gli stava dicendo non capivano niente, ma gli sembrava un fatto strano e anche un po' sospetto, che una persona apparentemente normale stesse lí a farsi massacrare di botte per riavere un po' di pane e di formaggio e poche altre carabattole, quasi senza valore! Doveva esserci qualcos'altro in quella bisaccia, un gioiello e uno zecchino d'oro nascosto in una cucitura. («Bisognerà controllare meglio!») Mattio, però, era arrivato a tiro per ricevere un'altra razione di legnate e uno dei due soldati, senza nemmeno togliersi la pipa di bocca, tornò a colpirlo col calcio del fucile, questa volta su un fianco. I soldati austriaci – già lo si è detto – avevano una vera passione per bastonare la gente; l'esercito imperiale era l'esercito piú bastonatore del mondo, e se ne erano accorti qualche mese prima anche i cittadini bellunesi, che avevano rischiato di veder andare in fumo il Palazzo dei Rettori e gli altri edifici storici della loro città perché gli austriaci, bastonandoli, gli impedivano di spegnere un incendio. Il fatto era accaduto nella notte tra il primo e il secondo giorno di febbraio di quello stesso anno 1802. S'erano viste divampare le fiamme nelle prigioni di Sottocastello ed era accorsa molta gente dai sobborghi per aiutare a spegnerle, secondo quanto racconta nei suoi diari un cronista dell'epoca, il Sergnano: «Si fece Campana Martello e di fatto capitarono assai uomini, mà essendo notte, e li soldati che con percosse quasi continue facevano piú confusione che altro, e li poveri villici sentendosi bastonare piuttosto scampavano avviliti: il fuoco andò assai avanti cosiché si temeva si attaccasse anche al Palazzo grande». Tornando a Mattio, il soldato austriaco lo colpí su un fianco con il calcio del fucile e poi, di già che aveva il fucile alzato, doppiò il colpo con una gran piattonata sull'orecchio, che rintronò il ciabattino facendolo vacillare: il sangue sgorgò copioso, ma nemmeno questa volta lui sentí dolore. Come se fosse diventato di legno: stava lí carponi, tenendosi ritto su quattro gambe come un cane, e in un tempo irreale, rallentato, vide l'altro soldato che alzava anche lui il fucile; sentí il legno che toccava la sua nuca e capí che il tempo, nuovamente, si stava fermando. Scivolò fuori dal tempo, in un abisso di luce e di silenzio dove nessuno piú avrebbe potuto raggiungerlo.

Riaprí gli occhi e si trovò sdraiato sopra qualcosa che si muoveva sobbalzando e sussultando, in modo continuo e anche un po' fastidioso. Le sue pupille riflettevano il cielo chiaro, le nuvole, i rami degli alberi: dunque, l'avevano messo su un carro! Puntò i gomiti per alzarsi e sentí una voce di donna che diceva: «Si sta muovendo, se Dio vuole! Ha ripreso i sensi!» Fece per voltarsi ma non ci riuscí: qualcosa dentro al suo collo sembrava essersi rotto, e soltanto spostandosi con tutto il corpo Mattio arrivò a vedere la donna che aveva parlato e l'uomo a cui lei si era rivolta, seduti insieme a cassetta. «Finalmente ti sei deciso a svegliarti! – disse l'uomo. – Te la sei dormita sul mio carro e hai fatto benissimo, però adesso bisogna proprio che ci separiamo!» Gridò al cavallo di fermarsi. Saltò giú, e venne davanti al ciabattino per aiutarlo a scendere. «Sono contento d'averti reso un servizio, caro il mio cristiano, – gli disse: – ma se sei un montanaro, come mi sembra di capire dai tuoi vestiti, e se devi andare a Belluno o addirittura in Cadore, bisognerà che ritorni indietro fino al bivio: io ho svoltato per Pordenone e sto andando lí!»

La passione di Mattio era già incominciata e però lui ancora non si rendeva conto di essere dentro alla profezia di don Tomaso, cosí come non si rendeva conto della sua nuova e strana invulnerabilità, che gli aveva consentito di sopportare le bastonate degli austriaci senza nemmeno dire «ahi». Trascinando la gamba ferita ed appoggiandosi con tutt'e due le mani ad un bastone che il padrone del carro, in un ultimo gesto di carità, aveva tagliato per lui da un cespuglio di nocciolo, si mise in marcia verso Serravalle, e verso Ponte di Piave; ma procedeva cosí adagio, e con tali sforzi, che gli ci sarebbero volute delle settimane – rifletté – per ritornare a Casal, andando di quel passo! Quando arrivò nei pressi d'un rigagnolo si fermò, si sciolse i lacci delle brache, liberò il ginocchio: era livido e grande il doppio di un ginocchio normale e lui allora lo bagnò, ripetendo l'operazione piú volte, con un fazzoletto a quadrettini bianchi e rossi che si era tolto dal collo. Controllò le tasche, le rovesciò: erano assolutamente vuote. Quei galantuomini in divisa, laggiú al Piave, l'avevano frugato, dopo che lui era caduto a terra privo di sensi, per prendergli ogni suo avere: soldi, oggetti, perfino il libro rilegato in pelle nera del *Vangelo* secondo Matteo, che don Tomaso gli aveva regalato prima di morire! «Se a derubarmi fossero stati i briganti, – pensò il nostro ciabattino, – avrei almeno il conforto e la soddisfazione, per quanto si tratti d'una ben misera soddisfazione!, di appellarmi alla giustizia; ma sono stato de-

rubato dai rappresentanti della giustizia e dai servitori di quello
Stato che dovrebbe difendere il mio diritto e l'incolumità della
mia persona, sicché non posso appellarmi a nessuno: solamente
a Dio!» Con lo stesso fazzoletto che gli era servito per bagnare
il ginocchio, Mattio si tolse il sangue raggrumato dietro l'orecchio e si pulí la faccia; poi si chinò sul rigagnolo, e facendo cop-
pa con la mano destra bevve due o tre sorsi di quell'acqua limpi-
dissima, e se la fece anche scorrere sulla testa e sul viso. Pronunciò ad alta voce le parole di Giobbe: «Sono uscito nudo dal seno di mia madre, e nudo vi ritornerò. Il Signore ha dato, il Signore ha tolto, sia benedetto il nome del Signore!» Una cagna
randagia a pelo corto, con delle costole e dei fianchi cosí sporgenti da sembrare la rappresentazione in pelle e ossa della Morte Canina, si fermò dall'altra parte del ruscello e lo fissò con lo
stesso sguardo supplichevole con cui l'aveva fissato fra Taddeo
nel convento di Santa Maria del Gesú a Treviso. Quello sguardo – pensò il nostro montanaro – chiedeva cibo, affetto, com-
prensione, amore, solidarietà: chiedeva, in pratica, tutto un
mondo che non c'era, opposto a quello reale. Mattio se ne commosse. «Poveretta! – disse alla cagna, parlandole come se fosse
stata un essere umano. – Avessi ancora con me la mia roba, ti
darei qualcosa!»

S'alzò e riprese a trascinarsi a forza di braccia, usando il bastone come gli zattieri del Piave usavano le loro pertiche per liberare i convogli dalle secche del fiume e la cagna gli andò dietro a muso basso, tenendosi un po' lontana per non essere scac-
ciata. Procedettero cosí per un paio di miglia; poi, quando il sole incominciò a scendere sotto l'orizzonte, e le ombre diventarono tanto lunghe che non se ne vedeva la fine, Mattio si guardò
attorno per cercare un posto dove trascorrere la notte. Vide una
chiesetta poco lontana dalla strada, uno di quei piccoli oratori
che un tempo erano cosí numerosi nella campagna veneta e in
tutta la campagna italiana e pensò d'essere fortunato: «Dormi-
rò là dentro!» S'illudeva che le disgrazie di quel giorno fossero
finite, e che presto anzi avrebbero trovato il loro oblío in un
sonno ristoratore, disturbato soltanto dai sussulti dello stomaco

vuoto; ma il suo destino, e la profezia di don Tomaso, volevano che le cose andassero in un altro modo. Dopo le bastonate dei giudei, nella Via Crucis, c'è l'incoronazione di spine; e cosí anche accadde a Mattio, mentre attraversava un terreno incolto tra la strada e la chiesetta campestre, che il bastone gli si infilasse in una buca di talpe e che lui cadesse – o, per meglio dire: precipitasse a capofitto – in un cespuglio di rovi, da cui uscí con la faccia e le mani insanguinate e gli abiti a brandelli. Soltanto dopo quell'ultima disgrazia – che convinse anche la Morte Canina a separarsi da un uomo tanto sfortunato, e ad andarsene per i fatti suoi – Mattio Lovat riuscí ad arrivare all'oratorio e si accorse che era poco piú che un rudere: l'uscio era rotto, il tetto era sfondato, i banchi e le altre suppellettili di legno erano state bruciate – e se ne vedevano i resti – da qualcuno che doveva aver abitato lí dentro fino a pochi giorni prima, perché i segni della sua permanenza erano numerosi all'interno dell'edificio, e puzzolenti all'esterno. Gli affreschi, anneriti dal fumo, mostravano in modo inequivocabile che la chiesetta era dedicata a San Floriano, il Santo della Pieve di Zoldo: e anche quello – pensò Mattio – era un segno della volontà divina, che lo aveva condotto proprio in quel luogo, perché vi trascorresse la notte! Si sedette sulla soglia per liberarsi d'alcune grosse spine che gli erano rimaste conficcate nella pelle delle mani e del viso: e d'un tratto, mentre il paesaggio attorno a lui diventava buio, si rese conto di una cosa su cui ancora non aveva avuto il tempo e il modo di riflettere ma che già era accaduta: lui, Mattio, era diventato insensibile al dolore! Per quanto le spine fossero conficcate in profondità nella sua carne non gli davano sofferenza, era come se stessero nella carne di un altro; e anche le bastonate degli austriaci, poche ore prima, s'erano abbattute su un corpo che non era il suo, anche la gamba che non riusciva piú a reggerlo era del tutto inerte: una gamba di legno! Don Tomaso – pensò – lo aveva reso invulnerabile, per consentirgli di affrontare e di portare a termine l'impresa sovrumana che lui stesso gli aveva affidato: aveva fortificato la sua carne in modo tale, che nulla piú poteva impaurirlo, nemmeno il dolore fisico! Glielo aveva

promesso poco prima di morire, mentre Mattio lo stava veglian-
do; gli aveva sussurrato all'orecchio alcune parole misteriose a
cui il ciabattino, allora, non aveva dato importanza, e che anzi
aveva attribuito al delirio. «Io ti farò una magia, – gli aveva detto il vecchio prete, – che ti renderà invulnerabile e invincibile.
Sarai piú forte del dolore, piú forte di tutto!»

«Un miracolo! – esclamò Mattio. – Un grande miracolo, come quelli di cui si parla nei Vangeli e nelle vite dei Santi!»

S'addormentò cosí seduto, senza accorgersene, e si svegliò
alle prime luci dell'alba, intirizzito per la notte trascorsa al-
l'aperto. Il tempo s'era guastato: il cielo nuvoloso lasciava filtrare una luce grigia e Mattio pensò che doveva rimettersi subito in
cammino, gli piacesse o no; aveva ancora tanta strada da percorrere, e tanti ostacoli da superare, per tornare a casa! Raccat-
tò il bastone, riattraversò il terreno incolto da dove era venuto;
ma quando arrivò davanti a quello stesso rovo che la sera precedente lo aveva incoronato di spine si fermò e incominciò a rac-
coglierne i germogli, spezzandoli dove finiva la parte tenera e
mangiandoli uno dopo l'altro, con avidità e anche con un certo
gusto. In quegli anni di carestia e di fame diffusa, i germogli del
rovo erano uno dei tanti surrogati del cibo di cui la gente si serviva per ingannare la fame, nelle campagne di tutta Italia e anche nella campagna veneta: gli si toglieva la buccia con due dita,
e sotto alla buccia c'era una polpa acquosa e zuccherina, dal sa-
pore asprigno; non piú sgradevole, né peggiore, di quella di certi frutti esotici che si vendono oggi a caro prezzo nei negozi delle nostre città. Dopo aver fatto quella prima colazione, e dopo
aver sostato presso un ruscello a lavarsi il viso, Mattio proseguí
il suo cammino; passò sotto Colle, arrivò in vista di Ceneda, in
un luogo dove le corriere provenienti da Padova e da Venezia si
fermavano per cambiare i cavalli, e i viaggiatori pernottavano in
un'osteria, sul cui piazzale venivano ad accamparsi anche i venditori ambulanti dentro i loro carri, e anche gli zingari, prima
che l'imperial regio governo di Venezia gliene facesse divieto,
sostavano con le loro carovane. Laggiú c'era sempre gente, in
ogni stagione dell'anno e in ogni giorno della settimana e il no-

stro ciabattino, arrivando dalla parte di Treviso, si stupí di non vedere nessuno; ma poi si accorse che in fondo al piazzale c'erano due forche e che appesi a quelle forche c'erano due uomini, o, per essere piú precisi, due cadaveri, con le mani legate dietro la schiena e le teste incappucciate. Ognuno degli impiccati aveva addosso un cartello, e quando Mattio fu abbastanza vicino per poter leggere ciò che c'era scritto restò impietrito in mezzo alla strada. Mormorò: «Che fine orribile... mio Dio! Che fine orribile!» Si fece il segno di croce. Gli impiccati dovevano essere lí già da qualche giorno, perché erano gonfi e se ne sentiva l'odore a una certa distanza. Quello di destra aveva un nome che Mattio non aveva mai inteso prima d'allora, ma quell'altro, quello appeso alla forca sulla sua sinistra, era stato per lui piú che un conoscente: era stato un amico, che, nel bene e nel male, aveva avuto una parte di rilievo nella sua esistenza... Sul cartello che il boia gli aveva attaccato al collo dopo averlo ucciso, si leggevano le seguenti parole: *Michiele De Fanti | da Soldo | fabbricante di monete false.*

(«Zoldo» e «soldo», nella parlata veneta, hanno suoni quasi identici e l'errore del cartello – è appena il caso di dirlo, casomai qualcuno volesse scorgerci chissà quale gioco di parole tra il reato che portò sulla forca il povero Michiele e il suo luogo di nascita – era dovuto soltanto alla scarsa familiarità del boia con le lettere dell'alfabeto, e con la scrittura).

Dopo Serravalle incominciò a piovere: ma, a parte questo, e a parte la difficoltà di salire il Canal con una gamba sola, Mattio non trovò altre sgradevoli sorprese lungo la sua strada, e non ebbe altre avventure. Il suo viaggio fu il viaggio di un povero tra i poveri: perché le strade del Veneto, in quegli anni, erano piene di gente che vagava da una città all'altra senza avere in tasca nemmeno un quattrino, come lui; e perché la miseria e la fame delle valli alpine ormai erano arrivate anche in pianura, e minacciavano di sommergere le città con le loro turbe di vagabondi e di *pitocchi.* Dappertutto, il sentimento piú diffuso tra le persone di ogni età e di ogni condizione sociale era la nostalgia dei tempi passati: quando il gonfalone rosso con il Leone di San

Marco s'alzava sugli edifici pubblici e sulle torri dei borghi, e la
vita era quieta e felice... Si sentiva ripetere un po' ovunque una
frase ricorrente nella storia d'Italia, che diceva allora, e di tanto
in tanto torna a dire: «Si stava meglio, quando si stava peggio!»
E capitava anche con una certa frequenza di trovare scritta col
gesso sopra i muri, in città e in campagna e perfino sulla roccia
del Canal – dove la lesse Mattio – una pasquinata che riassumeva come meglio non si sarebbe potuto, in pochissime parole, ciò
che era successo nel Veneto in quegli anni, e l'atteggiamento
della gente verso i nuovi padroni. «Co Venezia comandava,
– diceva la poesiola dell'Anonimo, – se disnava, se cenava; | Co i
Franzesi, bona zente, se disnava solamente; | Co la Casa de Lo-
rena, no se disna né se cena». Di paese in paese, zoppicando e
domandando ai contadini l'elemosina d'un uovo o d'un poco di
latte, Mattio dunque riuscí a ritornare a Casal e a riprendere il
suo lavoro di ciabattino. I danni prodotti dalle bastonate degli
austriaci a poco a poco si attenuarono e sparirono, ma il suo
corpo rimase insensibile al dolore e questo fatto rafforzò nella
mente del nostro montanaro la certezza che la profezia di don
Tomaso si stava avverando e che il suo destino era segnato: lui,
Mattio, avrebbe compiuto un'impresa cosí grande, da influen-
zare il futuro dell'umanità per almeno mille anni! Si sentiva ri-
soluto e pieno di entusiasmo, sereno e lucido come non era mai
stato prima d'allora. Niente avrebbe potuto fermarlo, quando il
momento di agire fosse arrivato: e il momento, ormai, era proprio arrivato!

La mattina del 4 luglio 1802, giorno di domenica, Mattio si
mise la camicia pulita e i calzoni buoni e andò ad ascoltare la
prima messa in San Floriano, come faceva sempre nei giorni fe-
stivi. Finita la messa, senza badare alle chiacchiere d'un tale Ce-
ro Filippo, da Ciambèr, che voleva un paio di scarpe nuove ma
non aveva i soldi per pagarle e cercava d'inventare il modo per
farsele fare gratis, entrò nel piccolo cimitero della Pieve e andò
ad inginocchiarsi davanti alla tomba di don Tomaso; restò lí, assorto in preghiera, per qualche minuto. Di ritorno a Casal, disse
a sua madre che doveva scrivere una lettera allo zio, e che non

voleva essere disturbato da nessuno, per nessun motivo! In camera, spalancò la finestra: la Moiazza aveva il «cappello», segno che il tempo si stava guastando e che forse da lí a poco ci sarebbe stato un temporale, ma gli Spiz di Mezzodí si stagliavano
nel cielo blu come la punta un po' scheggiata d'un'arma prei-
storica. Senza perdere tempo, Mattio preparò tutto ciò che gli
doveva servire per purificare il corpo e per liberarlo dal peccato: un trincetto da calzolaio, un catino, qualche benda, un ba-
rattolo d'un farmaco (Polvere di Drago) che si usava allora per
disinfettare le ferite, e per fermare il sangue... Si fece il segno di
croce: finalmente – pensò – il voto reso a Dio tanti anni prima
sarebbe stato esaudito! Si tolse la camicia e i calzoni, li piegò
con cura, li ritirò nell'armadio e poi si sedette sul letto, avendo
tutto il necessario per l'operazione a portata di mano. Dopo essersi denudato il basso ventre, afferrò il trincetto e si praticò
una profonda incisione presso l'ano: cosí – gli aveva detto una
volta don Tomaso – venivano castrati i bambini nel Conservato-
rio di Bologna, e cosí era stato castrato lui stesso. Tirando con
forza una sorta di cordone che si trovò tra le dita, sfilò i testicoli;
poi, con un ultimo colpo di trincetto, tagliò anche il membro. Il
sangue fluiva copioso, allargandosi sul lenzuolo e gocciolando
sul pavimento; il dolore dell'amputazione, senza la «magia» di
don Tomaso, sarebbe stato spaventoso e Mattio infatti ne sentiva un'eco, lontana eppure terribile: ma doveva esser ben poca
cosa rispetto al dolore vero. La «magia» funzionava! Finalmente libero, il calzolaio raccolse le parti recise, le guardò, ci
sputò sopra con disprezzo; attraverso la finestra, che era aperta,
le buttò nel viottolo dietro casa. Svelto svelto, tamponò la ferita,
la medicò, riuscí perfino – in qualche modo – a fasciarla; tentò
di alzarsi e per un istante restò in piedi, ma perse i sensi e ricad-
de sul letto. Come avrebbe poi scritto quel dottor Cesare Ruggieri («Medico fisico, Professore Primario di Clinica Chirurgica in Venezia, Elettore nel Collegio dei Dotti, Socio Corrispon-
dente delle Accademie I. R. Giuseppina medico-chirurgica di
Vienna, Reale di Madrid, della Facoltà e Società Medica d'E-
mulazione di Parigi», eccetera) che il caso volle diventasse il

suo primo biografo: «Ritirossi un giorno in una stanza di casa sua, e mediante un cattivo coltello di calzolajo eseguí su se stesso la piú perfetta evirazione, gettando in seguito le recise parti dalla finestra le quali vennero raccolte da sua Madre che trovavasi in quel momento in istrada. Non si è mai potuta precisamente sapere la ragione che l'indusse a questo atto crudele... Comunque la cosa sia, nel meditare di farsi una sí barbara operazione, aveva anche pensato al modo di medicarsi, quindi aveva pronte delle erbe pestate, che diconsi da que' villici capaci a fermare il sangue, e varj pannilini per medicarsi in seguito, come realmente ha fatto, ed in breve tempo guarí senza che gli rimanesse alcun superstite incomodo in quelle parti, cioè né difficoltà nell'espellar l'orina, né perdita involontaria della medesima».

Lasciamo dunque Mattio svenuto sul letto e torniamo a quelle sue «recise parti» di cui lui aveva creduto di sbarazzarsi gettandole dalla finestra in una stradina, dove per solito non passava nessuno e dove anche tutto lasciava pensare che sarebbero state immediatamente divorate dai cani o da altri animali: gli animali domestici e selvatici, in quegli anni, erano perfino piú affamati degli uomini, finché gli uomini non riuscivano a mangiarseli, o finché loro non riuscivano a mangiare gli uomini! (Questa seconda eventualità, però, era molto piú rara). Accadde invece che la signora Vittoria, uscita di casa per ritirare dei panni che aveva stesi ad asciugare sul prato, s'imbattesse in un certo Tiziano Gavaz di professione *marangone*, che da tempo immemorabile le aveva promesso di aggiustarle la porta del pollaio, rinforzandola per renderla piú resistente agli assalti dei ladri; che lei gli avesse rinfacciato quella promessa mai mantenuta, e che dunque il nominato Gavaz, vestito della festa ma con la borsa dei ferri a tracolla, avesse accettato di seguirla per dare un'occhiata alla porta in questione, se si fosse potuta sistemare in pochi minuti. I due presero la scorciatoia dietro casa e si videro cadere quasi sui piedi quei pezzi di carne sanguinolenta, che non si capiva assolutamente da dove potessero venire. Si fermarono, si chinarono per guardare meglio; il *marangone*, addirittura, inforcò gli occhiali. Disse: «Ostrega! Se questa mattina avessi già bevuto non ci crederei, ma non tocco un bicchiere di vino da ieri sera e devo dire che mi sembrano proprio due coglioni d'uomo, con quel che di solito c'è attaccato ai coglioni!» La signora Vittoria guardò in su: vide la finestra aperta, e, senza nulla sapere di ciò che era successo, si mise a gridare. Correva con le mani nei capelli verso la porta di casa, e correndo gridava: «Oh Dio, Mattio!»

La notizia che lo *scarpèr* s'era castrato fece il giro di Zoldo in un batter d'occhi, e rallegrò tutta la valle: finalmente – dissero i montanari – dopo tante malinconie e tante miserie, accadeva a Zoldo anche qualcosa di spassoso, da potercisi fare una bella risata! Non c'è niente di meglio, a questo mondo, per allargare i cuori e le bocche degli uomini, che le disgrazie degli altri uomini: soprattutto quel genere di disgrazie di cui si pensa, a torto o a ragione, e si sente dire in giro, che non capitano a chiunque, ma soltanto a «chi se le cerca» o a «chi se le vuole». La pietà della gente per il prossimo, nel novantanove per cento dei casi e forse piú, è pietà di se stessi e per se stessi, che ha le sue pietre angolari in riflessioni del genere: «Come niente, potrebbe succedere anche a me!» «Se passavo un attimo prima, c'ero anch'io!», «E se toccasse anche a mio figlio, ai nostri figli?», «La vita è una ruota» e simili saggezze. Si piange sempre di se stessi, si ride degli altri; e si ride tanto piú volentieri, e a bocca larga, quanto piú si è in molti a ridere d'uno solo, e quanto piú la disgrazia di quell'unico sciagurato è strana e assurda, com'era appunto assurda quella vicenda di Mattio: uno scherzo, mica una cosa seria! Da che mondo è mondo – diceva la gente – non era mai accaduto, né a Zoldo né altrove, che un uomo di quarant'anni, sano, forte, si fosse castrato con le sue mani e senza nemmeno una ragione valida: cosí, tanto per passare il tempo! Il *fante* del Capitaniato, incaricato dal conte Francesco Doglioni di svolgere un'inchiesta sui motivi che potevano aver indotto Mattio a ferirsi in quel modo, aveva raccolto soltanto vaghe voci, d'una delusione d'amore di molti anni prima per quella Lucia Costantin che aveva poi sposato lo scapestrato Giacomo

Doglioni, lontano parente del *capitanio* e ora defunto; e un'altra chiacchiera che il Lovat fosse un *cuëatòn*, e che insegnasse il catechismo ai ragazzini per avere la scusa di sbaciucchiarli e di toccarli; sicché, in mancanza di ragioni credibili, e corpose, si concluse che il poveretto s'era mutilato in un accesso di «pazzia furiosa», causato forse dal troppo sole. (Era stato visto – si disse – proprio nei giorni che avevano preceduto il suo folle gesto, andare attorno per i villaggi della Pieve senza niente in testa!) Lo scandalo però continuava, anzi cresceva; e la sua ragione profonda era che Mattio non s'era tagliato una mano o un piede – cosa, questa, che gli sarebbe stata facilmente perdonata e non avrebbe creato problemi nei suoi rapporti con gli altri – ma si era proprio liberato di quella parte del corpo che era la ricchezza segreta dei poveri, e la ragione di vita di tutti! Circolava nel Veneto, in quegli anni dopo la caduta della Repubblica e il passaggio dei francesi, una barzelletta che merita d'essere raccontata, perché può aiutarci a comprendere molte cose. Quando i poveri si lamentavano tra loro delle loro miserie – al mercato, per strada, nelle osterie – c'era sempre qualcuno che saltava su a dire: «Posso ancora spendere questo!»; e la frase – del tutto incomprensibile per chi non fosse stato al corrente della storiella di cui era la conclusione – suscitava scrosci di risa. Quella facezia dello spendere era cosí conosciuta in tutto il Veneto, e il suo uso era cosí frequente, che gli austriaci, con la loro proverbiale diffidenza, avevano temuto fosse un modo di parlare in cifra contro di loro; avevano svolto indagini, e avevano scoperto l'esistenza del «piccolo Bepi», il ragazzino sfrontato ma simpatico che nelle altre regioni d'Italia si chiama Pierino e che è l'eroe della letteratura orale delle barzellette. Nella barzelletta in questione, piccolo Bepi veniva mandato all'osteria dai suoi genitori per comprargli il vino. (Varianti: veniva mandato al mulino a comprare la farina; veniva mandato al convento, dalle monache, a comprare le uova). I genitori di Bepi, poverissimi, davano al ragazzo tutti i soldi che erano riusciti a racimolare – poche monetine di rame e di stagno – e gli dicevano: «Mi raccomando, piccolo Bepi! Fai in modo che bastino!» Ma l'ostessa (o la mugnaia; o la madre badessa: dovunque andasse, per ragioni di copione, piccolo Bepi incontrava solamente donne) voleva piú soldi di quanti il ragazzo ne avesse con sé, e li voleva vedere sul banco: altrimenti – gli diceva – non ti darò il vino. (Varianti: non ti venderò la farina; non avrai le uova). Inutilmente Bepi tirava fuori una dopo l'altra tutte le sue monetine. La donna, arcigna, ripeteva: «Non bastano! Non bastano!» Alla fine lui non aveva piú monete da tirare fuori e però non si dava per vinto: slacciava la braghetta e mostrava con orgoglio all'ostessa (alla mugnaia, alla madre badessa) la sua risorsa segreta, il suo zecchino – piccolo, ma di buona lega e di buon conio! – tirato a lustro per essere speso. Le diceva: «Posso ancora spendere questo!»; e la storia finiva con quell'esibizione, e con quella frase. (Nessuno mai, nel corso dei secoli, ha potuto appurare se l'ostessa – o la mugnaia, o la madre badessa – abbiano accettato l'offerta del piccolo Bepi, e se lo scambio sia avvenuto davvero). Tornando ora a Mattio, come già s'è detto, quel suo gesto di sbarazzarsi di qualcosa che era invece ciò che rendeva sopportabile e in certi casi perfino piacevole la vita degli altri, se pure in un primo momento fece ridere, in realtà irritò e offese tutti gli uomini di Zoldo, ed anche tutte le donne; fu inteso come un atto di disprezzo rivolto personalmente contro ciascuno di loro, e come un tradimento di quella condizione umana, che ha nel sesso la sua massima delizia, e il suo piú amabile tormento. Mattio, il rinnegato dell'umanità, doveva essere punito! Fu cosí che i virilissimi uomini di Zoldo, e le loro fascinosissime donne, trovarono finalmente una distrazione ai loro guai nel comune impegno di svergognare il castrato e di rendergli la vita impossibile: con parole di scherno, fischi e altri rumori quando lui tornò a mostrarsi nei villaggi portando in spalla il sacco delle *dàlmede*, che rimase vuoto; e poi anche con serenate, scritte e disegni sconci fatti di notte sui muri della sua casa e degli altri *tabià* di Casal, finché lo costrinsero ad andarsene. Come racconta il dottor Cesare Ruggieri: «Ma Mattio non aveva preveduto che sarebbe certamente stata scoperta l'eseguita operazione, perciò trovossi incapace di resistere ai motteggi di tutta la popolazione, e segnatamente della gioventú, motivo per cui stette molto tempo ritirato in casa, senza tampoco andare alla messa, ed ai 13 di Novembre dello stesso anno prese il partito di venire a Venezia presso di un suo minore fratello, per nome Angelo, lavoratore nella raffinaria dell'oro, appartenente alla ditta Palatini in Biri, Calle de Cordoni, il quale lo condusse ad alloggiare dalla nominata Osvalda d'Andrea, affittaletti, abitante pure in Biri, Calle della Vida, N. 5775, dove stette fino al giorno 21 Settembre dell'Anno seguente, senza aver mai dato alcun segno di pazzia, attendendo sempre a lavorare in una bottega di calzolajo vicino all'Ospitaletto».

Mattio, dunque, se ne andò da Zoldo un giorno di metà novembre di quell'anno 1802 in cui era iniziata la sua passione, prima che la neve chiudesse il Canal: per sfuggire al dileggio e alle molestie dei suoi compaesani – come scrive il dottor Ruggieri, e come tutti credettero – e perché s'era convinto che la profezia di don Tomaso dovesse compiersi a Venezia, e in nessun'altra parte del mondo. Se il nuovo Cristo – pensava il ciabattino, costretto a starsene tutto il giorno in ozio nella sua bottega – doveva tornare a caricarsi di tutti i peccati degli uomini e a morire in croce, il palcoscenico designato era laggiú, in quella città traboccante di cibi, di ricchezze, di persone d'ogni razza e d'ogni paese, di denaro, di vizi, di follia... In quella città dov'era venuta a morire la vecchia Chiesa, la Chiesa del suo predecessore Gesú di Nazareth, e dov'era stato incoronato un falso papa, che subito dopo la cerimonia era corso in Francia per prostrarsi ai piedi di Bonaparte! (Era circolata e ancora circolava una voce, nelle valli alpine, che Pio VII fosse il papa dei francesi e il successore non di San Pietro, ma di Giuda; e per quanto i preti s'affannassero a smentirla, Mattio, e molti come lui, la credevano vera).

Il viaggio in zattera di Mattio verso Venezia, nel gelo e nella nebbia d'un autunno che ormai volgeva all'inverno, fu piú lento di quello del 1784: quando ancora c'era la «rapida», sul Piave, e il fiume, ingrossato dalle piogge primaverili, copriva i greti e scorreva veloce... Ora il Piave era in secca e gli zattieri, per mantenere la zattera nel filo della corrente, dovevano continuare a fare forza sulle pertiche; ma i convogli – a causa della loro lunghezza – s'incagliavano ogni momento contro i sassi del fondo, e occorrevano molti sforzi e molte bestemmie di tutti gli uomini dell'equipaggio messi insieme, per riuscire infine a liberarli! Come se ciò non fosse stato sufficiente, per il nostro calzolaio, quel viaggio fu anche contristato dalla presenza di una ragazza dagli occhi bovini, imbacuccata con una tale quantità di scialli e di scialletti da sembrare grassissima: una donna-mostro, di quelle che si esibivano nei mercati e nelle fiere al suono dei tamburi, per la gioia dei bambini e anche degli adulti! La donna-mostro, a giudicare dal viso, era molto giovane, aveva forse quindici o sedici anni e canticchiava a mezza voce una canzonetta che in quei giorni si sentiva cantare un po' dappertutto, d'una «bela Simochina» e d'un «Negrot», a cui qualcuno – non si capiva chi – aveva «magnà (mangiato) la testa»! Quando Mattio s'imbarcò a Codissago la ragazza era l'unico passeggero della zattera e s'alzò per andare a sedersi vicino a lui; rimase lí senza dire niente, cantando sottovoce e guardandolo con i suoi occhi bovini. Mattio pensò che fosse tonta dalla nascita o che fosse stata resa tonta dalla *pellarina*, e le sorrise in segno di solidarietà; lei, allora, attaccò discorso. Disse che veniva da Ampezzo Imperiale e che andava a Venezia a farsi suora, perché cosí volevano i suoi genitori e perché anche lei ne sentiva la vocazione: in quel monastero dov'era diretta – lo sapeva per certo – si mangiava tutti i giorni due volte al giorno e si stava bene. Prima però di chiudersi per sempre tra le mura del convento voleva fare una certa cosa che fino a quel momento non aveva mai fatta, con un uomo: cosí, giusto per sapere quello che perdeva! (Come il piccolo Bepi della barzelletta, anche lei aveva ancora qualcosa da spendere). Il viaggio in zattera – disse la ragazza – sarebbe durato alcuni giorni e ci si sarebbe fermati per dormire, a Feltre e altrove; sicché sperava di trovare tra i compagni di viaggio qualche giovane o qualche uomo di bell'aspetto, come Mattio, che avesse voglia di giocare con lei a marito e moglie, e di tenerle compagnia fino all'arrivo a Venezia! La donna-mostro parlava con molta calma e senza manifestare il minimo imbarazzo per ciò che stava dicendo. Ogni tanto s'interrompeva: canticchiava la canzoncina del *Negrot* e guardava l'interlocutore in un certo modo, con la testa inclinata, come se avesse voluto chiedergli: che ne pensi? Mattio, stupito e inorridito, andò a sedersi nell'angolo opposto della zattera: e si sarebbe anche buttato in Piave se la ragazza fosse tornata a cercarlo; ma lei doveva essere meno stupida di quanto sembrava, perché capí che stava sprecando il fiato e lo lasciò perdere. Trovò uomini ben lieti d'accontentarla tra i viaggiatori che s'imbarcarono nel porto di Belluno, e successero cose a Busche – quella stessa notte – che a volerle raccontare ora, ci porterebbero troppo fuori dalla nostra storia; e poi ancora ci fu un'altra notte di fuoco a Ponte di Piave, dove il noviziato della donna-mostro si compí nel piú completo dei modi, e dove anche i viaggiatori che non erano interessati all'orgia dovettero sopportarla, perché c'era una sola baracca riscaldata, ed era anche piuttosto piccola! Ma nessuno si ribellò, e nessuno rinunciò al caldo della stufa. In quel mondo impazzito e dominato dall'Anticristo – pensava Mattio – tutto, ormai, o quasi tutto, era diventato normale! Soltanto lui se ne andò a dormire fuori della baracca, sopra un poco di paglia e avendo soltanto una vecchia trapunta, tutta piena di buchi, per ripararsi dalla nebbia gelata che saliva dal Piave. Il giorno dopo, erano le prime ore del pomeriggio e la zattera proveniente dal Cadore entrò in laguna con il suo grappolo di viaggiatori maschi che si stringevano attorno alla donna-mostro come i maschi dell'ape si stringono attorno alla regina tanto piú grande di loro, e la festeggiavano con suoni e canti. Ancora non faceva buio, ma gli zattieri avevano acceso le lanterne e i barcaioli, i pescatori, gli abitanti delle isole si voltavano per veder passare quella gente in baldoria, stupiti e incuriositi. Non capivano chi fosse la donna enorme con il viso da bambina che viaggiava circondata da tanti uomini; ma soprattutto non capivano come potesse arrivare tanta allegria da quella parte del Piave, da dove in genere arrivava soltanto miseria! Di allegria, ormai, ce n'era poca anche a Venezia, e Mattio non tardò ad accorgersene, perché ciò che vedeva dalla zattera corrispondeva soltanto in minima parte ai ricordi del suo primo viaggio nella Dominante, ne era una copia sbiadita ed incupita, per effetto dell'ora e della stagione autunnale. La laguna nebbiosa, vaporante, con gli uccelli neri che volavano a fior d'acqua nell'estrema luce del giorno, gli comunicò un'immensa tristezza ed un grande scoramento; forse, quella stessa tristezza e quello stesso scoramento che avevano fatto esclamare al suo predecessore Gesú di Nazareth: «Padre mio, se è possibile, allontana da me questo calice!» In mezzo alla laguna, la *fusta* dei pazzi non c'era piú, e nessuno piú chiedeva che gli si buttasse qualcosa da mangiare; si sentivano soltanto le grida degli zattieri, e quei canti in onore della ragazza dagli occhi bovini, che dopo due notti d'orge da far arrossire la piú consumata delle *màmole*, ora andava a prendere il velo, e a farsi suora! Le luci di Venezia si videro quando furono vicinissime, perché c'era la nebbia ma soprattutto perché erano poche e fioche, molto piú fioche di come Mattio le ricordava. Dunque, le ristrettezze dei tempi erano arrivate fin lí! La città in cui sbarcarono presso il Rio di Santa Giustina, e in cui due monache arcigne attendevano la novizia, era una città di fantasmi, buia e cupa: dove le *dàlmede* del montanaro, battendo sui selciati delle calli alla ricerca di una locanda a buon mercato per passarci la notte, risuonarono come su un pianeta deserto. Un mondo vuoto e popolato soltanto di rumori: di sciacquii, di tonfi, di stridori di catene, di richiami di gatti...

Il giorno dopo il suo arrivo, martedí 16 novembre, Mattio volle rivedere piazza San Marco e cosí, mentre attraversava la città, si rese conto che Venezia era morta: definitivamente, senza piú possibilità di rinascere. Anche se le *bigolanti* che gridavano l'acqua di calle in calle erano in tutto simili a quelle d'un tempo, e anche se i *pitocchi* che s'azzuffavano davanti alle chiese quando qualcuno gli buttava una monetina di rame, sembravano vivi e addirittura rabbiosi... Anche se i palazzi della Dominante erano sempre là, fermi al loro posto, e nulla era cambiato di ciò per cui Venezia era stata Venezia: i ponti, le cupole, i campanili, la rete dei canali... Ogni cosa era rimasta dov'era, apparentemente intatta, in attesa di quel futuro che nessuno allora

poteva prevedere e che è fatto di negozi di bigiotteria e di pizze-
rie e di turisti americani in camiciola e calzoncini corti, cotti al
sole come bistecche; di giapponesi con le macchine fotografi-
che a tracolla, che si fotografano davanti al Ponte dei Sospiri; di
gondolieri stonati che cantano a caro prezzo *O sole mio* per gli
sposi di tutto il mondo in viaggio di nozze; di «concerti rock»
in piazza San Marco, d'«acque alte» e di iniziative dell'Unesco
per salvare Venezia! Ma Venezia, in quel lontano 1802, era già
morta da cinque anni; e chi, come Mattio, l'aveva veduta viva e
splendida, non poteva avere, in proposito, il minimo dubbio.
Venezia era defunta. Il suo corpo, deteriorandosi a poco a poco, sarebbe sopravvissuto ancora per qualche secolo all'incuria
degli uomini e alla corrosione dell'acqua e delle intemperie; ma
l'anima era svanita, o comunque non si trovava più lí. Vagava
ancora per l'Italia e per l'Europa, o sopravviveva a se stessa nei
palazzi che avevano visto la grandezza degli avi, la generazione
dei complottatori e degli illusi che s'erano sforzati di pugnalare
il padre tiranno come aveva fatto l'antico romano Marco Bruto,
ed erano riusciti a tirarsi in casa un nuovo tiranno che parlava
tedesco. Dappertutto si vedevano sbirri e soldati austriaci; le
gondole sul Canal Grande erano poche, le botteghe erano buie
e non esponevano articoli di lusso, perfino le osterie più popolari, i *magazzeni* e le *furàtole*, erano molto meno rumorose d'un
tempo! Sotto una pioggerellina fitta e gelata che non riusciva a
diventare nevischio, Mattio arrivò in piazza San Marco e il cuore gli si strinse nel vedere quell'immensità completamente vuota: anche i ciarlatani e gli ambulanti, per ripararsi dalla pioggia,
s'erano trasferiti sotto i portici delle Procuratie, dove la calca –
in certi punti – era cosí fitta, che per passare bisognava farsi largo a forza di gomiti. Lí, mescolati alla rinfusa con la turba dei
ciechi, dei *pitocchi* e d'ogni genere d'accattoni, c'erano i cava-
denti, i mercanti di vetri e di fazzoletti, i saltimbanchi, gli imbonitori del *mondo niovo*, i venditori di stampe e di lunari e d'altre
cianfrusaglie... C'era una piccola folla intorno a un tale che teneva discorso con un cane accucciato su uno sgabello: l'uomo
parlava, e il cane gli rispondeva in tono altezzoso facendogli os-

servare che aveva detto delle sciocchezze, o addirittura lo prendeva in giro! Mattio, sorpreso, si avvicinò e riconobbe – ingrigi-
to e un po' sciupato dagli anni – quel Filippo Fontanella di cui
ancora molti, a Zoldo, ricordavano le prodezze giovanili, quando disturbava l'addestramento delle *cernide* e faceva impazzire
di rabbia l'istruttore, il buonanima Zuane Besarel, con le voci
che tirava fuori direttamente dallo stomaco, senza aprire la bocca... Sentí gli occhi che gli si riempivano di lacrime. Cosí dunque – pensò – anche il ventriloquo aveva percorso la sua strada
nel mondo, ed era arrivato a fare il ciarlatano in piazza San Marco! Proseguí verso la Piazzetta; ma gli incontri di quel giorno
ancora non erano finiti perché, fatti pochi passi, Mattio si trovò
di fronte una bellissima signora che stava uscendo dal Caffè
Florian in compagnia di un ufficiale austriaco e che gli passò accanto senza vederlo. Quella dama portava in testa un grande
cappello, aveva in mano un ombrellino a colori vivaci, e, parlando con il giovane ufficiale che l'accompagnava, gli sorrideva,
apparentemente felice. Era... Lucia! Per un attimo, il ciabattino
si fermò, restò a guardare quel suo sogno giovanile che si allon-
tanava attraverso la piazza; che tornava – forse definitivamente
– nel luogo remoto e misterioso da cui provengono i sogni... Ma
subito si riscosse. Continuando a camminare senza piú voltarsi,
arrivò dove diciott'anni prima c'era stata quella gran folla della
mongolfiera, e l'uomo con il cappello a tricorno e il cannocchiale d'ottone s'era alzato in volo, librandosi sopra la folla. (Che fine aveva poi fatto – si domandò Mattio per la millesima volta –
quel pallone lassú in mezzo alle nuvole, con i colori della Serenissima? E lui, l'uomo col tricorno, era ancora vivo?) Il Molo,
deserto, era battuto dalle onde e sferzato dal vento. Sotto il
grande pilastro che per secoli aveva sostenuto il Leone alato di
San Marco e che ora non sosteneva piú niente perché anche il
Leone era finito in Francia, c'era un annegato esposto per il ri-
conoscimento e Mattio scoppiò in singhiozzi davanti a quello
sconosciuto con la pelle del viso gialla e viola e gli occhi divora-
ti dai pesci. «Ecco, – pensò: – anche Venezia è finita! È finito
tutto!»

Capitolo decimo

La croce

Morire in croce è la piú complicata delle morti, se non hai chi ti crocifigge; e Mattio, già nei primi giorni della sua permanenza a Venezia, si rese conto che nessuno al mondo l'avrebbe aiutato a morire, in croce o in qualsiasi altro modo, perché aiutandolo sarebbe diventato il suo assassino, con tutto ciò che questo, poi, avrebbe comportato per la legge degli uomini! Doveva riuscire a crocifiggersi da solo: e l'impresa era cosí laboriosa, e cosí ardua, che il nostro calzolaio, quando si pose in concreto il problema di realizzarla, arrivò ad invidiare al suo predecessore Gesú di Nazareth l'accanimento e l'odio di quella folla di giudei che ne aveva ottenuto la condanna dalle autorità romane, e lo zelo di quei carnefici che poi avevano eseguito la sentenza, curando anche i minimi particolari dell'esecuzione... Le cose, ora, erano diventate molto piú difficili. Bisognava studiare i problemi ad uno ad uno, arrivare a risolverli; e Mattio Lovat, mentre lavorava in una bottega di calzolaio «vicino all'Ospitaletto» – secondo quanto riferisce il professor Ruggieri – per piú di due anni dedicò ogni minuto del suo tempo, e ogni suo pensiero, alla preparazione di quel sacrificio, che doveva liberare il mondo dalle forze del male. Riuscí a trovare soluzioni semplici per tutte le difficoltà, anche per quelle apparentemente insormontabili: si accorse per esempio che una buona croce poteva essere messa insieme con le assi di un letto, adattandone gli incastri ed aggiungendovi nella parte inferiore una sorta di mensola; e che la mano destra, di cui lui si sarebbe dovuto servire per inchiodare l'altra mano e i piedi, avrebbe potuto compiere quei gesti con il chiodo già conficcato in mezzo al palmo, pronto per essere fatto rientrare nel suo foro, quando tutta l'operazione fosse stata portata a termine. Persino il problema di sollevarsi dopo crocifisso, per esporsi al pubblico, non era tale da non poter essere risolto, con un poco d'ingegno e un poco di buona volontà. Bastava – pensò Mattio – trovare un solaio o una terrazza che s'affacciasse su una calle molto frequentata: in un luogo simile lui avrebbe compiuto con calma tutti i preparativi del sacrificio e poi, una volta in croce, si sarebbe calato nella calle servendosi di un congegno di funi e di carrucole. Sarebbe rimasto sospeso a dissanguarsi – la morte per crocifissione è sostanzialmente una morte per dissanguamento – sopra le teste dei passanti, un po' inclinato in avanti: incombente sul mondo, come quel Cristo che di tanto in tanto gli appariva in sogno e che doveva diventare, dopo piú di un secolo, il *Cristo di San Giovanni della Croce* del pittore surrealista spagnolo Salvador Dalí...

Tra l'autunno del 1803 e la primavera del 1804 ci fu una interruzione nella Via Crucis di Mattio Lovat, causata da un fatto imprevisto: la «magia» di don Tomaso – cioè la misteriosa invulnerabilità che impediva al nostro calzolaio di sentire il dolore fisico – improvvisamente si era dissolta e il povero Mattio, non piú sorretto da quell'aiuto soprannaturale, aveva deciso di rinunciare a salvare il mondo. (La sua anima aveva tremato di fronte all'abisso di dolore che attendeva il suo corpo, la sua carne si era ritratta). Ma dopo un inizio d'estate burrascoso, a luglio era ritornato il caldo, e con il caldo anche la *pellarina* aveva ricominciato ad agire su di lui, come il piú potente degli anestetici. A settembre Mattio si licenziò dalla bottega dove aveva lavorato fino a quel momento e ritornò a Casal, per prendere commiato dalla madre e per procurarsi gli attrezzi del martirio: i chiodi, che voleva fossero veri chiodi delle *fusine* di Zoldo, e la corona di spine, che doveva essere fatta con un arbusto della sua valle. All'imbocco del Canal, su quella roccia dove di tanto in tanto qualche bello spirito veniva a scrivere le sue facezie personali, o le facezie che circolavano allora nelle valli bellunesi, la poesiola dell'Anonimo che rimpiangeva i tempi della Serenissima, quando si mangiava due volte al giorno, a pranzo e a cena, era stata ricoperta con una mano di calce; ma ancora sopra la calce, un altro Anonimo aveva scritto un altro epigramma, contro il maltempo e le tasse. Le parole dicevano:

> *L'Altisimo de sora ne manda la tempesta*
> *L'Altisimo de soto ne magna quel che resta*
> *E, in mezo a sti do Altisimi, restemo poverisimi.*

Trovò la valle quasi completamente spopolata. I mucchi di carbone erano scomparsi, le *fusine* non facevano fumo, i boschi sulle pendici delle montagne, non piú devastati dall'opera dei carbonai, dappertutto erano tornati a essere rigogliosi. Molte case erano chiuse e prive di abitanti; molte presentavano all'esterno i segni del saccheggio a cui venivano sottoposte per riparare le case dei vicini; molte, infine, abbandonate da piú lungo tempo, stavano crollando. La signora Vittoria apparentemente era in buona salute, ma aveva perso la memoria e non connetteva le idee: imprecava contro lo *scarpèr* Marco Lovat come se lui ancora fosse stato vivo; si ricordava a malapena di avere dei figli, li confondeva tra loro e non avrebbe saputo dire che fine avevano fatto. A ottobre Mattio era di nuovo a Venezia, nella bottega di un tale mastro Martin Marzani dove lavorò per tutto l'inverno, dormendo insieme agli altri garzoni in un locale attiguo al laboratorio. Quell'ambiente non era certo il posto adatto per portare a termine un'impresa cosí impegnativa come la redenzione del genere umano; perciò, e anche perché aveva già incominciato a cercarsi una stanza in affitto, nel maggio del 1805 il nostro ciabattino si trasferí per qualche giorno in casa di suo fratello Angelo, che in quel periodo viveva da solo. Sua moglie Maria Casal, infatti, si era messa a servizio di una contessa ultracentenaria che la credeva nubile e le aveva anche destinata una somma di denaro nel testamento, se avesse rinunciato a sposarsi finché lei fosse stata in vita! La separazione tra l'orafo e la moglie durava da alcuni mesi e naturalmente il loro maggiore desiderio era che la vecchia si sbrigasse a tirare le cuoia, e a lasciargli

i soldi: ma la maledetta, pur essendo cieca e quasi del tutto paralizzata, aveva ancora uno stomaco di struzzo, un udito finissi-
mo ed era cosí furba – diceva la Maria – che nemmeno il Diavolo riusciva a imbrogliarla! Mattio e Angelo dormivano nella
stessa stanza, in due letti contigui. Una notte di fine giugno, verso l'alba, Mattio era addormentato e sentí qualcuno che parlava, una voce di donna che sussurrava una preghiera, o una finta
preghiera, a lui ben nota: quella filastrocca del *Pater noster pi-
chenin* che i bambini in chiesa recitavano al posto del *Pater noster* se non ne conoscevano le parole latine, e di cui anche si servivano nei loro giochi, quando dovevano fare la conta per stabi-
lire chi «stava sotto». «Pater noster pichenin | su l'altar de
l'oselin...» Si girò nel dormiveglia, aprí gli occhi. La prima luce
del mattino filtrava attraverso le persiane; la stanza era in penombra. Vicino al letto di suo fratello c'era una persona, una
donna... nuda!; e nell'istante in cui intravvide quella nudità
femminile, come in sogno, sembrò a Mattio di ripiombare indietro nel tempo fino alla notte in cui il suo *feral* aveva illuminato il corpo senza vita della signorina Fulcis. Risentí quell'odore
dolciastro, indefinibile, che aveva sentito tanti anni prima lassú
tra le sue montagne, nella stanza dove si era compiuto il delitto
di capodanno e si accorse di essere paralizzato: avrebbe voluto
alzarsi e fuggire, e invece non riusciva nemmeno a muovere un
dito! La donna nuda – una morettina con due occhi neri come il
carbone, e due grandi poppe – era Maria Casal, moglie di Angelo; stava seduta sul letto del marito e piano piano lo scopriva, lo
accarezzava, dondolando la testa e continuando a sussurrare le
parole della cantilena: «L'oselin al giera verto | e San Piero gie-
ra scoverto», mentre Angelo si muoveva nel sonno ed emetteva
certi gemiti sommessi, propri di chi sta sognando un gran bel
sogno e non vorrebbe svegliarsi. Quando l'*oselin* ebbe raggiunto le sue proporzioni ottimali, la Maria ci salí sopra e incominciò a roteare il bacino, prima adagio e poi sempre piú in fretta,
mentre ormai anche Angelo, metà sveglio e metà addormentato, partecipava come meglio poteva a tutta la faccenda. I due, e
soprattutto la donna, ansimavano come fanno i cani dopo una

lunga corsa, ma la loro corsa durò pochissimo: ci fu un grido, e
la Maria, che fino a quel momento aveva mantenuto il busto in
posizione eretta, si abbatté sul marito; scossa da certi singhiozzi
che non erano proprio di dolore, e nemmeno di pentimento.
Allora soltanto Mattio riuscí a riprendere il controllo di sé e delle sue azioni. D'un balzo, si lanciò fuori della stanza, avvolto in
quello stesso lenzuolo in cui aveva dormito, e il rumore della
porta sbattuta dietro le sue spalle richiamò alla realtà suo fratello Angelo, facendogli capire cos'era successo. «Signore Iddio,
– disse l'orafo alla moglie, allontanandola bruscamente, – ti rendi conto di cos'hai fatto? Che vergogna! Noi, qui, insieme, davanti a mio fratello... A fare l'amore come i cani per strada!» Ripeté ancora una volta: «Che vergogna!»

La Maria si difese: «Quante storie! Lo sai che vengo a tro-
varti quando posso, e che c'è cosí poco tempo!» Si mise a sedere sul letto, s'infilò le calze. Borbottò: «Zot e ross, mai ghe
n'foss!» («Gli zoppi e i rossi di capelli, non dovrebbero nemmeno esistere!») Quell'uomo con i capelli rossi – il fratello del
marito – le era stato antipatico fino dal primo momento che l'a-
veva visto; e il fatto, ora, di esserselo trovato tra i piedi in quella
circostanza, l'aveva proprio irritata. Domandò: «E poi, tanto,
non mi avevi detto che è castrato?»

Il 1º luglio 1805, era un lunedí e Mattio andò ad abitare nella
contrada di Sant'Alvise al numero civico 2888 di Cannaregio, in
casa di un certo Valentin Lucchetta che gli aveva affittato una
stanza al terzo piano: una soffitta, con una specie di terrazzino
dalla parte del cortile e una grande finestra su Calle delle Monache. Di quella casa, in cui si compí la seconda redenzione del
genere umano, nel presente non restano tracce, e sarebbe anche
difficile dire dove si trovasse: Sant'Alvise, oggi, è un quartiere
di case popolari del ventesimo secolo, tra cui i turisti s'avventurano di rado perché non c'è niente, o quasi niente, che
possa interessargli; i numeri civici di Cannaregio sono stati tutti
rimescolati molte volte nel corso di due secoli, e l'attuale 2888 si
trova al centro di Campo Ghetto Nuovo, nel cuore di quel
quartiere ebraico dove riesce difficile immaginare l'esistenza di

un convento di monache cristiane, e di una calle ad esse intitolata! Calle delle Monache, infine, non c'è piú, ed è inutile cercarla. Il tempo, grande cancellatore, ha lavorato a togliere le tracce di Mattio proprio come aveva lavorato a togliere quelle del suo predecessore Gesú di Nazareth; ha ricostruito Casal, da cima a fondo, con i soldi dei gelatai zoldani emigrati in Germania, ha trasformato la chiesa della Pieve in una gelateria mistica, ha trafficato sulla spoglia di Venezia fino a ridurla com'è adesso: un «luna park», per turisti in viaggio di nozze. L'unica cosa che il tempo non è riuscito a far sparire del tutto, nel caso di Mattio come in quello di Gesú di Nazareth, è una traccia che gli uomini – non tutti, fortunatamente, ma nemmeno pochi! – si lasciano dietro come le lumache si lasciano la bava, e che è il loro segno piú tenace e incancellabile. Una traccia di parole, cioè di niente. Gli edifici crollano e vengono ricostruiti, le città muoiono, le montagne sprofondano: solamente la parola, di tanto in tanto, riesce a darci un'illusione d'immortalità che contrasta con tutto ciò che vediamo e conosciamo, e con la nostra stessa ragione. Come scrivere sull'acqua, o scolpire il vento...

In qualunque luogo si trovasse, a Sant'Alvise, Calle delle Monache doveva essere una strada molto frequentata, almeno in certe ore del giorno, altrimenti Mattio non l'avrebbe scelta per portare a termine la sua missione: una strada di pescatori, di facchini, di *squerarioli* che si recavano al lavoro alle prime luci dell'alba, e che facevano ritorno alle loro case soltanto quando il suono grave della Realtina, la campana di San Giorgio in Rialto, aveva annunciato a tutta Venezia la fine del lavoro; una strada di *remèri* e d'altri artigiani che vi tenevano bottega all'aperto, e di comari sedute fuori dall'uscio a fare *ciàcole* con in grembo il lavoro di calza o di cucito, e col gatto accoccolato vicino ai piedi; una strada dove l'odore delle *scoazzere* e dell'acqua stagnante si mescolava in mille modi e con mille differenti combinazioni agli aromi delle *fritolerie*, delle *furàtole*, delle osterie in cui, entrando, ci si sentiva mancare il fiato, tanto erano forti i sentori della *castradina*, e delle spezie, e del fritto di pesce... Finché in piazza San Marco sventolò la bandiera rossa col Leone alato, e poi ancora per qualche anno, o per qualche decennio, la Venezia delle contrade popolari fu un paesaggio olfattivo altrettanto inesauribile, quant'era inesauribile il paesaggio visivo dell'altra Venezia, quella dei palazzi e dei monumenti della Serenissima; e però va anche detto che tutt'e cinque i sensi umani, nella città della laguna, trovarono di che appagarsi e di che esaltarsi, finché Venezia fu viva e felice! Naturalmente Mattio sapeva, come tutti, che in una calle cosí odorosa e rumorosa i ricchi e le persone importanti ci capitavano di rado, o non ci capitavano mai; ma nei luoghi frequentati dal bel mondo, cioè in piazza San Marco o sulla Riva degli Schiavoni, il suo sacrificio sarebbe andato confuso con i miracoli dei ciarlatani e con le rappresentazioni degli attori girovaghi: sicché, in definitiva, quel palcoscenico piú grande e piú importante non era nemmeno adatto per portare a termine un'impresa come la sua! Ci voleva proprio una strada di poveri. Il Figlio dell'Uomo – lo dice anche l'evangelista – nasce povero, e può stabilire il suo domicilio dove vuole, perché non ha una dimora sua propria... Anzi a questo proposito Mattio ricordava d'avere letto una frase molto bella, in quel *Vangelo* rilegato in pelle nera, che gli aveva lasciato don Tomaso morendo. «Le volpi hanno le loro tane e gli uccelli del cielo hanno i loro nidi – cosí, all'incirca, diceva quella frase – ma il Figlio dell'Uomo non ha dove posare il capo...»

Una domenica di metà luglio, nelle prime ore del pomeriggio, Mattio entrò nella basilica di San Marco. L'interno dell'immenso edificio era piacevolmente fresco e quasi buio, e bisognava aspettare che gli occhi si fossero abituati a quella penombra per poter scorgere i fedeli che camminavano sui mosaici d'oro sconnessi dai secoli e dalle maree, o che sostavano tra i banchi in preghiera. Dopo una breve esitazione, il nostro ciabattino si diresse verso un confessionale dove – a giudicare dalla posizione della tendina – doveva esserci un prete in attesa; s'inginocchiò, si fece il segno della croce. Aprí lo sportello che lo metteva in comunicazione con quell'uomo di là dalla grata, che in quel momento e per lui era l'orecchio stesso di Dio, pronto a ricevere la sua confessione. Sussurrò: «Padre, vi prego, beneditemi e perdonate gli errori che ho commesso vivendo, e le mie molte debolezze. Tra pochi giorni morirò sulla croce. Io sono il Cristo, che deve tornare a caricarsi di tutti i peccati del mondo. Abbiate pietà di me!»

L'uomo dall'altra parte della grata, a cui il destino aveva riservato il compito di ascoltare le parole di Mattio, si chiamava monsignor Jacopo Angaran, aveva ottantaquattro anni ed era entrato da pochi minuti in quella sua casetta di legno scolpito con gli Angeli barocchi, per godersi il fresco della basilica e per digerire – è proprio il caso di dirlo! – in santa pace, il *bacalà* che era stato il piatto forte del suo pranzo domenicale; ma ci sarebbe venuto anche se il pranzo fosse stato meno impegnativo, e anche se quel giorno fosse stato un giorno qualsiasi. Soprattutto d'estate, monsignor Angaran amava trascorrere la maggior parte del suo tempo fuori dall'afa e dal rumore della città, in uno dei grandi confessionali della basilica di San Marco. Stava lí al buio, ripensando alle persone che aveva conosciuto nel corso della sua lunghissima vita e che ormai erano quasi tutte defunte, agli uomini e alle donne del tempo andato, alla sua Venezia ed alle belle feste che vi si facevano; e i suoi pensieri erano cosí profondi e cosí prolungati che i sacrestani a volte lo trovavano dentro al confessionale la mattina del giorno successivo, quando riaprivano le porte della basilica. Ogni tanto, poi, si disserrava uno sportello, e una voce bisbigliava remoti peccati d'un mondo che anche lui aveva conosciuto e frequentato e che continuava ad esistere là fuori, nella calura dell'estate e nella monotonia della vita. Quanti peccati aveva dovuto ascoltare, in sessant'anni che era prete, monsignor Angaran! E quante storie d'amore e di dolore, di tradimenti e di ammazzamenti, di fidanzate e di mogli vendute come schiave al Turco e d'altri innumerevoli imbrogli, quando ancora le bandiere della Serenissima dominavano i mari, e Venezia era viva, e indiavolata, quanto può esserlo una città del mondo! Ora anche i peccati della gente – rifletteva il prete – erano diventati piú tristi, piú banali, piú fiacchi; c'era meno ferocia negli assassinii, meno trasporto negli stupri, meno fantasia negli imbrogli, meno ira nelle bestemmie. Si peccava tanto per peccare, senza grandi motivazioni e senza entusiasmo: ma a lui, don Jacopo, piaceva ancora starsene là nella penombra, a meditare e a sonnecchiare e ad attendere gli ignoti che di tanto in tanto lo costringevano a svegliarsi, bussando contro la grata. Si sentiva un po' come quegli uomini armati di *canna d'India* o di rocchetto che se ne stavano seduti sulla Riva degli Schiavoni per delle intere giornate, aspettando un pesce che avrebbe anche potuto non arrivare... Pensò di avere sognato; a volte, gli capitava di sentire delle voci e di rispondergli, e le voci invece appartenevano al sogno. Domandò: «Ti dispiacerebbe ripetere, figliuolo? Temo di non aver capito bene quello che hai detto».

«Avete capito bene, padre. Io sono il Figlio dell'Uomo che deve tornare sulla croce, perché il mondo possa liberarsi dell'Anticristo; ma sono anche un povero peccatore, come tutti, e ho bisogno della vostra assoluzione e della vostra benedizione, perché sto per morire. È la verità!»

Don Jacopo non si raccapezzava. Ecco – pensava – una volta magari sgozzavano una mezza dozzina di persone per una sciocchezza qualsiasi e poi venivano in San Marco a confessarsi, con il coltello insanguinato ancora tra le mani... Bisognava sgridarli: ma era più facile trattare con quei forsennati d'un tempo, che con questa gente apparentemente tranquilla che c'è ora. Gli uomini, purtroppo, se non peccano con gusto e con continuità, dopo un po' impazziscono... Disse ad alta voce al penitente: «Figliuol mio, cosa mi racconti? Sai bene che la redenzione è già avvenuta: che il figlio di Dio s'è fatto uomo e che poi è risorto, ed è ritornato in cielo alla destra del padre. Che storie mi vai cianciando, dell'Anticristo e di te che devi liberare il mondo? Sei ubriaco?»

«L'Anticristo – disse Mattio, – è quel Bonaparte che ha dovuto mettere sul trono di San Pietro un falso papa, perché soltanto un falso papa poteva incoronarlo imperatore, come poi è successo... Ora la collera di Dio incombe su di noi, e nessuno di quanti oggi sono vivi potrebbe salvarsi, se io non tornassi a morire sulla croce, come è stato scritto!»

Don Angaran, di solito, era molto paziente con i suoi penitenti: li ascoltava anche se erano eccitati o disperati; interveniva nei loro discorsi soltanto per calmarli. A volte, soprattutto dopo pranzo, si addormentava mentre loro parlavano, e quando poi si svegliava, il confessionale era tornato ad essere muto: dall'altra parte non c'era nessuno! Ma quel giorno gli capitò un fatto straordinario, che rischiò anche di rovinargli la digestione: un lampo d'ira, come l'anziano monsignore non ne provava piú da moltissimi anni e come certamente non credeva di doverne provare ancora. Con un solo gesto, spalancò la tenda di raso viola che lo nascondeva agli occhi dei fedeli presenti nella basilica. Disse, e quasi gridò con voce strozzata: «Caro il mio uomo, se sei matto sono fatti tuoi, ma questo tempio che è la casa del Signore devi rispettarlo, e devi anche rispettare me che sono un sacerdote, e il sacramento della confessione! Non ti dico altro!»

Nella notte tra il 18 e il 19 luglio, Mattio stentava a prendere sonno per il caldo e un pensiero gli attraversò la mente, un'improvvisa certezza: il momento era arrivato. Bisognava agire! Si alzò: smontò il letto, lo trasformò in pochi minuti secondo il piano che aveva preparato con molti mesi d'anticipo; uní tra loro le due assi laterali per ricavarne la parte lunga della croce, e poi usò le assi piú corte, quelle della testa e dei piedi, per comporre le braccia; per far ciò, utilizzò gli stessi bulloni, e gli stessi fori, che erano serviti a tenere insieme il letto nella sua forma originaria. Fissò poi due funi, una piú lunga e una piú corta, alla trave centrale del soffitto, proprio davanti alla finestra. Si spogliò, e quando fu completamente nudo si legò intorno ai fianchi un panno bianco, cosí succinto che arrivava appena a ricoprirgli le vergogne, o, per essere piú esatti, l'assenza delle medesime; si calcò in fronte la corona di spine, fino a sentire le gocce del suo sangue che gli scorrevano sulle guance e sul petto. Il dolore era del tutto assente. Tirò fuori dal libriccino della messa, dove lo teneva nascosto, un foglio piegato e scritto di suo pugno su quattro facciate; quello era il suo testamento spirituale ed era anche la dichiarazione che lui era morto suicida, per quanto le circostanze di quel suicidio dovessero apparire stravaganti agli investigatori: nessuno lo aveva costretto, non c'erano stati complici, il solo artefice della sua morte era stato lui! La lettera-testamento, indirizzata al Tribunale di Venezia (*Regio Tribunal imploro la munificenza vostra...*) era stata scritta da Mattio molto tempo prima di quella notte, probabilmente nella primavera del 1803, quando lui ancora sperava di poter portare a termine la sua missione entro pochi mesi e aveva anche fissato una data: il 21 settembre di quell'anno, giorno del suo Santo. (Ma il venir meno della «magia», come già s'è detto, lo aveva poi persuaso a rimandare l'impresa). In quel testamento, troppo lungo per essere trascritto in queste pagine, Mattio spiega il suo sacrificio come *cosa spiritual* e *cosa di spontanea asoluta volontà*; dice che nessuno *non ga da impazarsene niancha la Giustizia*; s'appella al *venerando e santo Governo, che non staga a mover piedi d'Agente Soldati o qualsisia persona a fronte deli mieji operatori* (dei miei atti) *e sia sparmiato qualunque ira overo sia sdegno...* Nel 1803 il ricordo delle bastonate ricevute dagli austriaci doveva essere ancora vivo per Mattio, perché lui, scrivendo il suo testamento, non aveva saputo resistere alla tentazione d'inserirci un accenno a quella sua personale esperienza della bestialità soldatesca: *come pure ne gli andati anni fu avenuto a me a Treviso per andare al mio Paese di Zoldo, che da li Soldati Austriaci mi fu smarito beci* (bezzi) *e merci che in doso avea...*

Nel testamento Mattio afferma d'essere vergine, con una formulazione piuttosto ambigua e misteriosa, in cui la carnalità viene assimilata alla violenza ed allo spargimento di sangue: *Mi protesto –* scrive *– di esser Vergine per non aver al mondo fatto sangue alle persone di nissuna condicion, specialmente in pecati di carne*. Accenna all'evirazione che – dice – ha potuto compiersi *per la Maggia* (magia) *fatta a me da Sacerdoti*; accenna anche al dileggio a cui è stato sottoposto da parte degli abitanti della sua valle (*sen facevano befe di me stesso con dirmi pover gramo e schernito*), ed al ribrezzo che ha sempre provato di fronte al manifestarsi della sessualità, soprattutto di quella tra maschi e femmine. *Giero presente ancor io –* scrive dei suoi compaesani *– che* *faceva queji medesmi* (sottinteso: atti) *in compagnia dele sue Amante Done e putte insieme faceva di balli scandolosi asai e lunghe tresche d'altri giovini...*

Già vestito da redentore e con la corona di spine calcata in fronte, con il viso e il corpo tempestati di gocce di sangue, Mattio uscí sul terrazzino. C'era luna piena: le cupole delle chiese sembravano irraggiare attorno a sé un alone di luce, e anche i tetti e i campanili di quella città, che era stata la sposa e la regina del suo mare, erano avvolti in una luminosità bianca diffusa, sopra il buio impenetrabile delle calli. Gli orologi avevano appena battuto un'ora dopo la mezzanotte e gli unici rumori che si sentivano, in quel quartiere di poveri e di gente che lavorava ogni giorno fino al calar del sole, erano il gnaulío a tratti lamentoso a tratti rabbioso dei gatti in amore, e il russare profondo e cadenzato di chi dormiva con le finestre spalancate a causa del caldo. Dopo essersi guardato attorno, Mattio alzò gli occhi oltre il chiarore della luna, dove il cielo s'infittiva di stelle. Lassú, nell'immensità dell'universo e all'interno di quelle costellazioni che lui aveva imparato a riconoscere quand'era ragazzo, ruotavano migliaia, forse milioni di pianeti – cosí, tanti anni prima, gli aveva insegnato il suo misterioso maestro – grandi come la terra o ancora piú grandi; e ciascuno di quei mondi era un granello di polvere nell'immensità dell'universo, era un frammento infinitesimo del cervello di Dio! C'erano mondi interamente ghiacciati e mondi interamente infuocati che rappresentavano, in quel cervello, le passioni, e poi anche c'erano mondi verdi di foreste e azzurri d'acque che ne costituivano la parte pensante e ragionevole; perché – era solito ripetere don Marco – Dio è un uomo che ragiona e gode e soffre come noi, però è infinito ed eterno: cosí grande che non può essere immaginato, e cosí pensante che tutto ciò che esiste, in tutto l'universo, esiste soltanto nel suo pensiero... In quella moltitudine di mondi, in quell'abisso senza fine e senza tempo che è il cervello di Dio, Mattio ogni volta finiva per perdersi; e cosí anche gli accadde quella notte sul terrazzino di Calle delle Monache, mentre guardava il cielo stellato. Sprofondò in un suo sogno, in una sorta di allucinazione, in cui gli sembrava di vedere quei mondi lontani come attraverso la lente di un cosmorama, e poi anche gli sembrava di poter passare da un mondo all'altro con la stessa facilità con cui gli imbonitori del *mondo niovo*, in piazza San Marco, passavano dalle Americhe al Giappone, dal Caucaso all'Africa tropicale... Camminava su quei pianeti sconosciuti e vedeva gli esseri che li popolavano, gli animali forniti di ragione che avevano talvolta forma di ragno o di scimmia, talvolta erano piccoli come formiche oppure grandi come montagne e però sempre e dappertutto nascevano e morivano, gioivano e soffrivano e vivevano lacerati dai contrari che non riuscivano a compensarsi in loro e tra di loro, fino a comporre un vero equilibrio... Dovunque nell'universo la colpa originaria doveva ancora essere patita ed espiata, in tutti i mondi ancora doveva compiersi la redenzione, anche là dove già s'era compiuta una volta. Che follia credere che per milioni di mondi, o per un mondo solo, potesse bastare un solo redentore! La redenzione – pensò Mattio – era la sofferenza di Dio che avrebbe voluto riunire in sé le sue parti divise e non ci riusciva, era il rimorso che lacerava il suo pensiero, d'essere lui stesso imperfetto... Si riscosse. L'umidità del mattino si stava insinuando dentro alle sue ossa, il cielo stava diventando sempre piú chiaro, la luna, ormai, non illuminava piú niente. Bisognava procedere...

Senza fretta ma con determinazione Mattio rientrò e s'inchiodò sulla croce, trafiggendosi i piedi e tutt'e due le mani con tre lunghissimi chiodi: sapendo però che questi non avrebbero potuto reggere, da soli, il peso del suo corpo, s'era già legato alle tavole dell'ex letto con una rete da pesca. Quindi, con molti altri artifizi e con molti sforzi – l'elenco dettagliato dei particolari tecnici dell'autocrocifissione di Mattio Lovat occupa ben quattro pagine a stampa nell'opuscolo del dottor Ruggieri – riuscí infine a mettere in piedi la sua croce e poi anche a sollevarla, facendola dondolare come un'altalena per mezzo di una delle due funi che aveva attaccate alla trave del soffitto, finché lo slancio la portò a traboccare all'esterno della finestra. Era ormai giorno, ma ancora passava poca gente in Calle delle Monache, e nessuno si accorse di quell'uomo in bilico su una finestra d'un terzo piano. Per poter manovrare la croce, Mattio fino a quel momento s'era tenuto entrambe le mani libere, sia pure con i chiodi già conficcati: ora però che l'operazione stava per concludersi, introdusse il chiodo della mano sinistra nel suo foro, abbastanza in profondità perché reggesse il peso del braccio. Con la mano destra portata dietro la nuca riuscí poi a sganciare la croce dalla fune piú corta, cioè da quella che gli aveva permesso – dondolando – di uscire dalla finestra. La croce precipitò nel vuoto e si fermò all'altezza del primo piano della casa di Valentin Lucchetta, trattenuta dalla corda piú lunga: restò sospesa sopra la calle, inclinata di circa quarantacinque gradi sulle teste dei passanti, a otto braccia d'altezza (cinque metri). Ora Mattio avrebbe dovuto compiere l'ultima operazione, quella di far rientrare nel suo foro il chiodo della mano destra, perché la posizione del Crocifisso fosse perfetta e il suo assetto impeccabile: ma in seguito alla caduta perse i sensi e rimase scomposto, con il braccio destro penzoloni, la testa ciondolante e la bocca aperta. Le ferite delle mani e dei piedi si riaprirono e ricominciarono a buttare sangue, che gocciolò sulle lastre di pietra della calle. Mancavano pochi minuti alle otto di mattina di giovedí 19 luglio 1805. La Marangona – la campana grande di San Marco – aveva già battuto due volte i suoi rintocchi per chiamare al lavoro tutti gli operai di Venezia, e nella bottega di mastro Lorenzo Della Mora – dove il redentore era stato assunto come garzone calzolaio ai primi di maggio – il padrone si era accorto che mancava Mattio e aveva già chiesto agli altri lavoranti: «Qualcuno sa perché non è ancora arrivato?»

In un batter d'occhi si radunò una piccola folla. Come sempre accade in situazioni del genere, c'era chi guardava inorridito e non parlava e chi invece rideva e raccontava facezie, c'era chi sentenziava: «Ai matti, quando il caldo gli va alla testa, non c'è rimedio!» C'era chi, valutando la macchinosità di quella messinscena, sosteneva che Mattio doveva essere stato aiutato da qualcuno: perché – diceva – nessuno avrebbe potuto ridursi da solo in quelle condizioni, e tanto meno un matto! C'erano i curiosi che domandavano notizie a chi ne sapeva ancora meno di loro e però si riteneva in dovere di rispondergli, sicché nel volgere di pochi minuti incominciarono a formarsi le prime voci, e a circolare per tutto il sestiere. Raccontavano, quelle voci incontrollate, d'un pazzo che già da tempo proclamava d'essere il Cristo, e che era stato crocifisso da qualche scapestrato; d'un pover'uomo che in un momento di sconforto era riuscito a mettersi in croce, e ancora non si capiva come avesse fatto; d'uno straniero che nessuno conosceva, penzoloni e ignudo in mezzo alla strada! Una di quelle voci arrivò all'orecchio del professor Cesare Ruggieri, che si trovava per caso in quei paraggi e che – spinto da curiosità – volle recarsi nel luogo dove il fatto si era verificato, in compagnia d'un chirurgo Paganoni di cui null'altro sappiamo se non il cognome. I due medici giunsero in calle delle Monache quando già Mattio era stato deposto dalla croce e medicato alla bell'e meglio da un dottore dei poveri, che aveva disinfettato e fasciato con un po' di garza le ferite dell'aspirante suicida e poi subito era corso via: non si era reso conto, il citrullo, dell'importanza di quel caso per l'avvenire della medicina, e della fama che ne avrebbe tratto chi l'avesse studiato! Il professor Ruggieri, invece, era un grand'uomo – come fra Giuseppe da Zoldo e come l'inquisitore di Stato della Serenissima – e capí al volo di essersi imbattuto in una malattia nuova e rara, che avrebbe fatto parlare di sé e del suo scopritore l'Accademia Imperial Regia Giuseppina medico-chirurgica di Vienna, la Facoltà e la Società medica d'Emulazione di Parigi, l'Accademia Reale di Madrid, il Collegio dei Dotti di Venezia e chissà chi altri! Si affrettò quindi a soccorrere Mattio, che aveva ripreso i sensi ma «stava con gli occhi chiusi, non rispondeva ad alcuna interrogazione, aveva concentrati i polsi ed affannoso il respiro». Con l'autorità che gli veniva dall'essere grand'uomo e professore primario di clinica chirurgica, comandò che niente di ciò che era servito a Mattio per crocifiggersi venisse toccato: la corona di spine, il letto, i chiodi, tutto doveva essere tenuto a disposizione della scienza medica, che se ne sarebbe servita nelle sue ricerche! Per prima cosa, però, Ruggieri s'impadroní dell'ammalato, come racconta lui stesso: «Col consenso del Regio Direttor di Polizia del Sestier di Canal Regio, che era colà per rilevare l'accaduto, lo feci trasportare per barca alla R. Scuola Clinica nell'Ospitale di San Giovanni e Paolo affidata alla mia direzione». Mattio era profondamente deluso di non essere morto sulla croce, dopo tanti preparativi e tanti sforzi, e se ne lamentò con suo fratello Angelo. «Strada facendo disse a suo fratello che gli era compagno di barca, il quale lagnavasi delle sue stravaganze, queste sole parole: Sono pur infelice!»

Nella Scuola clinica del professor Ruggieri, dove arrivò quasi completamente dissanguato, Mattio rimase dal 19 luglio del 1805 fino al giorno 10 del mese successivo. Durante quel periodo – annota Ruggieri – le sue ferite si cicatrizzarono con una rapidità che sorprese i medici, e le sue condizioni generali migliorarono cosí in fretta che dopo pochi giorni già cercava di scappare, in camicia perché non gli davano i vestiti: «Ma fu subito arrestato dalli serventi». Ripetutamente, durante la degenza, il professore lo interrogò, sperando che dicesse qualche frase memorabile, da poter essere inclusa nella relazione alle Accademie; ebbe una sola risposta, ripetuta piú volte, che lo lasciò deluso. «L'ammalato, – scrive il professore, – non parlava mai con alcuno, ed era sempre meditabondo, tenendo quasi sempre chiusi gli occhi. Lo interrogai varie volte sul perché si sia posto in croce, e rispósemi sempre le stesse parole: Che la superbia degli uomini doveva essere castigata, ed era però necessario che ei morisse in croce. Credendo che non volesse parlare alla presenza dei Giovani, andai varie volte solo in ore diverse, e sempre mi rispose le identiche suaccennate parole».

Il giorno 10 d'agosto, venerdí, mentre il barcone della polizia puntava la sua prua verso quell'isola di San Servolo che da alcuni anni aveva sostituito le *fuste* come destinazione finale dei «matti furiosi» di Venezia e della Terra Ferma e che, bassa e bianca com'era, si distingueva a malapena tra le nebbie della laguna, Mattio prese la sua decisione: si sarebbe lasciato morire di fame. Che senso aveva, per lui, continuare a vivere? Soltanto il suo corpo – un corpo caparbio, irriducibile! – lo teneva legato ad un mondo che non aveva piú niente da dirgli, e a cui lui non aveva piú niente da dare. Già sarebbe dovuto morire quel 19 luglio in cui s'era crocifisso: se il destino, allora, non aveva voluto che il suo sacrificio arrivasse alla conclusione piú logica e naturale, bisognava concluderlo in un altro modo. In un modo qualsiasi, perché no? Magari anche buttandosi nella laguna, visto che non sapeva nuotare; ma la cosa, purtroppo, non era possibile. Per evitare che lui scappasse o che tentasse di uccidersi, gli sbirri lo avevano costretto a sedersi sul fondo della barca, anziché sui banchi, e gli avevano legate le mani. Lo sorvegliavano come un delinquente pericolosissimo: ma nessuno – pensò Mattio – avrebbe potuto impedirgli di rifiutare il cibo, e di fare quella morte per fame, a cui lui, come la maggior parte dei suoi compaesani, s'era allenato per moltissimi anni!

L'isoletta di San Servolo, all'approdo, gli sembrò l'isola dei morti. Sempre scortato dagli sbirri e con le mani legate, Mattio attraversò quella parte d'ospedale in cui erano ricoverati gli ammalati ordinari e arrivò nel settore dei matti furiosi, che aveva avuto uno sviluppo notevolissimo dopo la caduta della Repubblica, e che si stava avviando ad occupare tutta l'isola, grazie anche all'eredità dell'ultimo dei dogi: un personaggio apparentemente estraneo alla vicenda di Mattio, e che però ha il diritto di essere almeno ricordato, in questo nostro romanzo dedicato ai matti, perché piú di qualsiasi altro uomo della sua epoca ebbe modo di conoscere, e direi proprio di toccare con mano, la follia che governa le cose degli uomini! Lodovico Manin, morto il 24 ottobre del 1802, aveva avuto gli ultimi anni della sua vita amareggiati da quella stessa aristocrazia progressista – e in molti casi proprio da quelle stesse persone – che al tempo della Repubblica avevano mormorato e trafficato e tramato contro il suo governo, considerato una forma terribile di tirannide, e s'erano scelte come proprio eroe quel Giunio Bruto, figlio adottivo di Giulio Cesare, che in nome della libertà aveva ucciso a coltellate suo padre. («Un eroismo da delinquenti e da macellai, – borbottava tra sé e sé il vecchio Manin, – e che comunque nemmeno allora serví a salvare la Repubblica, perché la morte di Cesare spianò anzi la strada al primo vero imperatore romano, che fu Augusto!») Gli stessi eroi da salotto che avevano inneggiato a Bonaparte liberatore ed alla morte del Leone alato – la «trifauce adriatica belva» dei sonetti dell'epoca – s'erano poi compiaciuti di additare al pubblico ludibrio il «calabrache» Manin, traditore della patria e colpevole di aver consegnato Venezia ai francesi, nel maggio del 1797, senza colpo ferire, a ciò spinto da considerazioni di vario genere ed anche a causa della presenza in città di un forte partito filo-francese, rappresentato da loro stessi; e il poveretto, in piú di un'occasione, aveva dovuto subire le nuove offese di quei suoi concittadini che, dopo averlo accusato per anni d'essere un despota, ora lo rimproveravano d'essere stato un despota troppo bonario, e di non aver voluto versare il sangue di nessuno, nemmeno quello degli eroici veneziani pronti – allora – a combatterlo: una storia da non raccapezzarcisi, e da portare un pover'uomo al manicomio, se non proprio alla tomba! Il vecchio doge, nei suoi ultimi anni, s'era ridotto a vivere nascosto in casa di parenti e a uscir per strada il meno possibile, dissimulandosi con speciali parrucche e con grandi mantelli: ma ancora nel corso di una delle sue ultime passeggiate in una delle contrade piú remote di Venezia – le Fondamente Nove – era stato riconosciuto ed affrontato da due intrepide nobildonne che gli avevano strappato di dosso il mantello e la parrucca, e gli avevano gridato ogni sorta di maledizioni. Abbandonato da tutti, odiato da molti, Lodovico Manin aveva preso l'abitudine di ripetere, le rare volte che gli capitava di sfogarsi con una persona amica, che *sto mondo xe una cheba* (gabbia) *de mati, e i piú sani sta de casa a San Servolo*; e cosí, morendo, aveva lasciato una gran parte del suo cospicuo patrimonio a quegli infelici, che per essere gli unici savi in un mondo di pazzi, venivano chiamati – a torto – matti furiosi!

Dopo essere stato visitato dal direttore del manicomio, dottor Giovan Luigi Portalupi, Mattio fu accompagnato nel locale dove i pazzi venivano lavati e dovette spogliarsi, entrare in acqua e lasciarsi strigliare con le spugne dagli inservienti, a cui la vista di quell'uomo senza piú niente tra le gambe comunicò una grande allegria. (Continuavano a dargli manate sulla schiena e pizzicotti sulle guance e nelle parti carnose. Gli dicevano: «Fossero tutti come te! – e si riferivano, naturalmente, agli altri matti ricoverati a San Servolo. – Ci risparmieremmo la fatica di attaccarli alla catena quando vanno in fregola, e di tenergli i manicotti anche di notte, per impedirgli di masturbarsi!») Terminato il bagno, Mattio fu fatto rivestire con una sorta di pigiama di tela grigia, e poi venne condotto in un'altra stanza dove gli furono rasati i capelli. Fino a quel momento lui ancora non aveva visto nemmeno un ricoverato, ne aveva soltanto sentite le urla: cosí articolate e modulate, in certi momenti, e cosí strazianti, da far veramente accapponare la pelle! Ogni tanto si vedevano gli infermieri che correvano verso il fondo del corridoio e verso le scale, e si sentivano le loro voci concitate che dicevano di fare presto («In fretta! In fretta!»); ma nessuno, in quelle stanze a pianoterra in cui si trovava allora Mattio, avrebbe potuto capire cosa stava succedendo ai piani superiori. Gli ammalati, lui li vide soltanto piú tardi; quando gli uomini che lo avevano lavato lo accompagnarono alla cella che gli era stata assegnata al secondo piano dell'edificio, e per arrivarci gli fecero percorrere un lungo corridoio con tante inferriate da una parte e dall'altra. Ognuna di quelle inferriate era l'ingresso di una stanzetta e in ogni stanzetta viveva un matto: ce n'erano di incatenati che gridavano, ce n'erano che giacevano sul pavimento stremati dal caldo, ce n'erano di appesi alle sbarre che guardavano il nuovo arrivato con occhi spiritati, ce n'erano con le mani chiuse nei manicotti e le bave alla bocca, ce n'erano di apparentemente tranquilli che chiedevano a Mattio come si chiamasse e da dove venisse, ce n'erano perfino che si voltavano dall'altra parte, verso il muro e verso la finestra, perché le novità gli davano fastidio! Quando l'ultima inferriata – quella della sua cella – si fu chiusa dietro le sue spalle, Mattio andò a sedersi sopra il letto di ferro, attaccato al muro con dei ganci cosí grossi che nemmeno dieci uomini, tirando tutti insieme, avrebbero potuto spostarlo da lí. Guardò il secchio per gli escrementi e lo *stramazzo* (materasso), piegato in attesa del nuovo inquilino. Implorò il suo protettore: «Don Tomaso, perché avete smesso di aiutarmi? In che cosa ho sbagliato?»

Durante la notte ci fu un violento temporale: i pazzi urlarono, e anche Mattio, girandosi e rigirandosi sullo *stramazzo*, credette a un tratto di aver compreso il motivo per cui ancora non era morto e perché si trovava in quel luogo circondato dall'acqua, dove abitavano i matti furiosi. Anzi, la spiegazione era cosí semplice, che si stupí di non averci pensato subito. Era già tutto scritto: come il suo predecessore Gesú di Nazareth dopo essersi sacrificato sulla croce era dovuto scendere nell'Inferno dei morti per annunciare la redenzione anche laggiú, cosí a lui era toccato in sorte questo Inferno dei vivi, dove qualcuno, certamente, lo stava aspettando! Ma la mattina del giorno successivo, quando aprí l'imposta della finestrella e s'affacciò sulla laguna, i pensieri della notte dileguarono e Mattio restò sbalordito. Era giorno fatto: il sole, dall'altra parte dell'isola, era già alto sopra l'orizzonte e l'acquazzone di poche ore prima aveva tolto dal cielo tutti quei vapori, che in questa parte d'Italia e in questo clima rendono vaghi gli orizzonti e limitati i paesaggi. L'aria era fresca, quasi fredda, e limpida come cristallo: la laguna, Venezia, la Terra Ferma, le montagne lontane componevano un quadro d'insieme cosí luminoso e cosí immenso che Mattio, guardandolo, si sentí tornare la voglia di vivere: mai, fino a quel giorno, gli era accaduto di abbracciare con una sola occhiata una parte di mondo cosí grande, nemmeno dall'alto delle sue montagne! Venezia scintillava davanti a lui, tanto vicina che sembrava quasi di poterla toccare; si vedevano la Riva degli Schiavoni con le navi alla fonda, gli uomini microscopici che si muovevano sul Molo, il Palazzo Ducale, la Piazzetta con la colonna di San Todaro e quell'altra su cui c'era stato il Leone alato, l'isola di San Giorgio Maggiore, i giardini e gli orti della Giudecca, i magazzini delle merci, le cupole, il campanile di San Marco e tutto era rimpicciolito e nitido fino nei minimi dettagli come un'immagine di cosmorama: un'illusione, che aveva preso il posto di un'intera città! E l'illusione continuava, dietro la spoglia sontuosa della Dominante: c'era la Terra Ferma, con le sue fo-

reste e i suoi fiumi e i suoi terreni coltivati e i suoi borghi lonta-
nissimi che Mattio si sforzava di riconoscere («Quella macchia
bianca dev'essere Conegliano, – si diceva: – l'altra piú su, invece, dovrebbe essere Ceneda»). Infine, a chiudere l'orizzonte,
c'erano quei grandi sassi sbrecciati e seghettati e qua e là coperti
di ghiaccio, cosí simili alle montagne della valle di Zoldo: al Bosconero, al Pelmo, al Civetta, alla Moiazza, agli Spiz di Mezzodí... Dalla sua finestrella al secondo piano dell'ospizio dei matti
sull'isola di San Servolo, Mattio vide, o credette d'aver visto, tra
i cento e cento picchi che affollavano l'orizzonte, il monte Civetta; e gli occhi gli si riempirono di lacrime, il pensiero gli volò
lontano. Lassú c'erano la chiesa di San Floriano dove tutti i Lovat erano stati battezzati, e l'Altare delle Anime del Brustolon
con la scritta in mano allo scheletro: *Hor tu che guardi in su io
fui come sei tu*; c'erano i boschi dove lui aveva fatto il *carbonèr* e
la strada del Canal che portava al Piave; c'era anche – da qualche parte tra quei monti – quel piccolo porto di Codissago da
cui partivano gli zoldani quando lasciavano la loro valle: il punto di raccolta di tante speranze e di tanti sogni, l'inizio di tante
avventure! Anche lui, Mattio, era salito sopra una zattera, come
tutti, ed era arrivato fin dove la corrente l'aveva portato, dall'altra parte del mondo: su quell'isola ai margini della laguna, dove
il suo viaggio sarebbe finito... S'asciugò una lacrima.

Vennero gli inservienti ad aprire le celle dei pazzi considerati innocui: che a San Servolo, già all'epoca della nostra storia,
restavano chiusi soltanto durante la notte e di giorno invece potevano aggirarsi in uno spazio recintato dietro gli edifici del cosiddetto *morocomio* – cioè della casa dei matti – sotto la vigilanza di alcuni infermieri. In quanto eunuco, Mattio era stato registrato fino dal primo momento con i matti tranquilli, e poté andare a passeggio dalla parte degli orti osservando il comportamento dei ricoverati che – notò – si dividevano in due categorie.
Quelli che ancora si ponevano il problema di dare uno scopo alla loro esistenza andavano attorno cercando di convincere gli
altri ad ascoltarli e a fare ciò che gli dicevano di fare, per il loro
bene e nel loro stesso interesse! Ma piú numerosi, a San Servo-

lo, erano i matti che si comportavano da matti e non infastidivano nessuno perché non volevano beneficare nessuno: saltellavano, cantavano, s'accucciavano come per covare, ridevano o piangevano o facevano tante altre cose, assolutamente prive di senso. Ce n'erano che si intrattenevano in lunghe conversazioni con un oggetto inanimato, per esempio con una panchina o con un albero; ce n'erano che s'imbrattavano d'escrementi o addirittura li mangiavano, e venivano detti, in gergo manicomiale, «gli sporconi». Ce n'erano che si mettevano in faccia al sole, e stavano fermi a fissarlo finché arrivavano gli inservienti a portarli via: questi ultimi, in genere, erano i matti della *pellarina*. Dopo aver passeggiato in lungo e in largo, Mattio andò a sedersi all'ombra di una tettoia perché il sole d'agosto incominciava a dargli fastidio. Là sotto c'era un altro pazzo e gli occhi del nostro ciabattino – non appena lo videro – si dilatarono, la sua bocca, spalancata per lo stupore, riuscí infine a balbettare: «Don Marco! Siete proprio voi?»

L'uomo cosí interpellato si guardò attorno per vedere se c'era qualcuno che poteva ascoltarli e poi subito fece segno a Mattio di stare zitto, toccandosi la punta del naso con il dito indice della mano destra. «Per carità, – gli disse, – non farti sentire! Qui nessuno conosce il mio nome, e nemmeno io lo ricordo! Mi chiamano tutti il Tedesco: forse perché sono straniero, o perché parlo con accento tedesco. Nessuno, all'infuori di te, sa come mi chiamo!»

Si avvicinò a Mattio, gli mise una mano sul braccio, glielo strinse. In fondo ai suoi occhi grigi, mobilissimi, c'era l'espressione ironica di sempre, ma le parole che pronunciò furono molto serie. «Ti aspettavo, – disse al calzolaio, – per chiederti di salvare anche me, ora che hai salvato il resto del genere umano! Se non lo farai, la tua opera rimarrà incompiuta e il tuo sacrificio, almeno in parte, sarà stato inutile!»

Mattio, però, non lo ascoltava. Lo guardava, e non cessava di stupirsi che non fosse minimamente cambiato rispetto a quel lontano giorno di trent'anni prima, in cui lui lo aveva visto per la prima volta... Alla fine esclamò: «Siete sempre voi! Voi siete quel don Marco che io ho conosciuto nell'estate del 1775 e che poi ho rivisto in vari luoghi e in varie circostanze, a Zoldo, a Venezia e anche a Belluno, quando sono venuto a portarvi le fedi dei parroci! Voi siete il responsabile dell'assassinio della signorina Rosa Fulcis, e siete anche quel dottor Sturz, specialista in malattie del capo, che gestiva la bisca dove si rovinò il contino Doglioni...»

«È vero, – ammise don Marco. – È tutto vero!» Singhiozzò, ma i suoi occhi rimasero asciutti. «Io ho rovinato moltissime persone che conoscevo, e molte altre che non sapevo nemmeno chi fossero, e come si chiamassero! Sono stato io a spingere i francesi al regicidio, e poi ho provocato a Verona quelle Pasque di sangue, per cui Bonaparte ha aggredito Venezia. Anche la rivolta dei contadini bellunesi è opera mia. Le mie mani grondano sangue e le mie notti sono piene di incubi. Io sono un mostro!»

Senza dire nulla, Mattio lo abbracciò. Restarono stretti cosí a lungo che uno degli inservienti si avvicinò dondolando il bastone, casomai le effusioni di quei due matti avessero preso un certo sviluppo fin troppo prevedibile e abituale, per lo meno a San Servolo: ma l'abbraccio si sciolse e l'inserviente ritornò sui suoi passi. «Perché ora vi trovate in questo luogo?», domandò Mattio.

«Perché dovevo incontrarti!», sussurrò don Marco. Avvicinò il viso al viso del ciabattino, gli bisbigliò in un orecchio: «Solo tu, se vuoi, puoi liberarmi dalla maledizione che mi perseguita e che mi costringe a sognare un sogno, sempre lo stesso sogno, per conto di tutti gli uomini che sono vissuti e che vivranno nel mondo! Se io potessi smettere di sognare quel sogno... sarei buono!»

S'era portata una mano alla fronte e la teneva appoggiata in un certo modo, come se avesse voluto nascondere gli occhi e la parte superiore del viso. Forse stava ridendo... Mattio, allora, provò per lui una grande pietà. «Qualunque cosa accada, – gli promise, – io vi salverò!»

Dice una nota del dottor Portalupi, direttore di San Servolo, inclusa dal professor Ruggieri nella sua relazione, che Mattio, pur avendo inizialmente rifiutato il cibo, dopo essersi incontrato con un altro pazzo e dopo aver parlato con lui ricominciò a mangiare, e sembrò adattarsi di buon grado alla vita del manicomio. Durante il giorno, andava attorno come gli altri ricoverati, senza fare niente che desse luogo a particolari rilievi; di notte dormiva oppure metteva il viso tra le sbarre della sua finestrella, e restava fisso per ore a guardare il cielo. C'era luna nuova, in quelle prime notti che Mattio trascorse a San Servolo, e nel buio della laguna anche Venezia – che ai tempi della Serenissima era stata scintillante di luci e di riflessi – era quasi buia; ma le sue stelle, finché l'aria si mantenne limpida, erano poco meno fitte e luminose delle stelle di Zoldo, e raddoppiavano di numero specchiandosi nell'acqua. Un brulichio infinito, in cui il pensiero del ciabattino si smarriva ogni notte...

L'uomo soprannominato «il Tedesco», invece, dopo l'incontro con Mattio scomparve dalla circolazione: era agitato e gli inservienti lo tenevano chiuso in cella, anzi una notte addirittura dovettero picchiarlo per fargli smettere di gridare certe parole che nessuno capiva, e che – secondo i dottori – non erano né tedesche né latine né greche; appartenevano ad un'altra lingua, certamente antica, ed il loro significato doveva essere davvero terribile, perché chi le ascoltava nel buio si sentiva accapponare la pelle! Tornò a vedersi sul passeggio mercoledí 15 agosto verso mezzogiorno, e sembrava scampato ad una malattia mortale: le sue guance erano scavate, il suo viso era livido, gli occhi avevano perso la vivacità di sempre ed esprimevano paura, l'andatura era incerta. Camminava furtivo lungo i muri e andò a sedersi in un angolo del cortile, tra l'edificio principale del *morocomio* e la recinzione interna, dove il sole non arrivava mai. Mattio gli si avvicinò, gli domandò: «Come state, don Marco?»

Il Tedesco teneva gli occhi chiusi e i pugni serrati; di tanto in tanto trasaliva, scosso da un pensiero improvviso e lancinante che attraversava tutto il suo corpo. Respirava in fretta. A vederlo, sembrava che non dovesse prestare alcuna attenzione all'uomo che gli aveva parlato e che poi si era seduto al suo fianco; invece gli rispose. «È quel sogno, sempre lo stesso sogno! – mormorò: come riprendendo il discorso interrotto qualche giorno prima. – Senza quel maledetto sogno che mi perseguita e mi fa star male, io certamente non sarei finito a San Servolo, e tu ora non mi vedresti in queste condizioni!» Aprí gli occhi e guardò Mattio, se per caso stesse ridendo di lui e delle sue disgrazie. Per un attimo, il suo sguardo sembrò riprendere l'espressione beffarda che gli era abituale; ma subito si smarrí. Anche la sua voce tremava. Balbettò: «Io che non ho mai avuto paura di niente e di nessuno, sono in balia di un sogno! Di uno stupidissimo sogno!»

Aveva aperto i pugni e le dita gli tremavano. «Comincia sempre allo stesso modo, – mormorò, come parlando a se stesso. – C'è una strada in salita, tra le case; poi si sentono delle voci, delle grida, e si vede venire avanti una folla che spinge un uomo con gli abiti a brandelli, tutto coperto di sangue...» S'interruppe, si strinse la testa tra le mani. «Io... io sono sulla porta di una di quelle case, – disse a Mattio, – in compagnia di una donna, e beviamo vino. Non so cosa stia succedendo: ignoro il nome di quell'uomo e la colpa per cui viene condotto al supplizio, ma non mi importa nulla di lui e non muoverei un dito per salvarlo, nemmeno se ne avessi la possibilità. Penso: delinquente o stupido, sta ricevendo quello che si merita!; o qualcosa del genere. La folla si avvicina, l'uomo si avvicina, barcolla e viene ad appoggiarsi al muro della mia casa mentre io sono lí che bevo vino insieme alla mia amica: mi hai seguito? Riesci a rappresentarti la scena? Con la sua mano insanguinata e con tutte le case che ci sono in quella strada, con tutti i muri che ci sono nel mondo, quell'uomo viene a mettere l'impronta proprio sul mio muro. Allora nel sogno mi viene una grande ira, e lo colpisco con un pugno. Gli dico: maledetto, vattene! Lui alza gli occhi: due occhi azzurri che da allora mi trafiggono come due spade, nel sogno e in ogni istante della mia vita. Mi risponde: io tra poco riposerò, ma tu dovrai camminare fino al mio ritorno. A questo punto, – singhiozzò il Tedesco, – il sogno finisce. Mi sveglio e grido al mondo la mia disperazione; ma nessuno può capire il mio tormento, nessuno ha pietà di me!»

«Il vostro tormento sta per finire, – mormorò Mattio. – Io sono tornato!»

Il sole sorse e tramontò per altre tre volte, sull'isola dei morti viventi. Sabato 18 agosto, mentre il dottor Portalupi era a Venezia e mentre Mattio e gli altri pazzi considerati tranquilli si trovavano nello stanzone al piano terreno dove gli venivano dati i pasti, il Tedesco si ribellò agli inservienti che volevano fargli attraversare il cortile battuto dal sole: afferrò uno di loro per il collo, gridando alcune parole incomprensibili, lo buttò per terra. I matti che erano nel refettorio, sentendo il trambusto, ritornarono fuori per vedere cosa fosse successo. Uno di loro disse agli altri, indicando il Tedesco: «Non ha l'ombra, e non vuole che ce ne accorgiamo! Avete notato che cammina sempre rasente ai muri, e che non esce mai al sole?» L'uomo, intanto, si era nascosto tra i cestoni della biancheria da lavare e quando gli inservienti cercarono di tirarlo fuori anche da lí, riuscí a divincolarsi e a liberarsi dalla loro stretta; corse lungo il muro verso quella parte di cortile dove il sole non arrivava mai, e che era il suo rifugio abituale. La notizia che uno dei matti non aveva l'ombra fece il giro di San Servolo in un batter d'occhi: tutti i pazzi che non erano tenuti chiusi nello loro celle uscirono in cortile per assistere alla caccia al Tedesco, ma soprattutto per vedere quella gran novità, di un corpo umano che lasciava passare i raggi del sole, come se fosse stato fatto d'aria! Purtroppo per loro, però, quando finalmente lo straniero venne immobilizzato e trasportato all'interno dell'edificio, era circondato da una tale ressa di inservienti, e le ombre che il gruppo proiettava erano cosí confuse, che nessuno poté distinguerle: in pratica, per terra, c'era un'ombra sola! Bisognava attendere un'altra occasione; ma, nella notte tra il 18 e il 19 agosto, il Tedesco riuscí a fuggire dall'ospedale dei matti, aprendo con un pezzettino di filo di ferro la serratura della sua cella, e andandosene dall'isola senza che nessuno lo vedesse. Dato l'allarme, la mattina del giorno successivo arrivò da Venezia il commissario Avigni della regia direzione di polizia, che interrogò alcuni inservienti e alcuni matti e stilò un breve rapporto sull'accaduto in cui diceva che lo smemorato soprannominato il Tedesco, fuggito durante la notte dal *morocomio* di San Servolo, poteva essere ovunque: in città nascosto presso conoscenti, in Terra Ferma e perfino in fondo alla laguna, se non sapeva nuotare... «Nel caso d'un uomo sano di mente, – cosí, all'incirca, si espresse in quella circostanza il sagace poliziotto, – escluderei quest'ultima eventualità, che abbia tentato di scappare a nuoto da un'isola senza essere un buon nuotatore; ma trattandosi d'un pazzo, non escludo niente!»

Mattio seppe che il Tedesco era scomparso verso le dieci di mattina del giorno 19 agosto 1805. Da quel momento rifiutò cibi e bevande e non disse piú nemmeno una parola; sopravvisse alcuni mesi, soltanto perché i medici lo tennero in vita con «clisteri nutritivi» – cosí sta scritto nella nota del dottor Portalupi – e poi anche perché s'approfittarono dei suoi momenti d'assenza da sé stesso e dal mondo, sempre piú frequenti e sempre piú prolungati, per fargli tranguggiare a sua insaputa qualche cibo liquido. Restò nella sua stanzetta di fronte al mare a guardare le stelle, anche quando la notte era nuvolosa e anche di giorno, quando la luce del sole le nascondeva alla vista di tutti: non gli serviva nemmeno piú vederle davvero, gli bastava sapere che c'erano! S'attenuarono, invece, intorno a lui, gli stimoli del mondo reale: e quando finalmente cessarono del tutto Mattio non ebbe piú niente che lo tenesse vincolato a San Servolo, e a quell'epoca in cui gli era toccato in sorte di vivere. Restò a fluttuare fuori del tempo, ascoltando voci lontane che gli raccontavano le infinite storie degli uomini passati e quelle altrettanto infinite degli uomini che ancora dovevano nascere... A volte anche sentiva risuonare chiare note musicali, richiami imperiosi: la tua missione è compiuta, il mondo è salvo, non hai piú niente da fare laggiú. Sbrigati a tornare!

Epilogo

Mattio Lovat morí la mattina dell'8 aprile 1806, dopo un'agonia di qualche giorno cosí descritta dal dottor Portalupi: «Alli 2 aprile mostrossi alquanto affannoso, con volto ed estremità inferiori edematose, tosse frequente ed escreato purulento: alli 6 si soppresse affatto l'escreato con ribullimento sensibile nel petto, polsi esili ec., nella mattina del giorno 8, dopo breve letargo spirò». Venne sepolto nell'isola stessa di San Servolo e sulla sua povera croce, fatta di due assicelle di legno inchiodate tra loro, qualcuno scrisse: «Mattio Casal». A Venezia, infatti, Mattio era conosciuto con il nome del paese d'origine e non con il cognome suo proprio. Perciò anche negli atti della polizia, firmati dal commissario Avigni e dal suo superiore ispettore Raab, Mattio Lovat viene chiamato «Mattio Casal calzolaio e miserabile»; mentre nei registri dell'ospedale di San Servolo è «il mentecatto Mattio Casale», senz'altra qualifica.

La vicenda umana e clinica di Mattio venne raccontata una prima volta, come già s'è detto, dal dottor professor Cesare Ruggieri in un opuscolo intitolato *Storia della crocifissione di Mattio Lovat da se stesso eseguita. Comunicata in lettera ad un medico suo* (di Cesare Ruggieri) *amico*. L'opuscolo venne stampato a Venezia nel 1814, presso la tipografia Fracasso. Del professor Ruggieri, testimone e primo biografo di Mattio, l'autore di queste pagine vorrebbe poter dare altre informazioni ma sa soltanto che qualche anno dopo la pubblicazione di quel libriccino ne diede alle stampe un altro di cui lui – l'autore – promette solennemente che non si occuperà mai, e di cui anche allora ben pochi si curarono (*Storia ragionata di una donna avente*

gran parte del corpo coperta di pelle e pelo nero, Padova, 1822).
Mattio Lovat, invece, ebbe una sua letteratura, dovuta al fatto
che proprio in quegli anni stava nascendo la piú futile delle
scienze umane, la psichiatria: sicché la prima memoria del Ruggieri fu tradotta e commentata in varie lingue, e poi anche se ne
occuparono il professor Charles Marc, che formulò a proposito
di Mattio Lovat una diagnosi di «melanconia religiosa», ed il
famoso alienista Esquirol, che parlò invece di «lipemania»,
cioè di mania depressiva con tendenza al suicidio. (Oh, sonora
vacuità della terminologia medico-scientifica, che riesce a dire
nulla in mille modi diversi, uno piú solenne ed enfatico dell'altro! L'autore di queste pagine, se proprio dovesse dare un nome alla malattia di Mattio Lovat, lo cercherebbe a metà strada
tra il «male della polenta» e il «male di vivere»; avvertendo però che anche cosí formulato quel nome sarebbe imperfetto e insufficiente, e che un nome giusto non c'è e non ci può essere).

La passione di Mattio fu molto lunga, le circostanze della
sua morte possono apparire banali: non altrettanto può dirsi
degli effetti, che furono grandiosi. A partire dall'8 aprile 1806
incominciò il declino di quel Bonaparte in cui Mattio, e moltissimi altri come lui, avevano visto l'incarnazione stessa delle forze del male. Le cose del mondo, rimescolate a lungo e con molto
vigore tra di loro, si fermarono a poco a poco e si riassestarono,
non piú secondo l'ordine antico ma secondo un ordine nuovo,
che si sarebbe venuto disvelando nei decenni e nei secoli successivi. Tutto accadde apparentemente da sé, per una serie
d'impulsi le cui ragioni profonde sono destinate a rimanere
oscure: cosí come sono oscure le ragioni per cui il chicco di grano germoglia, e si fa stelo, e dallo stelo, infine, produce la spiga.
Iniziò una nuova epoca, che dura ancor oggi. La morsa della miseria s'allentò, nella campagna veneta e in tutte le campagne
d'Europa: s'introdussero nuove coltivazioni – la patata, il gelso,
la barbabietola – che migliorarono in modo rapido e vistoso le
condizioni di vita dei contadini e della gente del popolo. Scom-
parvero i cantori castrati, diventarono rarissime le Sante: i frati

smisero di sdemoniare i bambini discoli e il vecchio mondo, pian piano, se ne uscí di scena, con il suo enorme fardello di ingiustizie e con l'altro suo fardello, altrettanto enorme, di paure. Rifiorirono i commerci, nacquero le prime industrie moderne. Alcuni flagelli come la pellagra continuarono – è vero – a fare vittime ancora per qualche decennio, prima di abbandonare definitivamente le campagne dell'Italia settentrionale, e le valli alpine; ma la miseria e la fame di quell'epoca terribile in cui era vissuto Mattio si attenuarono nel volgere di pochi anni e non tornarono mai piú, nemmeno in tempi di guerra! Nella valle di Zoldo, addirittura, rinacque l'industria del ferro, senza che fossero state trovate delle nuove miniere: si lavorarono i rottami per far chiodi e la produzione dei chiodi durò a lungo, nelle *fusine* del Prampèr e del Maè tornate come per miracolo ad essere vive e attive. Quando poi anche l'economia del chiodo declinò, gli zoldani si sparsero per il mondo vendendo pere cotte, focacce, caldarroste e simili: finché qualcuno ebbe l'idea di produrre gelati, ed ebbe inizio – nella storia millenaria di queste montagne – quell'era del gelato, che dura tuttora. Anche la città di Venezia, collegata alla Terra Ferma con un ponte che la tiene in vita come certe tubature e certi fili, nei nostri ospedali, tengono in vita i defunti, rifatta in molte sue parti, imbalsamata, s'avviò ad essere ciò che è oggi e che già s'è detto: una fiera della bigiotteria e della foto-ricordo, con contorno di gondole finte e di turisti giapponesi autentici, che – secondo il sommesso parere di chi scrive – sono ormai la vera attrazione di quel luogo. (Non privi d'interesse, però, sono anche i turisti americani e quelli tedeschi, di cui si potrebbe dire oggi ciò che duecent'anni fa il grande Goethe disse degli italiani: «Sembra che non abbiano nulla di piú urgente che liberarsi al piú presto possibile di ciò che si sono messi in corpo piú spesso che gli è stato possibile»; ma bisognerebbe aggiungere, data la loro avarizia, «con la minor spesa possibile»). Insomma e per farla breve, da quel lontano giorno d'aprile del 1806 tutto nel mondo incominciò a volgere al meglio, cioè al presente: a questo nostro presente pieno di

cibo, di soldi, di automobili e d'ogni altro genere d'abbondan-
ze, che non sarebbe com'è, o, forse, non esisterebbe nemmeno,
se Mattio Lovat non avesse patito, e non fosse morto, per libe-
rarci dal passato. Addio, Mattio!

Indice

*Stampato per conto della Casa editrice Einaudi
presso G. Canale & C., s.p.a., Borgaro (Torino)*

C.L. 13462

Edizione									Anno			
6	7	8	9	10	11	12	13		1999	2000	2001	2002